2002 黄河河情咨询报告

黄河水利科学研究院

黄 河 水 利 出 版 社

图书在版编目(CIP)数据

2002 黄河河情咨询报告 / 黄河水利科学研究院编著.
郑州：黄河水利出版社，2004.5
ISBN 7-80621-774-6

Ⅰ.2… Ⅱ.黄… Ⅲ.黄河–含沙水流–变化–2002–研究
报告 Ⅳ.TV152

中国版本图书馆 CIP 数据核字(2004)第 017144 号

策划编辑：王路平　　☏ 0371-6022212　　📱 13623813888

出　版　社:黄河水利出版社
　　　　　地址:河南省郑州市金水路 11 号　　邮政编码:450003
发行单位:黄河水利出版社
　　　　　发行部电话及传真：0371-6022620
　　　　　E-mail:yrcp@public.zz.ha.cn
承印单位:黄河水利委员会印刷厂
开本:787 mm×1 092 mm　1 / 16
印张:21.75
字数:500 千字　　　　　　　印数:1—1 500
版次:2004 年 5 月第 1 版　　印次:2004 年 5 月第 1 次印刷

书号:ISBN 7- 80621 -774 - 6 / TV・352　　　定价:50.00 元

《2002 黄河河情咨询报告》编委会

主 任 委 员：时明立

副主任委员：高　航

委　　　员：康望周　姜乃迁　江恩惠　姚文艺

　　　　　　潘　恕　张俊华　李　勇　史学建

《2002 黄河河情咨询报告》编写组

主　　　编：时明立

副　主　编：姚文艺　李　勇

编写人员：李　勇　姚文艺　时明立　曲少军

　　　　　　侯素珍　张晓华　张俊华　韩巧兰

　　　　　　梁国亭　苏运启　李书霞　陈江南

　　　　　　尚红霞　陈书奎　李小平　王严平

　　　　　　张启卫　孙赞盈　马怀宝　张胜利

　　　　　　戴明英

技术顾问：潘贤娣　钱意颖　赵业安　赵文林

2002 黄河河情咨询报告专题设置一览表

序号	专题名称	负责人	主要完成人			
1	黄河干流水沙特性	张晓华 陈江南	张晓华 尚红霞 孙赞盈	陈江南 戴明英 赵业安	王卫红 陈永奇 李小平	张胜利 胡玉荣 曾茂林
2	三门峡水库库区冲淤特性及潼关高程变化	侯素珍 张翠萍	侯素珍 王普庆	林秀芝	梁国亭	张翠萍
3	小浪底水库运用及库区水沙运动特性分析	李书霞 张俊华 陈书奎	李书霞 胡跃斌 刘海凌	张俊华 田水利	陈书奎 王 岩	马怀宝 王严平
4	黄河下游河床演变及2003年防洪形势分析	李 勇 曲少军 苏运启	曲少军 孙赞盈 赵咸榕 王卫红	苏运启 李 勇 韩巧兰 王开荣	尚红霞 袁东良 王严平 茹玉英	李小平 王德芳 张晓华 汪大鹏
5	黄河泥沙数学模型的应用和检验	张启卫 韩巧兰	韩巧兰	张启卫	梁国亭	王严平
6	基础资料处理及河床演变数据库		尚红霞　孙赞盈　李小平　林秀芝			

前　言

为提高治黄科技含量、促进治黄科技发展、培养治黄科技人才，黄河水利委员会（以下简称黄委）决定自 2003 年启动黄河河情的咨询和跟踪研究工作，要求黄河水利科学研究院每年 4 月底提出上一年度的河情咨询报告，并对黄河出现的新情况、新问题进行跟踪调研，及时提交跟踪研究报告。因此，"黄河河情咨询报告"是根据黄河治理开发与管理的迫切需求，对黄河出现的重大问题及存在的具有战略性、前瞻性和基础性的科学问题进行咨询研究。同时，对国内外关于黄河问题研究的新成果及进展趋势进行综述，从而提出对黄河规律的新认识，从政策、技术等不同层面上提出黄河治理开发与管理的建议。也可以说，"黄河河情咨询报告"是聚焦黄河、面向公众、面向决策的年度咨询报告。

2002 年是治黄史上值得纪念的一年。2002 年 7 月 4~15 日实施了黄河首次调水调沙试验。调水调沙期间，小浪底水库出库水量 26.06 亿 m^3，出库沙量 0.32 亿 t，平均含沙量 12.3 kg / m^3，伊洛河和沁河同期来水 0.55 亿 m^3，花园口站最大流量和最大含沙量分别为 3 170 m^3 / s 和 44.6 kg / m^3。2002 年调水调沙试验取得了黄河下游全河段冲刷的显著效果，白鹤—汊 2 河段共冲刷 0.362 亿 t，其中高村以上河段冲刷 0.191 亿 t，山东窄河段亦发生全程冲刷。由此，使得河槽过流断面及平滩流量都有不同程度的增加。与此同时，还取得了 520 多万组的海量测验数据。

潼关高程作为判断渭河入黄口基准面高低的重要参数，自三门峡水库运用以来，一直为世人所关注，也一直是牵涉到三门峡水库运用方式甚至三门峡水库废存的争论焦点。在三门峡水库拦沙运用期的 1962 年 3 月，潼关高程曾达到 328.07 m，较建库前抬升了 4.67 m。自 1986 年以后，因人类活动作用增强及气候等多种因素影响，潼关高程居高不下。2002 年 6 月 22~26 日升至 329.14 m，达到历史最高值。研究潼关高程出现新高的原因，提出治理对策，已是非常迫切。

近年来，水土保持治理工作得到较快发展，诸如水土保持世界银行贷款项目等多级别、多形式的治理项目不断得到实施，流域治理度及治理标准均有明显提高。但是，关于水土保持措施对暴雨洪水的控制作用仍有不同的看法和认识。事实上，尽管一些流域治理度相近，但流域的治理效果却存在着很大差别。结合清涧河流域 2002 年 7 月暴雨洪水调研，对水土保持治理措施控制洪水的作用进行深入研究，有很大的现实意义，也是黄土高原水土流失治理实践的迫切需求，研究解决这一问题必将对进一步提高黄土高原治理的科技水平起着极大的作用。

自 1986 年以来，黄河下游河道发生持续萎缩，河槽过流断面不断减小，排洪输沙能力大大降低，如平滩流量已不及 1986 年前多年平均值的一半，"小水高水位大漫滩"已成为近年来黄河下游水沙灾害的突出特征，防洪压力越来越大。因而，对黄河下游河道的防洪形势进行预测就显得非常必要。

《2002 黄河河情咨询报告》的内容主要包括：

(1)清涧河流域暴雨洪水分析，研究水利水保措施对暴雨洪水的控制作用。

(2)潼关高程出现历史新高的原因。

(3)2002 年调水调沙试验对下游河道冲淤影响的敏感性分析，提出 2003 年调水调沙试验下泄水沙条件的建议。

(4)对 2003 年黄河下游的防洪形势进行评估。

《2002 黄河河情咨询报告》共分为三部分，第一部分为综合咨询研究报告，第二部分为专题研究报告，第三部分为跟踪研究报告。综合咨询研究报告分为六章，分别为黄河流域降雨和水沙特点、清涧河流域"2002·7"暴雨调查分析、三门峡水库库区冲淤特性及潼关高程变化、小浪底水库运用及库区冲淤特性、黄河下游河床演变及 2003 年防洪形势预测，以及认识和建议。报告的重点是弄清 2002 年黄河的新情况，分析其发生的原因，提出治理的建议和对策。

通过咨询研究，得到的认识主要有：

(1)黄河高效造床输沙流量枯竭和黄河干、支流河道萎缩已严重危及黄河的基本功能。

(2)水利水保措施的减水减沙效果具有较强的时效性和阶段性。一些流域的坝库蓄水拦沙作用降低，淤地坝水毁增沙现象严重。黄河中游产生高含沙量大洪水的可能性依然存在。

(3)2002 年 6 月下旬潼关高程出现 329.14 m 历史新高是不利的前期河床边界条件与不利的水沙过程相遇的共同结果。桃汛洪水对于降低潼关高程具有较大的作用。

(4)自 1999 年 10 月至 2002 年 10 月，小浪底水库共淤积泥沙 8.74 亿 m³，年均近 3 亿 m³。小浪底库区淤积主要发生在干流，且多在 215 m 高程以下。

(5)以异重流方式通过小浪底水库进入下游河道的泥沙组成很细，大多属于冲泻质，在下游主槽输移过程中基本不淤。

(6)保证黄河下游每年出现一次漫滩小洪水对于塑造河槽是有一定作用的。

(7)2003 年汛期夹河滩—艾山河段的防洪形势将依然十分严峻。预计 2003 年汛初夹河滩—艾山河段的平滩流量不会超过 3 000 m³／s。

2002 年黄河河情咨询工作得到了黄委国科局的关心和指导，专门组织专家对咨询工作大纲进行审查，并提出了工作要求。黄委规划计划局、财务局及总工程师办公室等部门也给予了很大支持，特此表示感谢。黄河水利科学研究院对黄河河情咨询工作高度重视，成立了由院长任第一负责人的项目组，并以青年技术骨干为主组成了技术力量较强的项目组。同时，聘请对黄河基本情况熟悉、学术水平高的老专家作为项目工作指导专家。

我们相信，随着工作的不断深入，黄河河情咨询工作将为黄河治理开发与管理发挥出越来越大的科技参谋作用。

黄河水利科学研究院
黄河河情咨询报告项目组
2003 年 5 月

目 录

第三部分 跟踪研究报告

第一部分　综合咨询研究报告

第一部分　综合理论研究

第一章　黄河流域降雨和水沙特点

一、雨情概况

2002 年汛期黄河流域降雨普遍偏少，与历年同期相比，各区间普遍偏少 20% ~ 65%。其中，兰州以上主要少沙来源区偏少达 42%，对当年流域来水量产生了较大的影响；兰托(兰州—托克托，下同)区间、渭河咸阳以上也偏少 40% 以上。一些支流偏少的程度也较大，如金堤河和大汶河偏少分别达 55% 和 63%(见图 1-1、表 1-1)。但是，局部地区的降雨较历史同期显著偏丰，如晋陕区间的清涧河流域 7 月份出现强降雨过程，子长站雨量达 321 mm，为 2002 年黄河流域的最大雨量。

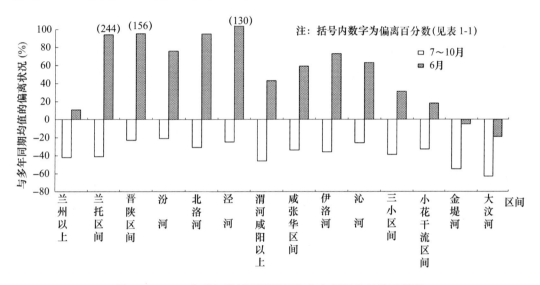

图 1-1　2002 年黄河流域区间降雨与多年平均值的偏离情况

注：咸张华指咸阳、张家山、华县，三小指三门峡—小浪底，小花指小浪底—花园口，下同

2002 年降雨的另一个突出特点是，除金堤河和大汶河外，各区间 6 月份降雨普遍较历史同期偏多。其中，晋陕区间和泾河偏多 1 倍以上，兰托区间偏多达 244%。

6 月份渭河流域降雨也较多，形成了渭河华县水文站 3 次洪峰流量 520 ~ 1 200 m³ / s、潼关洪峰流量 1 430 ~ 2 180 m³ / s 的小洪水过程。

相反，多数区间在 10 月的降雨却与汛期的相差较大，尤其是上游地区 10 月降雨稀少。

二、流域水沙过程变化特点

从黄河主要控制站历年水沙变化过程(见图 1-2)可以看出，自 1997 年以来，除 1999 年唐乃亥水沙量大于长系列均值外，其他年份各站的水沙量都小于长系列均值，而且距差都较大。这表明 1997 ~ 2002 年黄河流域的水沙过程是一个连续的水量特枯、沙量偏少的系列。

表 1-1 黄河流域 2002 年降雨统计

区域	6月		7月		8月		9月		10月		7~10月		最大雨量
	降雨(mm)	距平(%)	降雨(mm)	距平(%)	降雨(mm)	距平(%)	降雨(mm)	距平(%)	降雨(mm)	距平(%)	降雨(mm)	距平(%)	(mm)
兰州以上	78.4	11	52.8	-42	44.3	-50	57.6	-16	10.0	-71	164.7	-42	121
兰托区间	93.3	244	30.4	-46	29.4	-55	36.6	16	2.3	-83	98.7	-41	87
晋陕区间	132.2	156	76.6	-24	46.1	-55	76.7	31	22.9	-17	222.3	-23	321
汾河	106.3	76	52.8	-53	53.9	-49	91.5	40	42.5	19	240.7	-21	150
北洛河	114.7	95	61.0	-45	59.2	-46	80.1	3	32.0	-16	232.3	-31	121
泾河	131.6	130	53.2	-50	81.6	-21	70.9	-4	36.2	-11	241.9	-25	169
渭河咸阳以上	102.3	43	35.5	-69	59.8	-41	67.9	-34	38.0	-32	201.2	-46	116
咸张华区间	102.7	59	39.0	-62	77.9	-19	78.1	-17	36.1	-37	231.1	-34	137
伊洛河	126.8	73	78.0	-47	66.0	-44	79.2	-6	36.6	-34	259.8	-36	207
沁河	114.4	63	85.9	-42	61.6	-49	102.8	48	31.7	-21	282.0	-26	172
三小区间	83.3	31	64.7	-56	57.0	-49	77.5	-1	36.7	-26	235.9	-39	125
小花干流区间	71.4	18	70.6	-51	79.2	-25	72.3	-1	24.5	-46	246.6	-33	162
金堤河	62.0	-5	73.0	-52	40.6	-68	45.4	-27	10.0	-72	169.0	-55	141
大汶河	69.3	-19	69.3	-67	54.4	-64	31.9	-50	17.3	-50	172.9	-63	124

注：历年均值统计至 2000 年。

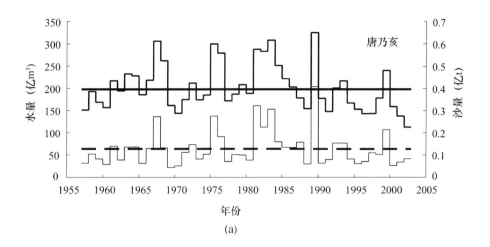

(a)

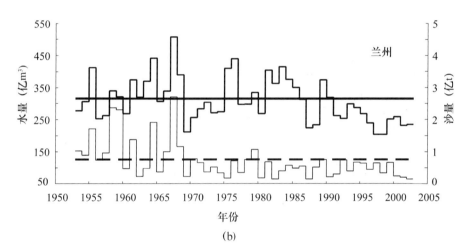

(b)

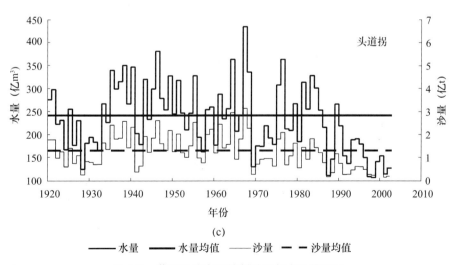

(c)

———— 水量　━━━━ 水量均值　──── 沙量　━ ━ ━ 沙量均值

图 1-2　黄河干流主要控制站历年水沙量过程

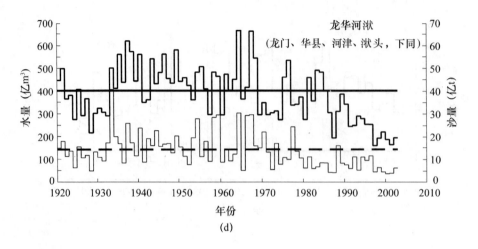

(d)

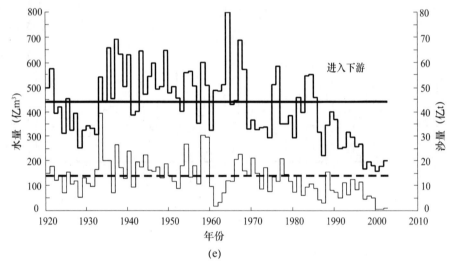

(e)

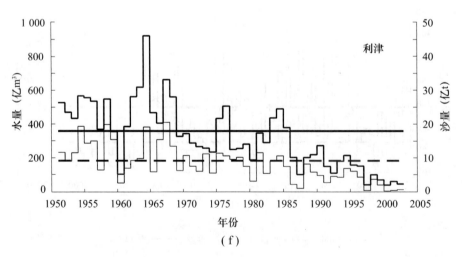

续图 1-2

(一)干流各河段枯水少沙，水量减少幅度沿程增大

2002年干流各控制水文站水沙量基本保持在1997～2001年的枯水少沙的水平上。与长系列均值(统计至1996年)相比，水量的减少幅度一般在40%以上，其中，上游唐乃亥水文站年水量只有112.5亿 m^3，比长系列均值197.9亿 m^3 减少43%，为1957年以来的最小水量。

由于沿程用水的增加，干流水量沿程减少的幅度显著增大(见图1-3)，到黄河下游出口站(利津)年水量仅为44.4亿 m^3，比长系列均值减少88%(详见表1-2)，为1950年以来水量第三小的年份。支流伊洛河黑石关和汾河河津也分别偏少88%和85%。

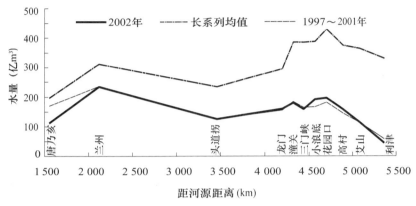

图1-3 黄河干流水量沿程变化

由于主要产沙区强降雨过程较少，所以流域来沙量也明显偏少。中游来沙控制站龙华河洑年沙量仅6.197亿t，较长系列偏少57%。下游受小浪底水库拦沙的影响，年来沙量仅0.709亿t。下游各站在沿程冲刷过程中沙量有所恢复，花园口、高村、艾山沙量超过1亿t，利津输出沙量为0.546亿t，比长系列减少94%。

(二)汛期水量减少幅度大，水沙年内搭配更不合理

2002年黄河流域水量减少的时段相对集中于汛期。其中，唐乃亥、兰州、头道拐、龙华河洑和小黑武汛期减幅分别达到56%、48%、76%、72%和65%，而非汛期减幅分别是23%、-3%、7%、23%和39%(见表1-2)。

2002年沙量的年内分配与近年来的变化趋势基本一致，汛期沙量占全年的比例明显增大。小浪底水库运用使得2002年汛期进入下游的沙量占全年的98%。由于6月份降雨较多，中游控制站龙华河洑非汛期的沙量为1.935亿t，较长系列增加23%，而汛期沙量减幅达67%，使得汛期沙量仅占全年的69%，小于1997～2001年系列均值的80%和长系列均值的89%。

从年内各月水量分配看，2002年的情况与1997年以来的基本一致，即趋于均匀(见图1-4)。

(三)小流量出现概率进一步增加，水流含沙量不断增高

1996年以前，潼关以下河段3 000 m^3/s以上流量级的洪水持续时间年均一般在25～30 d，占汛期的20%多，相应水沙量在80亿～120亿 m^3 和5.5亿～4.4亿t，分别占汛期总量的40%～50%和50%～60%；而2002年3 000 m^3/s以上的流量过程仅在下游花园口(由于小浪底水库调水调沙试验泄放洪水)出现了1 d，相应水沙量分别为2.6亿 m^3 和0.056亿t，分别占汛期的3%和6%；其他各站日均流量都在3 000 m^3/s以下。2002年

表 1-2 黄河流域 2002 年主要控制站水沙量

项目	站名	非汛期	7月	8月	9月	10月	汛期	年	汛期占年比例(%)	距长系列均值(%)						
										非汛期	7月	8月	9月	10月	汛期	年
水量 (亿 m³)	唐乃亥	60.4	21.3	11.9	9.9	9.0	52.1	112.5	46	-23	-36	-60	-68	-65	-56	-43
	兰州	142.5	24.2	19.6	19.4	29.4	92.7	235.2	39	3	-49	-58	-57	-22	-48	-26
	头道拐	93.0	4.5	7.4	11.2	10.4	33.4	126.4	26	-7	-85	-81	-71	-68	-76	-48
	龙门	108.5	14.3	10.7	14.5	12.7	52.2	160.6	33	-17	-63	-79	-69	-68	-70	-47
	龙华河洑	128.9	18.5	15.4	17.6	14.8	66.3	195.2	34	-23	-65	-77	-72	-71	-72	-51
	潼关	123.0	16.2	13.2	15.3	13.2	58.0	180.9	32	-26	-68	-80	-75	-75	-75	-55
	小浪底	107.4	39.7	16.7	12.5	16.2	85.0	192.4	44	-36	-22	-75	-80	-69	-63	-52
	小黑武	112.4	40.9	17.4	13.8	17.0	89.1	201.5	44	-39	-28	-77	-80	-70	-65	-54
	花园口	106.4	41.1	18.2	14.2	17.2	90.7	197.2	46	-42	-28	-76	-80	-71	-65	-56
	艾山	58.0	31.7	8.5	7.0	10.1	57.1	115.1	50	-63	-29	-88	-89	-82	-75	-70
	利津	15.1	24.9	1.6	1.4	1.3	29.3	44.4	66	-89	-39	-98	-98	-98	-87	-88
沙量 (亿 t)	唐乃亥	0.023	0.051	0.007	0.003	0	0.060	0.083	73	-35	27	-71	-85	-100	-34	-34
	兰州	0.097	0.019	0.035	0.006	0	0.060	0.157	38	-17	-91	-88	-95	-100	-91	-79
	头道拐	0.186	0.003	0.028	0.029	0.019	0.079	0.265	30	-27	-99	-91	-90	-90	-92	-79
	龙门	1.068	1.578	0.502	0.221	0.056	2.357	3.426	69	-6	-39	-87	-81	-90	-71	-63
	龙华河洑	1.935	2.290	1.652	0.258	0.062	4.262	6.197	69	23	-47	-72	-87	-91	-67	-57
	潼关	1.934	1.383	1.262	0.316	0.158	3.119	5.053	62	-14	-57	-75	-86	-84	-73	-63
	小浪底	0.015	0.329	0.023	0.341	0.001	0.694	0.709	98	-99	-90	-100	-85	-100	-94	-95
	小黑武	0.015	0.329	0.023	0.341	0.001	0.694	0.709	98	-99	-90	-100	-85	-100	-94	-95
	花园口	0.275	0.414	0.046	0.398	0.041	0.899	1.174	77	-86	-83	-99	-83	-96	-92	-91
	艾山	0.303	0.485	0.037	0.138	0.070	0.730	1.033	71	-83	-67	-99	-94	-94	-91	-89
	利津	0.024	0.511	0.001	0.009	0.002	0.523	0.546	96	-98	-63	-100	-100	-100	-93	-94

注：小黑武指小浪底、黑石关、武陟，下同。

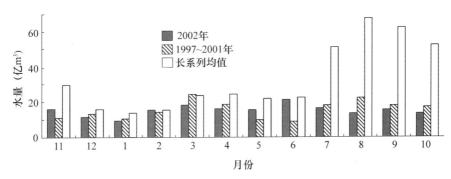

图1-4 潼关站水量年内分配

汛期1 000 m³/s以下的小流量级历时明显增长，如潼关以下河段都在110 d左右，占到汛期总天数的89%；500 m³/s以下的小流量甚至已经成为汛期的主要流量级，特别是下游艾山、利津两水文站分别达100 d和109 d，占到汛期的81%和89%。而在1996年以前，1 000 m³/s以下的小流量历时年均一般为25～35 d，占汛期的20%～30%，相应水沙量分别为13亿～15亿m³和0.2亿～0.4亿t，分别占汛期的6%和3%(见表1-3)。

对汛期不同流量级含沙量的变化分析表明，汛期不同流量级的含沙量都有增大的趋势。如潼关水文站，1 000～3 000 m³/s和3 000 m³/s以上流量级水流的含沙量在1950～1996年平均为40.5 kg/m³和62.6 kg/m³，而1997～2001年则增加到69.5 kg/m³和272.6 kg/m³，2002年1 000～3 000 m³/s流量级的含沙量高达133.1 kg/m³。

从年内洪水发生情况看，2002年洪水不仅出现概率小，而且峰低量小、含沙量高，过程相对平缓。如2002年3月13～22日，潼关桃汛洪水最大洪峰流量为1 340 m³/s，水量、沙量分别为7.9亿m³和0.083亿t，分别比1986～2001年最大洪峰流量及水量、沙量均值偏少55%、43%和65%，是三门峡水库建库以来峰值最低、洪量最小的一次桃峰(见表1-4)。

(四)干支流水库对洪水调节作用更强

自1986年以来，黄河干支流水库对于洪水调节作用不断增强，使得黄河干支流洪水特别是中等以下洪水发生频次和相应洪量逐年降低。2002年流域暴雨较少，仅6月份的中游小洪水相对较多，但都被小浪底水库或三门峡水库拦蓄在库区内，下游没有出现洪水过程。3月份的桃汛洪峰也被三门峡水库拦蓄在库内。2002年全年只有7月上旬中游发生的一场洪水，在小浪底水库调水调沙试验期间被排放到下游，形成了今年汛期惟一进入下游的洪水过程。另外，2002年3月，为满足下游灌溉用水的要求，小浪底水库泄放了一次流量为1 500 m³/s的清水过程；9月上旬小浪底水库小水排沙，虽然流量只有500 m³/s左右，但出库日均最大含沙量达176 kg/m³，形成了黄河下游一次较为独特的沙峰过程。

(五)局部地区产生大到暴雨洪水

7月4～6日，黄河晋陕区间及泾河、北洛河局部地区受强对流天气影响，降大到暴雨，暴雨中心主要分布在清涧河、延水、泾河及北洛河上中游地区。其中，7月4日清涧河子长站日降雨量为168 mm。受降雨影响，黄河中游部分干支流相继产生了一次洪水过程(见表1-5)。龙门站4日23时24分出现当年最大洪峰流量4 600 m³/s，最大含沙

表 1-3　黄河流域主要控制站各流量级水沙特征

站名	时段	各流量级历时(d) <500	500~1000	1000~3000	>3000	各流量级水量(亿 m³) <500	500~1000	1000~3000	>3000	汛期	各流量级沙量(亿 t) <500	500~1000	1000~3000	>3000	汛期
潼关	2002年	66.0	52.0	5.0	0	19.8	31.6	6.6	0	57.9	0.625	1.617	0.874	0	3.116
	1997~2001年	45.0	53.4	24.2	0.4	10.7	33.1	29.4	1.4	74.6	0.178	0.791	2.041	0.386	3.397
	1950~1996年	6.7	20.7	70.8	24.9	2.0	13.4	113.5	87.0	215.8	0.034	0.338	4.596	5.406	10.375
花园口	2002年	21.0	88.0	13.0	1.0	7.7	53.1	27.2	2.6	90.6	0.043	0.472	0.313	0.056	0.883
	1997~2001年	59.6	42.6	20.0	0.8	15.4	25.6	26.2	2.5	69.8	0.112	0.432	1.629	0.280	2.453
	1950~1996年	6.7	18.4	67.0	30.8	1.8	11.9	108.7	117.6	240.1	0.021	0.249	3.677	5.253	9.199
利津	2002年	109.0	1.0	13.0	0	6.1	0.5	22.6	0	29.2	0.017	0.008	0.495	0	0.521
	1997~2001年	101.2	10.0	11.8	0	9.0	6.5	16.5	0	32.0	0.067	0.181	0.843	0	1.092
	1950~1996年	18.0	16.5	59.3	29.2	3.2	10.9	95.9	111.4	221.4	0.027	0.162	3.117	4.436	7.742

站名	时段	各流量级历时占汛期总数的比例(%) <500	500~1000	1000~3000	>3000	各流量级水量占汛期总量的比例(%) <500	500~1000	1000~3000	>3000	汛期	各流量级沙量占汛期总量的比例(%) <500	500~1000	1000~3000	>3000	汛期
潼关	2002年	54	42	4	0	34	55	11	0	100	20	52	28	0	100
	1997~2001年	37	43	20	0	14	44	40	2	100	5	23	61	11	100
	1950~1996年	5	17	58	20	1	6	53	40	100	0	3	45	52	100
花园口	2002年	17	72	10	1	8	59	30	3	100	5	53	36	6	100
	1997~2001年	48	35	16	1	22	37	37	4	100	5	18	66	11	100
	1950~1996年	5	15	55	25	1	5	45	49	100	0	3	40	57	100
利津	2002年	89	1	10.6	0	21	2	77	0	100	3	2	95	0	100
	1997~2001年	82	8	9.6	0	28	20	52	0	100	6	17	77	0	100
	1950~1996年	15	13	48	24	1	5	44	50	100	3	2	41	57	100

注：流量级单位为 m³/s。

表 1-4　2002 年黄河中下游各场次洪水特征

时段 (月-日)	站名	洪峰流量 (m³/s)	最大含沙量 (kg/m³)	水量 (亿 m³)	沙量 (亿 t)	三门峡蓄(+)泄(−) 水量 (亿 m³)	沙量 (亿 t)	小浪底蓄(+)泄(−) 水量 (亿 m³)	沙量 (亿 t)
03-02～ 03-22	潼关	—	—	—	—	—	—	−10.38	0
	三门峡	1 140	0	9.99	0				
	小浪底	2 850	0	20.37	0				
03-13～ 03-22	龙门	1 690	13.7	7.91	0.048	3.56	0.080	−2.93	0
	华县	66	0	0.41	0				
	潼关	1 340	12.2	7.90	0.080				
	三门峡	1 110	0	4.34	0				
	小浪底	1 780	0	7.27	0				
06-09～ 06-16	龙门	1 560	136.0	2.71	0.117	0.28	0.205	−0.38	0.033
	华县	1 200	109.0	2.70	0.161				
	潼关	2 180	73.5	5.58	0.238				
	三门峡	1 270	20.3	5.30	0.033				
	小浪底			5.68	0				
06-22～ 06-26	龙门	1 200	54.4	3.30	0.107	−0.72	−0.262	2.40	0.812
	华县	890	787.0	1.51	0.437				
	潼关	1 510	312.0	4.65	0.550				
	三门峡	4 470	468.0	5.37	0.812				
	小浪底			2.97	0				
06-27～ 07-01	龙门	2 430	299.0	3.30	0.365	0.29	−0.009	1.03	0.205
	华县	520	73.6	1.45	0.068				
	潼关	1 430	76.5	4.41	0.201				
	三门峡	2 700	108.0	4.12	0.210				
	小浪底			3.09	0.005				
07-03～ 07-14	龙门	4 580	1 050.0	8.47	1.386	0.19	−0.805	−16.50	1.470
	华县	525	595.0	2.04	0.308				
	潼关	2 450	263.0	10.15	0.983				
	三门峡	3 780	507.0	9.96	1.788				
	小浪底	3 320	90.5	26.46	0.318				
07-26～ 08-03	龙门	1 230	79.4	3.04	0.152	0.52	0.226	−3.02	0.161
	华县	325	698.0	0.87	0.284				
	潼关	1 020	223.0	3.60	0.387				
	三门峡	1 410	104.0	3.08	0.161				
	小浪底	1 960	0	6.10	0				
08-06～ 08-12	龙门	1 090	113.0	2.45	0.183	0.48	0.131	−1.29	0.244
	华县	600	731.0	1.16	0.348				
	潼关	920	271.0	3.07	0.377				
	三门峡	1 360	493.0	2.59	0.246				
	小浪底	1 900	0	3.88	0.002				
08-13～ 08-22	龙门	693	130.0	2.66	0.134	0.93	0.051	−1.24	0.623
	华县	675	666.0	2.23	0.682				
	潼关	1 070	351.0	4.85	0.694				
	三门峡	2 420	649.0	3.92	0.643				
	小浪底	1 550	4.9	5.16	0.020				
09-05～ 09-11	潼关	—	—	—	—	—	—	−1.25	−0.325
	三门峡	775	14.8	1.70	0.014				
	小浪底	1 410	288.0	2.95	0.339				

表 1-5　黄河中游 2002 年 7 月暴雨洪水特征值统计

河名	站名	洪峰流量			最大含沙量 (kg/m³)	水量 (亿 m³)	沙量 (亿 t)
		峰现时间	相应水位 (m)	流量 (m³/s)			
		日	时:分					

河名	站名	日	时:分	相应水位 (m)	流量 (m³/s)	最大含沙量 (kg/m³)	水量 (亿 m³)	沙量 (亿 t)
黄　河	吴　堡	—	—	—	—	—	2.68	—
无定河	白家川	4	22:00	6.13	450	900	0.29	0.14
		5	06:12	6.26	450			
清涧河	延　川	4	11:00	92.55	5 500	835	1.00	0.70
		5	05:18	87.61	1 360			
延　水	甘谷驿	4	11:42	899.88	1 600	800	0.75	0.43
		5	10:36	900.57	2 000			
区间合计							4.72	1.27
黄　河	龙　门	4	20:42	385.51	3 920	1 050	5.31	1.38
		4	23:24	385.96	4 600			
		5	09:30	384.38	2 290			
黄　河	河　津	—	—	—	—	—	0.14	0
泾　河	张家山	5	09:12	424.15	630	276	—	—
北洛河	洑　头	6	04:36	363.81	437	776	0.42	0.14
渭　河	华　县	6	19:18	337.89	555	595	0.95	0.23
区间合计							6.82	1.75
黄　河	潼　关	5	17:48	328.56	2 000	208	5.71	0.75
		6	12:00	328.64	2 520			
		6	14:18	328.69	2 500			
黄　河	三门峡	7	21:48	278.07	3 780	513	6.16	1.72

量为 5 日 1 时的 1 050 kg/m³，为 1977 年以来的最大含沙量(1977 年为 821 kg/m³)，这场洪水期间干流龙门下游局部河段发生了 1977 年以来的首次"揭河底"现象。

龙(门)潼(关)区间的支流也出现了小流量高含沙的洪水。如北洛河洑头 6 日 4 时 36 分洪峰流量 437 m³/s，最大含沙量 776 kg/m³；泾河张家山站 5 日 9 时 12 分洪峰流量 630 m³/s，最大含沙量 276 kg/m³；渭河华县站 6 日 19 时 18 分洪峰流量 555 m³/s，最大含沙量 595 kg/m³。

三、径流泥沙的分布特点

(一)径流泥沙空间分布情况

统计表明，1985 ~ 1999 年，流域(龙华河洑)年均径流、泥沙分别为 264.1 亿 m³ 和 7.96 亿 t，中游河道径流量损耗占 2%；中下游河道淤积量占来沙量的 44%，较 20 世纪 50 年代增加了 19%；下游引水引沙量分别占 38% 和 16%，较 50 年代分别提高了 31% 和 10%；入海径流和泥沙只有四站之和的 58% 和 50%，较 50 年代分别减少了 52% 和 24%。

1999～2002 年，流域(龙华河洑)年均径流、泥沙分别为 184.4 亿 m³ 和 4.61 亿 t，中游河道径流量损耗占 17%；下游引水引沙量分别占 41% 和 12%，较 20 世纪 50 年代分别提高了 34% 和 6%；中下游河道淤积泥沙量占 66%，较 50 年代增加了 41%；入海径流和泥沙只有四站之和的 26% 和 7%，较 50 年代分别减少了 84% 和 67%。

2002 年流域水沙的分布总体上仍然延续这种基本趋势。由于小浪底水库的拦蓄作用，下游引水量进一步增加到四站之和的 45%，而引沙量占四站之和的比例则减小为 9%；中下游河道淤积泥沙量占四站总沙量的 33%，较 20 世纪 50 年代增加了 8%；只有 23% 的水量和 9% 的沙量输送至河口，输送入海的比例明显降低。

(二)干流骨干工程全年蓄水量呈负增长

2002 年径流特枯，干支流骨干工程总体上表现为非汛期补水量大于汛期蓄水量，全年表现为补水状态，干流骨干工程全年蓄水量呈负增长。截至 2002 年 11 月 1 日，流域 8 座主要水库(龙羊峡、刘家峡、万家寨、三门峡、小浪底、陆浑、故县、东平湖)全年补水 71.14 亿 m³(各水库蓄水总量只有 136.71 亿 m³)，其中龙羊峡水库和小浪底水库分别补水 39.9 亿 m³ 和 18.7 亿 m³，占到水库总补水量的 56% 和 26%。

龙羊峡和刘家峡两水库控制了黄河主要清水来源区，1986 年 10 月～2001 年 10 月两库年均蓄水 4.2 亿 m³，其中汛期蓄水 40.5 亿 m³、非汛期补水 36.3 亿 m³。2002 年龙羊峡水库补水时间较长，全年蓄水时间不足 2 个月，其余 10 个多月都是补水运用，补水量为 39.9 亿 m³，库水位下降 16.26 m(其中，汛期补水 4 亿 m³)，是龙羊峡水库运用以来补水量最大的一年，也是 1986 年 10 月龙羊峡水库运用以来第一次出现汛期补水运用。从 2000 年 11 月到 2002 年 10 月龙羊峡水库已连续三年蓄水量为负值，即补水运用，共补水 89.9 亿 m³。

2002 年是小浪底水库投入运用的第三年，2002 年 3 月 1 日达到最高蓄水位 240.87 m，蓄水量 53.3 亿 m³。从 2001 年 11 月 1 日到 2002 年 11 月 1 日，小浪底水库非汛期蓄水 11.9 亿 m³，汛期泄水 30.6 亿 m³，蓄水量从 32.0 亿 m³ 减少到 13.3 亿 m³。

(三)沿黄引水增加，区间水量不平衡问题更为突出

随着引水量的增长，水量不平衡问题日趋突出。以区间水量差与统计引水及水库蓄泄量之差作为不平衡水量进行统计(见表 1-6)，2002 年黄河小浪底、黑石关、武陟(以下简称小黑武)—利津河段不平衡水量达到 69.3 亿 m³，占上报引水量的 79%。不平衡水量占小黑武径流量的 34%，远远大于一般情况下区间水量耗损(渗漏、蒸发等)占来水量 10% 左右的比例。

表 1-6 2002 年黄河中下游水量平衡分析

项目	龙华河洑—潼关	潼关—三门峡	三门峡—小浪底	龙华河洑—小浪底	小黑武—利津	龙华河洑—利津
区间水量差(亿 m³)	14.3	21.6	−33.1	2.8	156.6	159.4
引水及水库蓄水量(亿 m³)	2.33 (三门峡水库蓄水−0.85)		−13.3	−11.0	87.3	76.34
不平衡水量(亿 m³)	11.97		19.8	13.8	69.3	83.06
不平衡水量占引水量比例(%)					79	109

四、初步结论

(1)2002 年流域降雨偏少，尤其是兰州以上主要清水来源区降雨偏少 42%，对干流水量产生较大影响，干流仍为枯水少沙年。

(2)6 月份流域降雨普遍偏多，中游多次发生小洪水，含沙量较高。干流汛期 3 000 m³/s 以上流量级的洪水几乎没有，中游 1 000～3 000 m³/s 中等流量也仅出现 4～5 d，89% 的时间内出现的都是 1 000 m³/s 以下的小流量；下游 500 m³/s 以下的小流量成为汛期的主要流量。

龙门发生洪峰流量 4 600 m³/s、最大含沙量 1 050 kg/m³ 的洪水时，龙门局部河段出现"揭河底"现象。

(3)流域(龙华河洑)水沙配置发生较大变化，2002 年只有 23% 的水量和 9% 的沙量输送至河口地区。

(4)流域主要水库 2002 年蓄水量减少 71.14 亿 m³，龙羊峡水库自运用以来首次汛期补水。

(5)干流各区间水量不平衡问题都十分突出，统计引水量与区间水量差相差较大，仅下游不平衡水量即达 69.3 亿 m³，严重影响到水库及河道冲淤量计算及流域水沙配置的计算。

第二章　清涧河流域"2002·7"暴雨调查分析

2002年7月4~5日，清涧河流域发生高强度特大暴雨(简称"2002·7"暴雨)，形成了有史以来的最大洪水，子长站最大洪峰流量4 670 m³/s，给沿河人民造成了重大的生命、财产损失，水利水保措施也受到了不同程度的破坏。对流域暴雨洪水、径流和泥沙特点进行调查分析，有利于深化对流域水利水保治理措施减水减沙作用的认识。

一、流域概况及水沙变化特点

(一)流域概况

清涧河流域位于黄河中游河口镇—龙门区间(以下简称河龙区间)下段右岸，流域面积为4 080 km²，水土流失面积为4 006 km²，河长为167.8 km，平均比降为4.8‰。流域降水、产流、产沙主要发生在每年6~9月，其中：6~9月降水量占年降水量的73%，径流占69%，地表径流则占到90%以上；输沙量的变化与地表径流具有较好的对应关系，6~9月输沙量约占年输沙量的98%。截止到1999年底，流域内初步完成水土流失治理面积1 199.4 km²，治理程度为29.9%。其中梯田、水土保持林、人工种草的面积分别占治理面积的14.98%、57.09%和9.34%，共修建中小型水库4座、治沟骨干工程38座、淤地坝3 091座、谷坊159道、水窖5 163眼、涝池18座。

(二)水沙变化特点

清涧河流域水土流失治理程度相对较高，对流域产流、产沙具有一定的影响。由图2-1可见，月水量在1亿 m³以下时，1975年后的月沙量明显小于1975年以前的，表明在产流量不是很大时，水保治理措施减沙作用较大；而当月水量超过1亿 m³后，治理前后不同年份的月水沙关系基本一致，反映出产流量较大时，水保措施作用减弱，

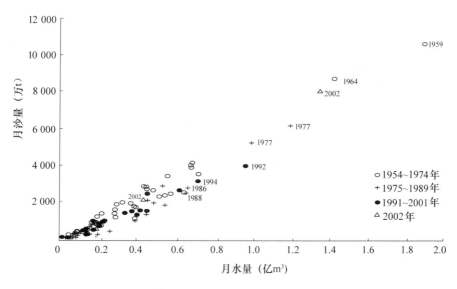

图 2-1　清涧河延川站历年7~9月水沙量关系

产沙量与 1975 年以前的水平基本相当。由此说明，尽管流域治理程度相对较高，但在目前的治理标准下，流域治理措施对大暴雨的控制作用是有限的。进一步选择日均洪峰流量在 300 m^3/s 以上的较大洪水，点绘洪水与降雨的关系，如图 2-2 所示。从图上可看出，洪峰流量与洪水降雨量的关系各年代基本上没有趋势性变化，显示不出各时段的差别。

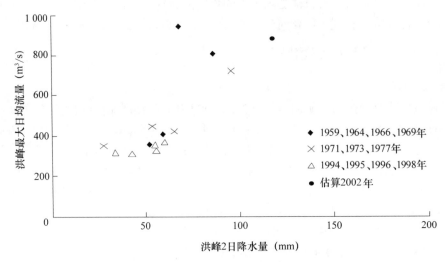

图 2-2　清涧河延川站洪峰降水量与最大日均流量关系

二、"2002·7"暴雨及水沙特点

(一)雨量大，强度高

据黄河水利委员会(以下简称黄委)中游水文水资源局调查，"2002·7"暴雨中心瓷窑年降雨量高达 463 mm，较 1955~1969 年平均降雨量 450.2 mm 多出 12.8 mm，属 500 年一遇的特大暴雨。其中，7 月 4~5 日，子长站最大 24 小时降雨量为 274.4 mm，较历史实测最大的降雨量 165.7 mm(1977 年)还偏多 108.7 mm；7 月 4 日 6 时 15 分~7 时 15 分和 7 月 4 日 20 时 05 分~21 时 05 分最大 1 小时降雨量分别达到 78 mm 和 85 mm。

(二)峰量大，水位高

7 月 4 日子长站洪峰流量 4 670 m^3/s，是自 1958 年 7 月建站以来实测最大值，为百年一遇洪水；延川站 7 月 4 日洪峰流量 5 500 m^3/s，是该站自 1953 年 7 月建站以来实测第二大洪水(见图 2-3)。暴雨期间，子长站水位急剧上升，从 7 月 4 日 4 时 12 分起涨至 6 时 42 分到达峰顶，水位涨幅为 7.95 m；延川站从 7 月 4 日 9 时 12 分起涨至 11 时到达峰顶，水位涨幅为 9.97 m，为有测验记录以来第一高水位。

(三)输沙量大，侵蚀模数高

7 月 4 日子长站洪水输沙量为 4 090 万 t，子长站以上 913 km^2 流域范围内侵蚀模数高达 44 800 t/km^2，延川站输沙量达 5 600 万 t，延川站以上 3 468 km^2 流域范围内侵蚀模数达 16 100 t/km^2，均为两站历年次洪水侵蚀模数最大记录。

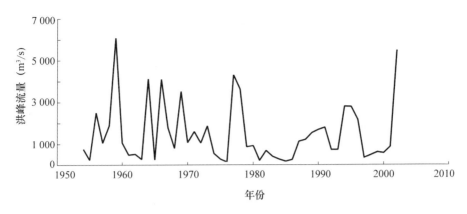

图 2-3　清涧河延川站历年洪峰流量过程

三、"2002·7"暴雨致洪增沙主要原因分析

(一)较大降雨条件下水利水保工程的作用不大

根据冉大川等完成的《黄河中游河口镇至龙门区间水土保持与水沙变化》成果，清涧河流域控制区 1970～1996 年水利水保措施年均减洪和减沙效益为 24.91% 和 29.15%，其中，1970～1979 年、1980～1989 年、1990～1996 年各时段水利水保措施年均减洪和减沙效益分别为 27.30% 和 25.83%、42.41% 和 49.35%、10.03% 和 18.47%，由此可以看出，水利水保措施的减洪减沙作用在较长系列内总的趋势是十分明显的。

但是通过对"2002·7"暴雨与不同年代水沙资料的对比分析可知，"2002·7"暴雨存在增沙的现象。按照《水土保持综合治理技术规范》，梯田、林草整地工程防御暴雨标准一般采用 10～20 年一遇 3～6 小时最大降雨设计，淤地坝按照小型、中型、大(二)型和大(一)型确定设计洪水标准，分别为 10～20 年、20～30 年、30～50 年和 30～50 年一遇，而根据调查了解，清涧河流域现有水利水保措施防御暴雨洪水标准普遍较低，大部分均未达到上述要求。因此，当 2002 年 7 月发生 500 年一遇的超标准特大暴雨时，灾害的发生也就不可避免了。

另外，根据姚文艺等对黄甫川流域、三川河流域资料进一步的分析表明，若坝库控制面积小于流域面积的 10%，尽管其他措施的治理度达到 45% 左右，但对于面平均降雨量大于 35 mm、最大日降雨量大于 50 mm 的降雨，流域治理措施对洪水的控制作用仍较低，而清涧河的坝控制面积却远低于 10%(见表 2-1)。

(二)坝库蓄水拦沙作用降低，淤地坝水毁增沙

据子长县水利水保局调查，"2002·7"暴雨洪水共冲毁淤地坝 85 座，其中有 2002 年新建坝 11 座，往年所建淤地坝 74 座。大量调查研究资料和成果表明：在一般降雨情况下，沟道坝系的拦泥减沙作用是十分显著的，尤其在枯水期蓄水拦沙作用比较大；但大洪水期作用相对较小，甚至有负作用。

目前，随着时间的推移，坝库的蓄水拦沙作用正在衰减。从表 2-1 计算结果来看，各种水保措施面积都是逐渐增加的，但 20 世纪 80～90 年代增长幅度小于 70～80 年代，

其中又以坝地增加最少。随着坝地拦沙容量的减少，淤地坝所起的作用也越来越弱，如 20 世纪 80 年代年均减洪量和减沙量较 70 年代减少达 795.4 万 m^3 和 337.8 万 t，90 年代的减洪量和减沙量降低更多，达 1 884.7 万 m^3 和 752.0 万 t，其减洪量和减沙量仅有 59.9 万 m^3 和 120.5 万 t，只有 70 年代的 2.2% 和 10.0%。可见，90 年代后期淤地坝的减洪减沙作用已非常低。

表 2-1　清涧河控制区 20 世纪各年代水利水保措施减洪减沙量计算结果

项目	措施	70 年代	80 年代	90 年代	70~80 年代变化	80~90 年代变化
措施面积 (hm²)	梯田	6 740	11 927	15 360	5 187	3 433
	造林	7 887	35 370	62 470	27 483	27 100
	种草	447	1 590	2 647	1 143	1 057
	坝地	2 137	3 910	4 654	1 773	744
	合计	17 211	52 797	85 131	35 586	32 334
减洪量 (万 m³ / a)	梯田	171.0	205.5	237.0	34.5	31.5
	造林	147.0	522.0	859.5	375.0	337.5
	种草	4.5	10.5	15.0	6.0	4.5
	坝地	2 740.0	1 944.6	59.9	−795.4	−1 884.7
	水库	78.8	157.6	162.4	78.8	4.8
	合计	3 141.3	2 840.2	1 333.8	−301.1	−1 506.4
各措施减洪量占总量的比例(%)	梯田	5.4	7.2	17.8		
	造林	4.7	18.4	64.4		
	种草	0.1	0.4	1.1		
	坝地	87.2	68.5	4.5		
	水库	2.5	5.5	12.2		
减沙量 (万 t / a)	梯田	102.0	93.0	149.3	−9.0	56.3
	造林	86.3	243	540.8	156.7	297.8
	种草	4.5	9.0	19.5	4.5	10.5
	坝地	1 210.3	872.5	120.5	−337.8	−752.0
	水库	55.5	183.6	120.0	128.1	−63.6
	合计	1 458.6	1 401.1	950.1	−57.5	−451
各措施减沙量占总量的比例(%)	梯田	7.0	6.6	15.7		
	造林	5.9	17.3	56.9		
	种草	0.3	0.6	2.1		
	坝地	83.0	62.3	12.7		
	水库	3.8	13.1	12.6		

注：90 年代为 1990~1996 年。

另外,根据陕西省水保局淤地坝普查资料,截至 1993 年,陕北地区共建淤地坝 31 924 座,其中 95%以上是 1979 年以前修建的,1980 年以后修建数量很少。这些淤地坝经长期运行,库容淤损率达 77.0%,且病险坝占总数的 75.5%。这些淤地坝遭遇超标准暴雨洪水时,常造成局部水毁,即使是在防御标准内的暴雨洪水,也常因工程质量差、疏于管理等原因出现一定程度的水毁现象。不少地区原有坝库数量减少,质量下降。据子长县水利水保局 2000 年 8 月调查,截止到 1976 年,该县修建各类淤地坝 2 164 座,经过建坝、水毁、再建坝等过程,到 1999 年保存 1 463 座,而 2002 年 7 月暴雨又破坏 85 座,现存坝占 1976 年总坝数的 63.7%,即减少了 36.3%。截止到 1999 年,子长县淤地坝总库容为 5.3 亿 m^3,已淤库容 4.8 亿 m^3,占总库容 90.6%。可见,淤地坝减少和失效的速度是惊人的。

表 2-2 为清涧河流域几次淤地坝水毁调查成果。由表列成果可以看出,虽然此次暴雨洪水淤地坝水毁率较前有所减少,但水毁增沙仍较严重,冲失坝地占全县总坝地 0.3 万 hm^2 的 12.5%,均较前几次水毁有较大的增加。

表 2-2　清涧河流域淤地坝水毁调查

调查地区	延川县	子长县	子长县
时间	1973 年 8 月 25 日	1975 年 8 月 5 日	2002 年 7 月 4~5 日
降雨量(mm)	112.5	167.0	283.0
总坝数(座)	7 570	403	1 244
水毁座数	3 300	121	85
水毁率(%)	43.5	30.0	6.8
冲失坝地占水毁坝库内坝地的比例(%)	13.3	26.0	30.0
冲失坝地占全县坝地的比例(%)	5.8	5.2	12.5

四、初步结论

(1)清涧河"2002·7"暴雨洪水再次说明,现状水利水保治理水平遇中常降雨,有一定的减水减沙作用,但遇大暴雨或强暴雨洪水,减水减沙作用较小。因此,中游产生高含沙量洪水的概率依然存在,不能掉以轻心。

(2)随着淤地坝的多年运行,其拦沙作用正在衰减,而且由于病险坝库增多而导致的水毁增沙现象严重,对此应引起足够重视。

第三章　三门峡水库库区冲淤特性及潼关高程变化

一、水库运用概况

(一)非汛期运用情况

从 2002 年非汛期水库运用过程看(见图 3-1)，与 1993～2001 年平均相比，2002 年非汛期运用水位比较平稳，没有明显的防凌、春灌蓄水过程，最高运用水位 320.25 m (4 月 21 日)，发生在桃汛期蓄水阶段，是三门峡水库控制运用以来非汛期最高运用水位的最低值，平均库水位 316.71 m，较 1993～2001 年非汛期平均库水位高 0.97 m，特别是 6 月份的平均水位超过同期多年平均值 2.10 m(见表 3-1)。

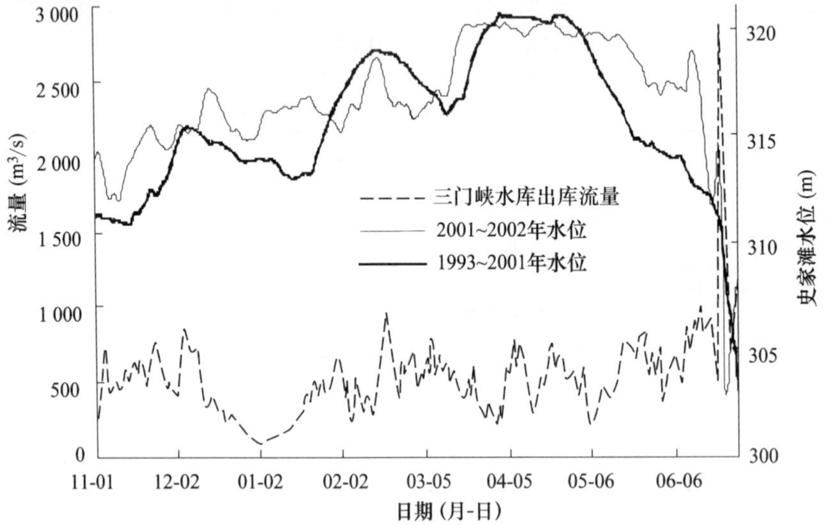

图 3-1　三门峡水库非汛期运用和 2002 年出库流量过程

表 3-1　史家滩月平均水位统计

年度	月平均水位(m)							
	11 月	12 月	1 月	2 月	3 月	4 月	5 月	6 月
1993～2001 年(Ⅰ)	312.68	314.95	314.67	318.32	318.40	319.63	317.10	311.85
2002 年(Ⅱ)	313.87	315.64	316.14	316.78	318.22	319.97	319.04	313.95
(Ⅱ)－(Ⅰ)	1.19	0.69	1.47	–1.54	–0.18	0.34	1.94	2.10

从各级水位天数看(见表 3-2)，2002 年库水位在 320 m 以上的天数为 27 d，比近年均值减少 15 d；315～320 m 之间的有 170 d，比近年均值增加 72 d；水位在 310～315 m 之间有 39 d，较近年均值年减少 40 d。2002 年库水位在 320 m 以上的高水位天数减少，回水直接影响范围基本控制在坫垮以下。

(二)汛期运用情况

2002 年汛期三门峡水库运用水位仍按 305 m 控制，平均库水位 304.51 m，与 1993～

2001 年汛期平均水位 304.60 m 基本相同，最低库水位为 300.24 m(7 月 6 日第一场洪水期)。2002 年汛期有 3 次集中排沙过程。汛期三门峡水库运用及出库流量过程见图 3-2。

表 3-2　非汛期史家滩日均各级水位天数统计

年份	日均各级水位天数(d)					
	$H \geqslant 310 \text{ m}$	$310 \text{ m} \leqslant H$ $< 315 \text{ m}$	$315 \text{ m} \leqslant H$ $< 320 \text{ m}$	$320 \text{ m} \leqslant H$ $< 322 \text{ m}$	$322 \text{ m} \leqslant H$ $< 324 \text{ m}$	$H \geqslant 324 \text{ m}$
1993 ~ 2001 年	219	79	98	38	4	0
2002 年	236	39	170	27	0	0

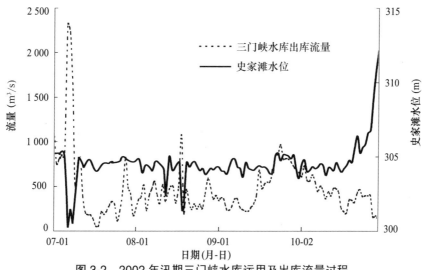

图 3-2　2002 年汛期三门峡水库运用及出库流量过程

(三)水库排沙分析

包括 6 月份在内，2002 年三门峡水库共有 4 次排沙过程(见图 3-3)，其中非汛期

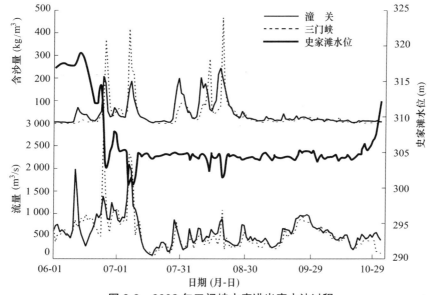

图 3-3　2002 年三门峡水库进出库水沙过程

1 次，为 6 月 22 ~ 26 日，排沙比为 148%；汛期排沙过程中，只有 7 月份的第一场洪水超过 100%，为 183%，其他的排沙比在 41.6% ~ 92.7% 之间，低于 100%(见表 3-3)。

表 3-3　2002 年排沙统计

时段 (月-日)	库水位(m)		沙量(亿 m³)		排沙比 (%)	备注
	平均	最低	入库	出库		
06-09 ~ 06-16	317.84	317.06	0.238	0.033	13.9	
06-22 ~ 06-26	308.90	302.85	0.550	0.812	147.6	排沙运用
06-27 ~ 07-01	306.31	305.14	0.201	0.210	104.5	
07-03 ~ 07-11	303.18	300.24	0.968	1.774	183.3	排沙运用
07-26 ~ 08-03	304.64	303.79	0.387	0.161	41.6	
08-06 ~ 08-12	304.06	302.21	0.377	0.246	65.2	排沙运用
08-13 ~ 08-22	303.92	301.40	0.694	0.643	92.7	排沙运用
累计			3.415	3.879	113.6	
排沙期累计			2.589	3.475	134.2	

二、库区冲淤情况

(一)潼关以下库区冲淤情况

1986 年以来为枯水少沙系列，潼关以下库区除 1992 年和 1996 年有较大的冲刷外，多数年份为淤积的，至 2001 年累计淤积量为 2.3 亿 m³，各年的冲淤分布及累计过程见图 3-4。

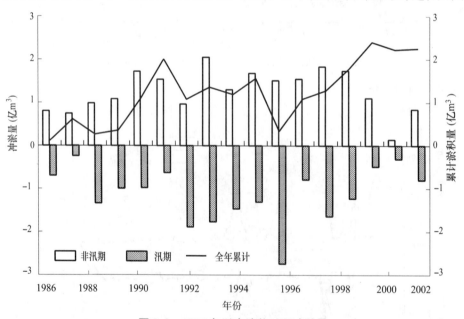

图 3-4　1986 年以来潼关以下冲淤量

2002 年统测大断面资料表明，潼关以下库区非汛期淤积 0.835 亿 m³，汛期冲刷 0.802 亿 m³，全年淤积 0.033 亿 m³，年内基本冲淤平衡。

分析 2002 年潼关以下库区冲淤分布可知(见图 3-5)，潼关以下库区非汛期淤积主要集中在黄淤 14—黄淤 32 断面之间，淤积三角洲顶点在黄淤 22 断面(即北村)附近。汛期的溯源冲刷发展到黄淤34断面，以上库段为淤积。从全年来看，黄淤22断面以下的近大坝河段有所淤积，而黄淤22—黄淤36断面则有所冲刷(见表3-4)。

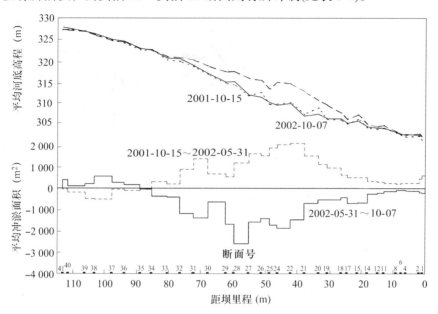

图3-5 2002年三门峡库区冲淤分布

表3-4 2002年三门峡库区冲淤量 (单位：亿 m³)

河段	非汛期	汛期	全年
黄淤1—黄淤12	0.049	−0.024	0.025
黄淤12—黄淤22	0.292	−0.196	0.096
黄淤22—黄淤30	0.418	−0.491	−0.073
黄淤30—黄淤36	0.134	−0.159	−0.025
黄淤36—黄淤41	−0.058	0.068	0.010
黄淤1—黄淤41	0.835	−0.802	0.033

(二)小北干流河段河道冲淤情况

1986～2001年，小北干流河段的累计淤积量为6.56亿 m³，年均0.41亿 m³。2002年黄河小北干流全年淤积0.29亿 m³，其中非汛期冲刷0.60亿 m³，汛期淤积0.89亿 m³，冲淤量分布见表3-5和图3-6。2002年7月4～6日洪水期间，小北干流河段发生了"揭河底"冲刷。但由于流量小且持续时间短，"揭河底"只是在局部河段发生，揭底厚度为2 m左右。之后迅速回淤，对汛期河床并没有造成冲刷。

表3-5 2002年黄河小北干流冲淤量 (单位：亿 m³)

河段	不同时段冲淤量		
	非汛期	汛期	全年
黄淤41—黄淤45	−0.036	0.123	0.087
黄淤45—黄淤50	−0.119	0.154	0.035
黄淤50—黄淤59	−0.204	0.291	0.087
黄淤59—黄淤68	−0.241	0.322	0.081
黄淤41—黄淤68	−0.600	0.890	0.290

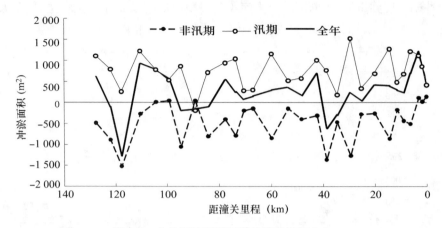

图 3-6 小北干流河段河道冲淤量沿程分布

三、潼关高程的变化情况

(一)近期变化特点

由 1986～1995 年的平均情况可知,虽然潼关高程在汛期有所冲刷下降,但下降幅度很小,而非汛期淤积抬升较多,不能达到平衡,使潼关高程持续上升(见图 3-7),其间累计上升 1.64 m,潼关高程达到 328.28 m。从 1996 年开始实施清淤工程至 2001 年,潼关高程变化于 328.00～328.40 m 之间。

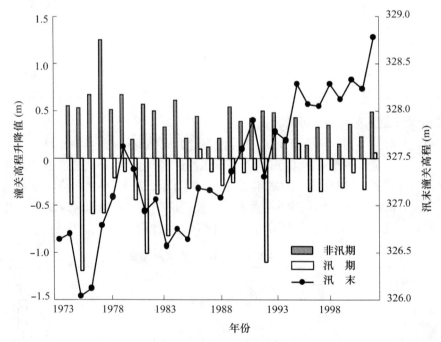

图 3-7 蓄清排浑以来潼关高程变化

(二)2002年潼关高程变化过程

2001年10月底潼关高程为328.23 m。汛后淤积抬升，到2001年12月初上升到328.50 m，直到桃汛期清淤前仍基本保持在328.50 m左右。到4月20日清淤结束，潼关高程基本保持在328.38 m，比2001年10月升高了0.15 m(见图3-8)。

2002年6月9~16日潼关站出现洪峰流量为2 180 m³/s的洪水过程，相应三门峡水库蓄水位在318 m左右，潼关高程由6月10日的328.20 m上升到6月13日的328.40 m左右。6月22~26日的高含沙小洪水前后，潼关高程由328.42 m上升到329.14 m，达到历史最高值。其后有所下降，到7月27日为328.62 m(见图3-8、图3-9)，直至汛末基本维持在328.78 m左右。

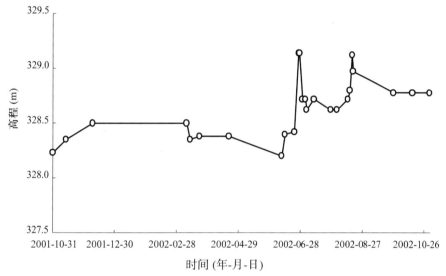

图3-8　2002年潼关高程变化过程

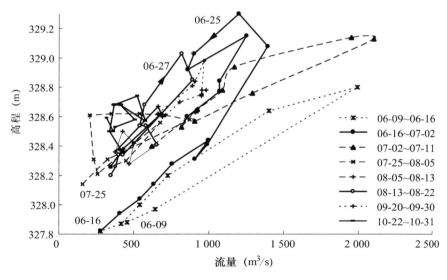

图3-9　2002年潼关高程与流量的关系

四、2002年潼关高程变化的原因分析

根据初步分析，2002年潼关高程持续抬升、居高不下，既有前期库区淤积的影响，更主要是因为缺乏大流量洪水的冲刷。

(一)来水来沙条件对潼关高程的影响

1. 汛期水量减少，潼关高程降低幅度减小

水流输沙能力与流量的高次方成正比，同时，汛期潼关河段的冲刷与水流能量具有密切的相关关系，以 γWJ（γ 为浑水容重，W 为潼关站汛期水量，J 为潼关至坩堵段比降）表示水流功率，建立潼关高程升降值与 γWJ 的关系，见图 3-10。从图上可以看出，随着汛期径流量的增加和水流功率的增大，潼关高程降低幅度具有明显的增大趋势。

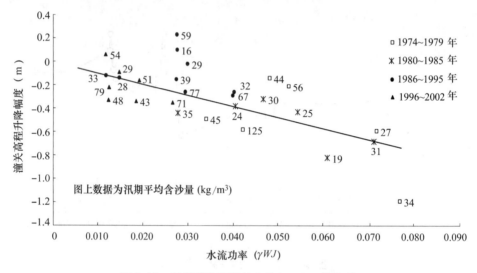

图 3-10 汛期潼关高程的变化与 γWJ 的关系

通过进一步分析汛期潼关高程变化与不同流量级水量的关系，发现潼关高程下降值与流量大于 2 000 m³/s 的水量具有线性正相关趋势，而与小于 1 000 m³/s 水量有线性负相关趋势，由此说明汛期流量在 1 000 m³/s 以下对潼关河床的冲刷是十分不利的。从表 3-6 所示的枯水年统计看，2002年水量与近年来的十分接近，不仅洪峰流量小，而且大于 1 000 m³/s 的天数也少。因此，2002年汛期潼关高程的微量抬升与长时间的小流量作用是分不开的。

表 3-6 潼关站枯水年汛期水沙特征及潼关高程变化

年份	汛期水量 (亿 m³)	汛期沙量 (亿 t)	Q>1 000 m³/s 的天数 (d)	最大流量 (m³/s)	潼关高程 变化值(m)
1987	75.4	2.08	22	5 450	−0.14
1991	61.1	1.99	11	3 310	−0.12
1997	55.6	4.11	16	4 700	−0.35
2000	73.1	2.08	21	2 270	−0.15
2001	61.1	2.91	14	2 780	−0.33
2002	58.1	3.12	5	2 450	0.06

2. 洪峰对潼关高程升降幅度的影响

点绘洪峰流量和含沙量与潼关高程的关系(见图 3-11)可以看出，汛期潼关高程的变化与洪峰期平均含沙量的相关关系总体上呈一个倒锅底形。当洪水平均含沙量为 150～350 kg／m³、洪峰流量为 2 200～14 000 m³／s、来沙系数(除 1996 年外)在 0.024～0.087 kg·s／m⁶ 之间时，潼关高程的抬升幅度随着含沙量的增大而明显减小。当洪水平均含沙量达到 170 kg／m³时，潼关河道开始发生冲刷，潼关高程的下降幅度随着洪峰含沙量的增大而显著增大。出现这种现象的原因和机理是什么，还有待进一步分析研究。

含沙量在 50 kg／m³ 以下的低含沙洪水，可以造成洪水期潼关高程的降低，但冲刷幅度与洪峰流量有一定关系，洪峰流量大时潼关高程冲刷下降值偏大(见图 3-12)；而含沙量在 100～150 kg／m³ 之间的洪水淤积强度相对较大。2002 年 6 月份的高含沙小洪水，潼关站洪峰流量为 1 510 m³／s，洪水平均含沙量为 118 kg／m³，基本处于倒锅底的最上端。由此可见，2002 年潼关高程明显升高是水沙条件组合极为不利的必然结果。

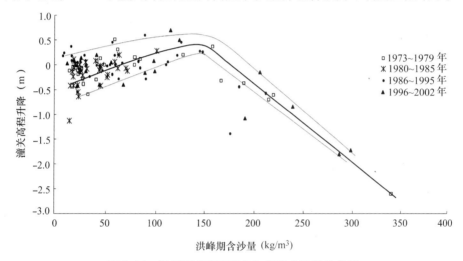

图 3-11 汛期潼关高程变化与平均含沙量的关系

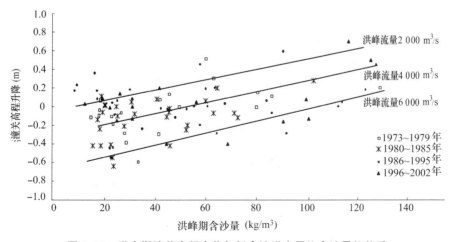

图 3-12 洪水期潼关高程变化与低含沙洪水平均含沙量的关系

3. 桃汛期洪水对潼关高程的影响

根据三门峡水库长期实践的经验，桃汛洪水对潼关河段的冲刷降低具有一定的作用，可将非汛期淤积的泥沙搬移到下段，有利于汛期排沙，是非汛期潼关河床冲刷的惟一机会。

1974 年以来，由于入库水沙条件和水库控制水位的不同，非汛期潼关高程抬升值也不同。由图 3-13 可知，1974 ~ 1998 年潼关站桃汛洪峰一般在 2 000 ~ 2 800 m³/s 之间，平均为 2 360 m³/s，水库起调水位一般在 315 ~ 322 m 之间，潼关高程年平均下降 0.12 m。其中，1974 ~ 1979 年桃汛期潼关高程年平均下降 0.01 m；1980 年以后三门峡水库非汛期最高运用水位和桃汛起调水位降低，桃汛洪水对潼关高程的冲刷作用增大，桃汛期潼关高程年平均下降约 0.10 m；1993 年后吸取了水库的运用经验，非汛期最高运用水位和桃汛起调水位进一步降低，1993 ~ 1998 年桃汛期潼关高程年均下降 0.26 m，较前一阶段明显增大。

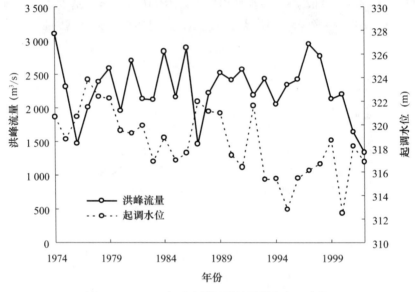

图 3-13   1974 年以来桃汛洪峰流量和起调水位

1998 年 10 月万家寨水库投入运用后，改变了桃汛期洪水过程，洪峰流量削减，洪水水量减少，对降低潼关高程很不利。如 2002 年 3 月由万家寨水库进出库流量过程可见(如图 3-14 所示)，在桃汛到来之前泄水，桃峰入库后拦蓄洪峰期水量，使其出库流量形成两个小洪峰，洪峰值降低。桃汛期万家寨年均蓄水量为 3 亿 ~ 4 亿 m³，削峰比为 30% ~ 40%。万家寨水库自运用以来，在供水、发电和防凌方面发挥了显著作用，但是对降低潼关高程产生了不利影响。1999 ~ 2002 年桃汛期平均洪峰流量为 1 827 m³/s，潼关高程年平均抬升 0.02 m。

进一步研究表明，桃汛期潼关高程的冲刷下降值与洪峰流量、洪量和水库起调水位关系密切。洪峰流量大、洪量多，潼关高程的下降幅度就大；起调水位高，则潼关高程下降幅度小。特别是当起调水位过高、回水影响到潼关时，桃汛期潼关高程不但不下降，反而还升高。如 1977 年桃汛期洪峰流量为 2 010 m³/s，起调水位为 323.82 m、平均蓄水位为 324.18 m，相应潼关高程抬升了 0.19 m。从图 3-15 可以看出，当洪峰流量相同时，起调水位越低，潼关高程的冲刷降低值越大；如果起调水位相同，随着洪峰流量的增加，潼关高程下降值也增大。当洪峰流量小到某一数值时，即使起调水位降低，潼关高程还是升高的。

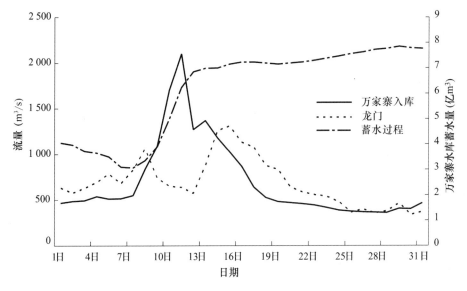

图 3-14　2002 年 3 月万家寨水库运用过程

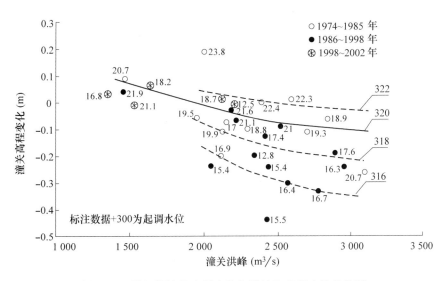

图 3-15　桃汛期潼关高程变化与洪峰和起调水位的关系

(二)渭河下游淤积对潼关高程的影响

2002 年 6～8 月，渭河共来了 5 场最大含沙量超过 500 kg／m³ 的小洪水，洪水平均流量小于 400 m³／s，造成渭河下游主槽淤积。特别是 6 月 22～26 日的小洪水，渭河华县站含沙量高达 787 kg／m³，平均流量仅为 349 m³／s，水沙搭配极不合理，渭河下游发生沿程淤积，华县站、华阴站 500 m³／s 流量水位约上升 1.4 m 和 1.2 m。在 6 月 22～26 日小北干流上源头 1 000 m³/s 水位下降 0.2 m。水流出渭河口到汇流区，过流断面突然扩大，水流流速迅速降低，汇流区及其以下河道发生淤积，潼关至黄淤 33 断面间 1 000 m³/s 流量时水位升幅呈现沿程减小的趋势(见表 3-7)，说明该场洪水造成沿程淤积，其中潼关(六)水位抬升最高，幅度达 0.72 m，坩垎抬升 0.11 m。因此，渭河出现的高含沙洪水造成的沿程淤积是导致潼关高程迅速抬升的另一主要原因。

表 3-7　2002 年 6 月 22~26 日洪水前后各站同流量水位变化

流量(m³/s)	华县站 500		潼关站 1 000							
站或断面	华县	华阴	潼关(六)	黄淤 39+4	黄淤 37+8	黄淤 37	坩垎	黄淤 35	黄淤 33	大禹渡
水位变化(m)	1.40	1.20	0.72	0.69	0.16	0.16	0.11	0.11	0.22	-0.01

(三)河床边界条件对潼关高程的影响

2002 年 6 月 22 ~ 26 日入库水沙条件与 1998 年 5 月 22 ~ 28 日的十分相似，坝前水位平均为 321.42 m，最高为 322.78 m，回水影响到坩垎以上，但潼关高程并没有明显抬升；而前者在平均运用水位为 308.94 m 的情况下，潼关高程却上升了 0.72 m。初步分析认为，造成这种差异的原因，既与洪水过程有关，也与河床形态有一定关系。

(1)1998 年洪峰流量为 1 100 m³/s，平均流量为 539 m³/s，洪峰和沙峰在时间上基本对应；而 2002 年洪峰流量为 890 m³/s，减少 210 m³/s，沙峰滞后于洪峰 8 h，洪水平均流量为 349 m³/s。

(2)1998 年洪水前，潼关断面呈两个主槽，渭河高含沙洪水在右岸入汇后，沿右岸主槽行洪，这股水流可以基本保持其高含沙的流动特性；2002 年洪水前断面宽浅，渭河河口上提，渭河高含沙小洪水与干流水流充分混合，降低了高含沙洪水的冲刷能力，主流位置冲刷形成窄深的小河槽，主流两边淤积抬高。

因此，与 2002 年相比，尽管 1998 年的坝前水位高，但由于华县流量偏大、洪峰和沙峰基本对应、潼关断面形态有利，所以潼关高程变幅很小(见表 3-8)。

表 3-8　典型洪水水沙条件与潼关高程变化

时间 (年-月-日)	潼关				华县			史家滩平均水位(m)	潼关高程变化(m)
	Q_m (m³/s)	Q (m³/s)	S (kg/m³)	W_s (亿 t)	Q_m (m³/s)	Q (m³/s)	S_m (kg/m³)		
2002-06-22 ~ 26	1 510	1 076	118.0	0.550	890	349	787	308.94	0.72
1998-05-21 ~ 28	1 750	1 088	105.5	0.691	1 100	539	426	321.42	0.02
1986-06-27 ~ 07-01	4 620	1 930	129.3	1.078	2 980	819	485	313.29	0.54

(四)坝前水位对潼关高程的影响

为了分析坝前水位对潼关高程变化的影响，以 2002 年桃汛期(3 月 11 ~ 18 日)控制库水位 310 m、6 月 10 ~ 24 日控制库水位 305 m 运用为边界条件，按实测水沙过程用数学模型进行计算，计算方案和计算成果见表 3-9、表 3-10 和表 3-11。

表 3-9　各方案史家滩水位时段平均值比较

方案编号	不同时段水位(m)		说　明
	03-11～18	06-10～24	
方案 1	316.60	315.42	实测过程
方案 2	310.00	315.42	其他时段同实测过程
方案 3	316.60	305.00	

表 3-10　各方案计算成果

方案	时段	不同河段冲淤量(亿 m³)				
		黄淤 1—黄淤 22	黄淤 22—黄淤 30	黄淤 30—黄淤 36	黄淤 36—黄淤 41	黄淤 1—黄淤 41
实测值	非汛期	0.341	0.418	0.134	−0.058	0.835
	汛期	−0.220	−0.491	−0.159	0.068	−0.802
	年	0.121	−0.073	−0.025	0.010	0.033
方案 1	非汛期	0.335	0.470	0.130	−0.060	0.876
	汛期	−0.242	−0.514	−0.154	0.072	−0.838
	年	0.093	−0.044	−0.024	0.012	0.038
方案 2	非汛期	0.392	0.413	0.117	−0.067	0.855
	汛期	−0.324	−0.465	−0.163	0.065	−0.888
	年	0.068	−0.052	−0.046	−0.002	−0.033
方案 3	非汛期	0.261	0.345	0.108	−0.071	0.643
	汛期	−0.192	−0.428	−0.165	0.058	−0.727
	年	0.069	−0.083	−0.057	−0.013	−0.084

表 3-11　各方案计算的潼关高程

时间 (年-月-日)	潼关高程(m)			
	实测值	方案 1	方案 2	方案 3
2001-11-01	328.23	328.21	328.21	328.21
2002-06-30	328.72	328.83	328.80	328.78
2002-10-31	328.78	328.87	328.85	328.81

其中,方案 1 为实际过程的验证,由表 3-10、表 3-11 可见,模型比较好地模拟了三门峡水库潼关以下河段汛期、非汛期冲淤特性。

方案 2 在桃汛期间降低了坝前运用水位,计算结果表明,黄淤 1—黄淤 22 非汛期淤积量较方案 1 的大,而黄淤 22—黄淤 30 和黄淤 30—黄淤 36 非汛期淤积量较方案 1 的小,说明水库采用方案 2 运用时,黄淤 36 断面以下的淤积分布较方案 1 偏下,即淤积重心下移。从汛期的冲刷量来看,黄淤 1—黄淤 22 冲刷量较方案 1 的大,黄淤 22—黄淤 30 的冲刷量较方案 1 的小,由此反映了黄淤 30 断面以下"非汛期多淤、汛期多冲,非汛期少淤、汛期少冲"的特点。从黄淤 36—黄淤 41 河段看,非汛期和汛期两者差别较小,但是方案 2 非汛期冲刷量较大,汛期淤积量较小。方案 2 计算的潼关高程较方案 1 的低。可见,方案 2 较方案 1 有利于汛期水库排沙,对库区各河段的冲刷有利,运用年略有冲刷。

方案 3 在 6 月洪水期三门峡水库降低运用水位至 305 m，各河段非汛期淤积量较方案 1 的小，特别是黄淤 30 断面以下淤积量减少明显，非汛期末的潼关高程较方案 1 的低 0.05 m。因此，方案 3 与方案 1 比较，各河段的冲刷作用非常明显，对潼关高程下降具有一定的作用。

综合分析认为，三门峡水库在桃汛期间适当降低坝前水位，对非汛期淤积重心向坝前移动是有利的；6 月份小洪水期三门峡水库降低坝前水位至 305 m，对减少非汛期淤积是非常有利的，但对降低潼关高程的作用非常有限。

以上分析表明，影响着潼关高程的因素是多方面的，既有水沙条件，又有河床边界条件和水库运用(包括上游水库的运用)情况，以及渭河下游河道的冲淤变化情况等。因此，控制潼关高程的措施应是综合的，对综合治理措施或方案应开展进一步的优化组合研究。

五、初步结论

(1)2002 年潼关高程出现历史新高，是不利的前期河床边界条件与不利的水沙过程相遭遇的共同结果。2002 年黄河干流来水极枯，且水沙搭配极不合理，而渭河又连续来高含沙小洪水，干流没有出现冲刷的有利水沙过程，且前期潼关高程又居高不下，从而使潼关高程达到了历史新高。

(2)潼关高程的抬升，既有前期的淤积基础，也有不利水沙条件的淤积叠加效应。在连续小流量的情况下，溯源冲刷和沿程冲刷均受到很大限制，必须依靠综合措施，才能达到降低潼关高程的目的。

(3)2002 年小北干流河段发生了"揭河底"冲刷。"揭河底"冲刷后，河槽过洪能力增大，对稳定河势、减缓河道淤积作用显著，但对河道整治工程安全十分不利，对潼关高程产生不利影响。应对此加强研究，以减轻冲刷带来的负面影响。

(4)桃汛洪水对降低潼关高程具有明显作用。在桃汛期，当潼关形成具有较大峰值的单峰流量过程，且洪峰流量不小于 1 900 m³／s，洪量在 10 亿 m³ 左右时，可使潼关河段得到一定的冲刷。

(5)在汛期降低一定的坝前水位可增加潼关河段的冲刷量，在桃汛期降低一定的坝前水位可使淤积部位向坝前推移，这些措施对减轻潼关河段的淤积是有利的。

第四章　小浪底水库运用及库区冲淤特性

一、水库调度运用情况

2002年小浪底水库入库水量、沙量分别为159.25亿m³、4.37亿t，出库水量、沙量分别为194.27亿m³和0.696亿t。在调水调沙试验期间(7月4日9时~15日9时)下泄水量为26.06亿m³，占总量的13.4%，占汛期水量的30.2%。春灌期3~6月份下泄水量78.08亿m³；非汛期排沙量很小，仅有0.001亿t，其余均为汛期下泄，其中调水调沙期间下排0.320亿t。全年除调水调沙试验期间出库流量较大外，其余出库流量较小且过程相对均匀，全年有305天出库流量在800 m³/s以下。2002年小浪底水库运用主要有三种过程，一是调水调沙试验，二是小水排沙，三是水库补水下泄。

(一)非汛期运用情况

非汛期以蓄水运用为主，下泄清水，发挥水库的防凌、供水、灌溉和发电等综合效益。非汛期运用过程可分为以下三个阶段：

第一阶段为2001年11月1日至2002年3月1日防凌和春灌蓄水期。库水位从224.81 m逐步上升至水库投入运用以来的历史最高值240.81 m(见图4-1)，水库蓄水量由29.00亿m³增至50.40亿m³。

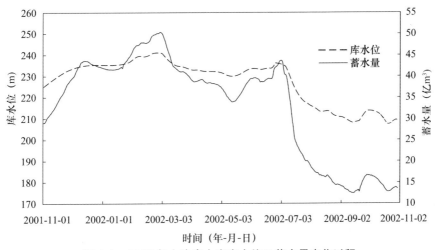

图4-1　2002年小浪底水库库水位及蓄水量变化过程

第二阶段为3月1日至5月14日。为保证黄河下游工农业、城市生活及生态用水而进行补水，库水位在5月14日由240.81 m下降至228.96 m，下降约12 m，相应水库蓄水量减至33.94亿m³，水库下泄补水21.52亿m³，在来水严重偏枯的情况下保证了下游河道不断流。在此期间，3月上旬水库泄放了最大流量为1 500 m³/s的清水水流过程，大于1 000 m³/s流量历时11 d，下泄水量13.61亿m³(见图4-2、图4-3)。

第三阶段5月14日~7月4日。为准备汛期调水调沙试验，水库没有按照常规将水位降到汛限水位225 m以下，仍然继续蓄水运用。6月17日8时小浪底水库库水位为

233.34 m，相应蓄水量 39.6 亿 m³；至 7 月 4 日 9 时，库水位升高了 3.08 m，增加蓄水量 3.9 亿 m³。同期小浪底出库流量均小于 900 m³/s，且流量过程比较均匀。这一时段三门峡站径流量为 17.17 亿 m³，输沙量为 1.37 亿 t，小浪底站径流量为 11.18 亿 m³，输沙量为 0.02 亿 t，入库沙量几乎全部淤在库内。

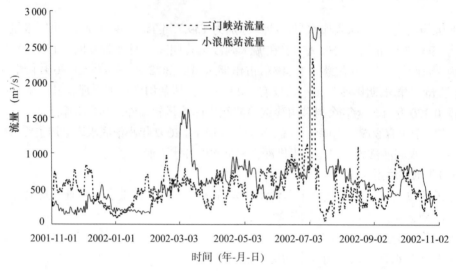

图 4-2　2002 年小浪底水库进出库流量过程对比

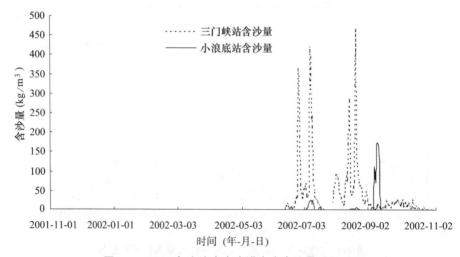

图 4-3　2002 年小浪底水库进出库含沙量过程对比

(二)汛期运用情况

小浪底水库汛期以补水为主，可以分为两个阶段。

第一阶段为 7 月 4～15 日调水调沙试验期。调水调沙试验 7 月 4 日 9 时正式开始，试验初始库水位为 236.42 m(见图 4-4)，相应蓄水量 43.5 亿 m³，7 月 15 日 9 时调水调沙试验结束，库水位降至 223.84 m，相应蓄水量 27.6 亿 m³。水库补水 15.9 亿 m³，其中，汛限水位 225 m 以上补水 14.6 亿 m³。同期小浪底入库水量 9.25 亿 m³，沙量

1.83 亿 t，小浪底出库水量 26.06 亿 m³，出库沙量 0.32 亿 t，水库淤积 1.51 亿 t(沙量平衡法统计结果)，水库排沙比 17.4%。在调水调沙期间，中游发生的一场高含沙洪水进入小浪底水库(见图 4-5)，日均最大流量 2 320 m³/s，日均最大含沙量 419 kg/m³，洪水以异重流的形式运移到坝前。为了控制水库下泄水流含沙量不超过试验预案的要求，对三门峡水库和小浪底水库进行了联合调度，基本按预案控制了小浪底水库下泄流量及出库含沙量过程。

另外，由于中游洪水进入小浪底库区，库水位偏高，加之水库以明流洞和发电洞泄水为主，入库泥沙大部分拦在库内，部分运移到坝前的异重流不能及时排出水库，使浑水水库容积进一步增大(见图 4-4)。

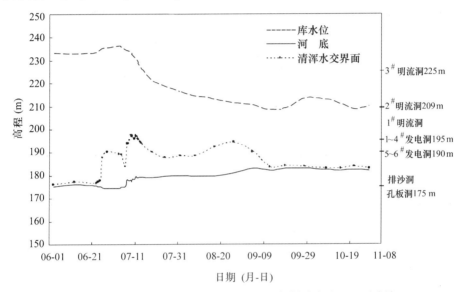

图 4-4　小浪底水库坝前浑液面变化(桐树岭水沙因子测验站)

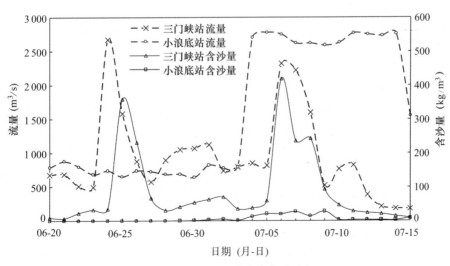

图 4-5　日均进出库水沙过程

第二阶段为 7 月 15 日～10 月 31 日，水库运用以补水为主，累计补水 15.2 亿 m^3。库水位最低时，一度降至全年最低水位 208.24 m(9 月 15 日 20 时)，相应的蓄水量仅为 12.4 亿 m^3。至 10 月 31 日，库水位为 209.86 m，相应蓄水量为 13.5 亿 m^3。在此期间，三门峡水库有 3 次小洪水排沙过程(见图 4-2、图 4-3)，所排出的泥沙大多淤积在小浪底水库内，部分泥沙被输移至坝前，加之因水位下降引起三角洲冲刷而运行至坝前的较细颗粒泥沙，一并增加了浑水水库的容积。小浪底水库在 9 月上中旬，利用排沙洞在小流量条件下进行了排沙运用，基本上泄空了浑水水体(见图 4-4)。

二、水库输沙特性

小浪底水库排沙情况主要取决于来水来沙条件、库区边界条件和水库调度运用情况。2002 年小浪底水库以拦沙为主(见表 4-1)，只有少部分泥沙能够以异重流的形式排出库外，大部分泥沙淤积在水库内。2002 年入库沙量 4.37 亿 t，出库沙量 0.70 亿 t，排沙比只有 16%。其中非汛期仅 6 月下旬两场高含沙洪水形成异重流输移至坝前，由于水库控制下泄，排沙比分别为 0 和 3%。2002 年汛期入库沙量 3.40 亿 t，出库沙量 0.70 亿 t，排沙比也只有 21%。

表 4-1 2002 年小浪底水库排沙情况

时段 (月-日)	水量(亿 m^3)		沙量(亿 t)		出库／入库	
	三门峡	小浪底	三门峡	小浪底	水量 (亿 m^3)	沙量 (亿 t)
06-23 ～ 06-27	5.35	3.05	0.79	0	0.570	0
06-28 ～ 07-03	4.90	3.80	0.24	0.010	0.780	0.030
07-04 ～ 07-15	9.40	26.57	1.81	0.320	2.830	0.180
09-01 ～ 09-30		2.50		0.339		
06-20 ～ 07-15	21.52	35.55	2.86	0.324		0.110
非汛期	108.39	107.98	0.97	0.001	0.996	0.000 1
汛期	50.86	86.29	3.40	0.696	1.697	0.205
运用年	159.25	194.27	4.37	0.697	1.220	0.159

注：表中统计数据按日平均。

(一)水库异重流排沙特点

小浪底水库自 1999 年 10 月投入运用以来，库区主要为异重流输沙。实测资料表明，2000～2002 年小浪底水库均形成了异重流，部分泥沙被排至库外。其中，2002 年小浪底水库调水调沙试验，以全下游河道不淤或冲刷为目标，同时作为试验旨在检验清水冲刷的调控指标。因此，控制出库含沙量不大于 20 kg／m^3。当异重流运行至坝前后，大部分被拦在水库中，特别是粗颗粒泥沙淤积比例更大。计算表明，调水调沙试验期间 7 月 4～14 日全沙、细颗粒泥沙(简称"细沙")、中颗粒泥沙(简称"中沙")、粗颗粒泥沙(简称"粗沙")排沙比分别为 17.1%、44.8%、4.7%、1.6%。6 月 20 日～7 月 15 日不同时段入出库沙量、不同粒径组排沙比、淤积物级配见表 4-2。

2002 年 6 月下旬及 7 月 6～8 日两次洪水进入小浪底库区以后，均形成了异重流。根据表 4-3 所统计的异重流沿程厚度、含沙量、中值粒径等特征值分析，2002 年小浪底库区异重流主要特点有以下几个方面。

表 4-2　小浪底水库调水调沙期不同粒径组排沙情况

项目	日期(月-日)	细沙	中沙	粗沙	全沙
入库沙量 (亿 t)	06-20 ~ 07-15	1.137	0.894	0.826	2.857
	07-04 ~ 07-09	0.553	0.586	0.601	1.740
	07-04 ~ 07-14	0.607	0.593	0.605	1.805
出库沙量 (亿 t)	06-20 ~ 07-15	0.288	0.029	0.010	0.327
	07-04 ~ 07-09	0.244	0.026	0.009	0.279
	07-04 ~ 07-14	0.272	0.028	0.010	0.310
淤积量 (亿 t)	06-20 ~ 07-15	0.484	0.865	0.816	2.165
	07-04 ~ 07-09	0.308	0.560	0.592	1.460
	07-04 ~ 07-14	0.335	0.565	0.595	1.495
淤积物级配 (%)	06-20 ~ 07-15	33.5	34.2	32.3	100.0
	07-04 ~ 07-09	21.1	38.4	40.5	100.0
	07-04 ~ 07-14	22.4	37.8	39.8	100.0
排沙比 (%)	06-20 ~ 07-15	25.4	3.3	1.2	11.5
	07-04 ~ 07-09	44.2	4.4	1.5	16.0
	07-04 ~ 07-14	44.8	4.7	1.6	17.1

表 4-3　异重流特征值统计

时间 (月-日)	断面号	最大点流速 (m / s)	垂线平均流速 (m / s)	垂线平均含沙量 (kg / m³)	异重流厚度 (m)	d_{50} (mm)
06-20 ~ 07-03	HH37	1.85	0.082 ~ 1.03	6.4 ~ 69.4	0.4 ~ 14.9	0.005 ~ 0.012
	HH1	0.19	0.004 ~ 0.14	42.0 ~ 82.6	8.0 ~ 18.0	0.005 ~ 0.012
07-04 ~ 07-15	HH37	3.36	0.082 ~ 1.86	7.0 ~ 198.0	0.5 ~ 12.0	0.005 ~ 0.014
	HH29	2.01	0.20 ~ 1.19	21.0 ~ 113.0	3.5 ~ 15.2	0.004 ~ 0.016
	HH21	1.23	0.015 ~ 0.81	11.0 ~ 111.0	1.5 ~ 18.2	0.006 ~ 0.015
	HH17	2.36	0.16 ~ 1.83	34.0 ~ 143.0	7.4 ~ 14.9	0.007 ~ 0.010
	HH9	0.77	0.07 ~ 0.35	44.3 ~ 131.0	9.4 ~ 14.9	0.006 ~ 0.010
	HH5	0.51	0.06 ~ 0.24	35.5 ~ 96.1	8.9 ~ 16.0	0.006 ~ 0.010
	HH1	0.52	0.04 ~ 0.20	18.5 ~ 86.6	3.6 ~ 17.5	0.006 ~ 0.008

1. 异重流的传播过程

2002 年 6 月 24 ~ 26 日入库为较大流量的高含沙水流,日平均入库流量为 875 ~ 2 670 m³ / s,含沙量为 34.4 ~ 359.0 kg / m³。河堤站 6 月 24 日 11 时观测到异重流,6 月 25 日 7 时以后桐树岭断面底部出现浑水层,且浑水层厚度逐渐增加,表明 6 月 24 ~ 26 日入库洪水所形成的异重流前峰在 6 月 25 日 7 时已到坝前。由此估算异重流自河堤至桐树岭运行时间约为 20 h。

该时段水库几乎没有排沙而使浑水聚集在坝前形成浑水水库,至 6 月 29 日清浑水交界面高达 189.57 m。

另外，从图 4-6 异重流峰顶传播过程看，7 月 6 日零时三门峡下泄洪峰流量为 2 190 m³ / s，河堤站 6 日 16 时观测到本次异重流峰顶过程，桐树岭断面 8 日 15 时异重流开始显著增强。由于前期异重流形成了浑水水库，异重流潜入之后至 HH17 之间浑水沿底部运行，经八里胡同(HH9)后逐渐抬升。HH9 以下库段最大流速不是接近库底而是位于浑水层，其运行速度明显减缓。

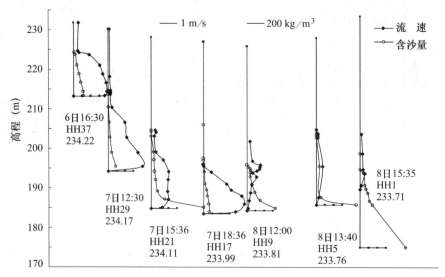

图 4-6　异重流峰顶沿程传播过程

2. 异重流潜入点水力条件

调水调沙试验期间含沙量较高的洪水进入小浪底库区后形成异重流，其中，7 月 7 日潜入点位于 HH43 断面上游约 100 m 处，距坝约 77.4 km。潜入点上游有大量如柴草、树枝等漂浮物，潜入点下首水面形成一个巨大的漩涡，夹杂着枯枝、树根不停地翻腾，清、浑水波浪翻花，分界明显。在潜入点处，大量较粗的泥沙落淤使床面不断抬升。随着库水位的降低、入库流量减小及边界条件的变化，在 7 月 12 日，异重流潜入点下移至 HH41 断面上游约 100 m 处，距大坝约 72.2 km。

通过分析，调水调沙期间所观测到的异重流潜入点弗汝德数 Fr^2 值见表 4-4，7 月 7 日的 Fr^2 均小于 0.4，原因之一是潜入点附近流速大，船只无法靠近，仅在异重流潜入点下游的 HH43 断面进行观测，该处水流紊动掺混作用使所观测到的水深偏大。水库异重流的潜入条件是对水库进行模拟的重要指标，今后应加强对原型资料的观测及分析。

表 4-4　Fr 值计算表

日期	位置	测验位置	水深 (m)	流速 (m / s)	含沙量 (kg / m³)	Fr^2
7 月 7 日 11:00	HH43 上游约 100 m	潜入点下游 100 m	9.50	1.48	291.00	0.39
7 月 7 日 16:20	HH43 上游约 100 m	潜入点下游 100 m	10.50	1.01	132.00	0.36
7 月 12 日 14:50	HH41 上游约 100 m	潜入点	6.00	0.48	10.60	0.77

3. 异重流主流线平均流速、平均含沙量沿程变化过程

异重流的流速和含沙量是两个相互影响、相互制约、相互依存的因素，异重流含沙量对流速有直接的显著影响。异重流垂线平均流速沿程减小，垂线平均含沙量相应减小，在异重流相对稳定的河段含沙量沿程递减。

图 4-7 给出了异重流主流线平均流速沿程变化过程。从图上可以看出，流速沿程变化除局部河段由于河道狭窄而明显增大外，总的趋势是主流线平均流速沿程逐渐减小。

图 4-8 显示了主流线垂线平均含沙量沿程变化情况。HH17 以上入库含沙量较大时，异重流含沙量沿程递减。在 HH17 以下含沙量沿程的变化既反映了异重流含沙量的沿程变化，同时又包含了浑水水库的影响因素，总体来看无趋势性变化。

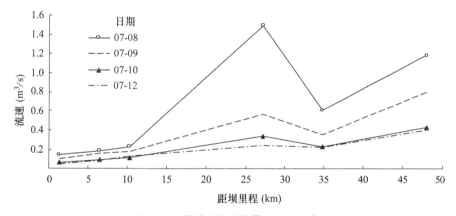

图 4-7　异重流主流线平均流速分布

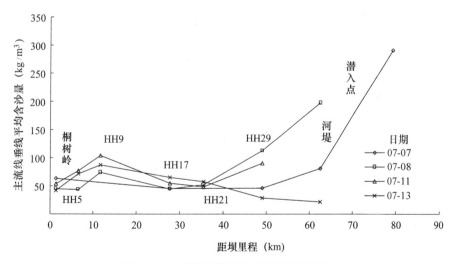

图 4-8　主流线垂线平均含沙量沿程变化

4. 泥沙级配沿程变化特点

7 月 8 日入库泥沙较细，$d<0.016$ mm 的泥沙占全沙的体积百分数为 28.3%，$d>0.062$ mm 的泥沙体积百分数为 27.7%。7 月 13 日入库泥沙更细，$d<0.016$ mm 的泥沙体

积百分数为 86.6%，$d > 0.062$ mm 的泥沙体积百分数为 0.9%。

图 4-9 反映了异重流泥沙中值粒径沿程变化状况。在距坝约 30 km 以上库段悬沙逐步细化，分选明显，以下库段悬沙中值粒径沿程几乎无变化。小浪底水库模型试验也表明，水库发生异重流时，在异重流潜入点附近床沙较粗，在水库淤积三角洲的前坡段床沙沿程细化，在异重流淤积段床沙组成沿程基本无变化，这与原型观测结果基本一致。

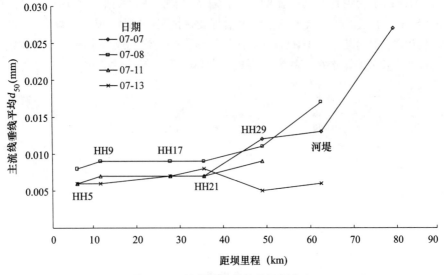

图 4-9　泥沙平均中值粒径沿程分布

图 4-10 为异重流泥沙中值粒径垂线分布，呈现出上细下粗的变化规律。在运动过程中，泥沙颗粒发生分选，较粗颗粒沉降，而细颗粒泥沙悬浮于水中继续向坝前输移。

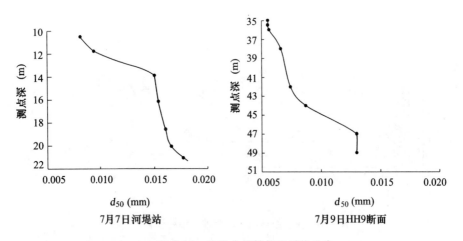

图 4-10　泥沙中值粒径沿垂线分布

(二)浑水水库变化过程

在异重流排沙过程中，如果异重流运行至坝前不能及时排至库外，则将形成浑水水库。若以浑水体积估算，以含沙量 5 kg / m³ 作为清浑水分界面，可得到小浪底水库 6 月 20 日～9 月 18 日浑水水库体积及沙量随时间的变化图(见图 4-11)。

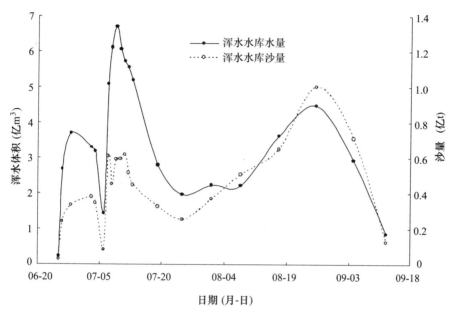

图 4-11　浑水体积及沙量随时间变化

1. 调水调沙前浑水水库变化

2002 年 6 月下旬和 7 月上旬的洪水在小浪底库区形成了两次较大规模的异重流。小浪底水库坝前(桐树岭水沙因子观测站)浑液面、浑水体积和相应沙量的变化过程表明：6 月下旬形成的异重流运行至坝前时，由于排沙底孔未打开，泄流孔口相对较高，异重流不能及时排出库外，逐渐形成浑水水库，浑水体积最大时达 3.70 亿 m³(6 月 28 日)，7 月 3 日沙量达到最大，为 0.38 亿 t，且泥沙的沉降速度极为缓慢。至 7 月 4 日调水调沙试验开始时，浑水水库浑液面高程为 189.07 m，明显高于排沙洞底坎高程(175 m)，相应浑水深度达 14 m，浑水体积达 3.19 亿 m³，悬浮沙量达到 0.34 亿 t。

2. 调水调沙试验期间浑水水库变化

在浑水水库浑液面高出排沙洞底部高程约 14 m 的条件下，开始调水调沙试验。排沙洞闸门打开，立即有浑水排泄出库，此时明流洞下泄清水，出现了上清下浑的现象。随着浑水下泄浑液面逐渐降低，至 7 月 6 日降至 183.91 m。统计表明，7 月 4～6 日的出库泥沙主要是前期浑水水库补给，出库沙量为 0.13 亿 t。

7 月 6～8 日洪水入库后再次形成异重流。由于控制异重流排泄出库，浑水到达坝前使坝前浑液面进一步抬升，最高达 197.58 m(7 月 9 日)，相应浑水深度达 19.46 m，浑水体积达 6.69 亿 m³，较 7 月 4 日增加了 3.50 亿 t，悬浮沙量达到 0.59 亿 t。在排沙洞完全关闭后，1# 明流洞和发电洞开始下泄浑水。

7 月 9 日以后，随着入库流量、含沙量显著减小，库水位下降也较快。调水调沙试验结束时，日平均下降约 0.8 m，7 月 14 日浑液面高程降至约 193.50 m，7 月 25 日浑液面高程降至 187.58 m。

3. 调水调沙试验后浑水水库变化

调水调沙试验结束后，由于没有后续洪水，浑液面迅速降低。至 7 月 25 日以后，由于三门峡水库 3 次排沙，排沙量约 1 亿 t，同时加上小浪底水库为满足下游用水，仍补水运用，浑液面随库水位进一步降低，三角洲洲体向下游推移，部分较细颗粒的泥沙被输移至浑水水库范围内，浑液面高程又明显抬升。8 月 26 日，浑液面高程升高至 194.29 m，相应浑水深度达 13.23 m，浑水体积达 4.48 亿 m³，悬浮沙量达到 1 亿 t。此后，后续泥沙减少，使得浑液面高程明显降低。至 9 月 12 日，浑液面高程降至约 183.63 m，日平均降低约 0.6 m。

水库排沙期间，实测坝前浑液面高程下降速度快，而桐树岭断面库底高程并没有降低，反而有所抬升。另外，将小浪底站的泥沙级配与浑水水库的泥沙级配资料进行对比(见图 4-12)，由此可看出，出库泥沙级配与浑水水库泥沙级配非常接近，表明水库排沙均为浑水水库排沙。

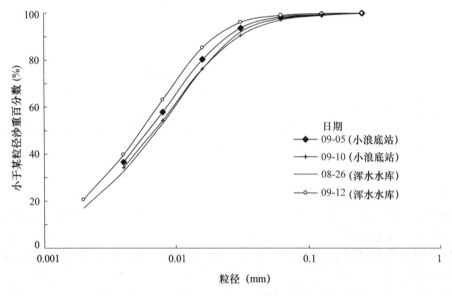

图 4-12　出库泥沙与浑水水库泥沙级配对比

4. 浑水水库对异重流输移的影响

调水调沙试验期间，浑水水库对异重流输移产生了一定影响。从图 4-13 可以看出，至 7 月 8 日以前，异重流均沿库底向前运行，为底部异重流；7 月 9 日以后，逐步受浑水水库的影响，最大流速在垂线上逐渐上移，表明异重流的浑水比重大于其上部水体，而又小于下部水体，异重流选择了与自身比重接近的水层运行，成为中层异重流。当库区形成浑水水库并出现中层异重流后，异重流交界面的阻力与底部异重流相比会发生改变，浑水水库泥沙沉降过程亦会对异重流的输移产生影响。迄今为止，对此仍无完善的数值模拟方法，下阶段很有必要针对该问题进行探讨。

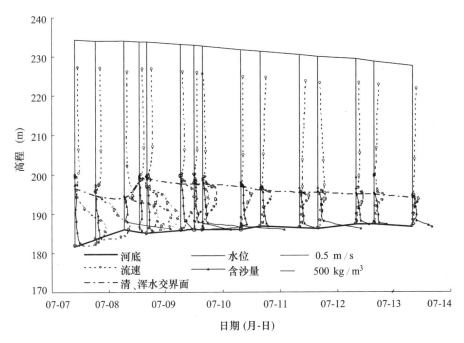

图 4-13 HH17 断面主流线流速、含沙量随时间变化

三、库区冲淤特性及库容变化

(一)淤积量及其空间和时间分布

从截流至 2002 年 10 月,根据断面法计算,小浪底全库区淤积量为 9.23 亿 m³,由沙量平衡法计算的淤积量为 10.574 亿 t。不同时期库区淤积量分布见表 4-5。

表 4-5 不同时期库区淤积量分布

时段 (年-月)	1997-10 ~ 1998-10	1998-10 ~ 1999-09	1999-09 ~ 2000-11	2000-11 ~ 2001-05	2001-05 ~ 2001-09	2001-09 ~ 2001-12	2001-12 ~ 2002-10
断面法(亿 m³)	0.076	0.413	3.661	0.268	1.752	0.952	2.108
沙量平衡法(亿 t)	0.099	0.592	3.490	0	2.206	0.505	3.682

据库区断面测验成果分析,2002 年泥沙的淤积分布有以下特点:

(1)泥沙主要淤积在干流。2001 年 12 月 ~ 2002 年 10 月干流淤积量为 1.938 亿 m³,占同期全库区淤积总量的 91.9%,支流淤积量为 0.17 亿 m³,占同期全库区淤积总量的 8.1%。

(2)泥沙主要淤积在 215 m 高程以下,淤积 2.163 亿 m³;库区的冲刷则主要发生在高程 215 ~ 225 m 之间,冲刷量为 0.07 亿 m³(见图 4-14)。

(3)泥沙主要淤积在 HH38 断面以下库段,淤积 2.22 亿 m³;HH49 断面以上淤积量仅为 0.02 亿 m³;冲刷主要发生在 HH38—HH49 断面之间,主要是水库回水末端的明流冲刷。不同库段冲淤量见表 4-6,图 4-15 为断面间冲淤量分布。

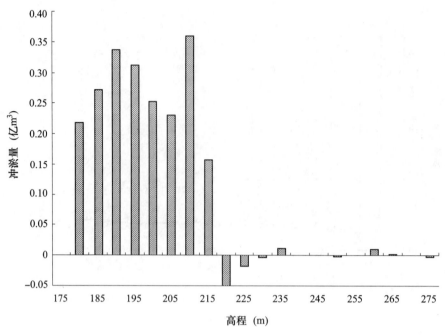

图 4-14　库区不同高程冲淤量分布

表 4-6　库区不同库段(含支流)冲淤量分布

库　段	HH15 以下	HH15—HH27	HH27—HH38	HH38—HH49	HH49—HH56	合计
冲淤量(亿 m³)	0.505	0.672	1.047	−0.137	0.021	2.108

(4)淤积主要集中于汛期。2002 年 6～10 月全库区淤积量为 1.859 亿 m³，占全年库区淤积总量的 88.2%(见表 4-7)。

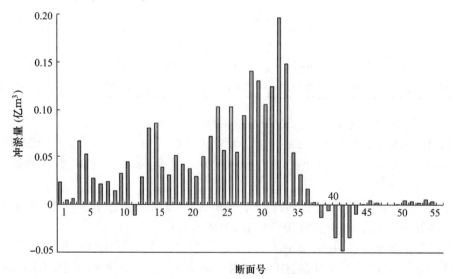

图 4-15　断面间冲淤量(含支流)分布

表 4-7　各时段库区淤积量

时段 (年-月)		2001-12 ~ 2002-06	2002-06 ~ 07	2002-07 ~ 10	2001-12 ~ 2002-10
淤积量 (亿 m³)	干流	0.191	1.346	0.400	1.938
	支流	0.057	0.098	0.015	0.170
	合计	0.248	1.444	0.415	2.108
占全年的百分比(%)		11.8	68.5	19.7	100.0

(5)支流泥沙主要淤积在沟口附近，沟口向上沿程减少。支流位置距大坝愈近，沟口淤积厚度愈大(见图 4-16)。

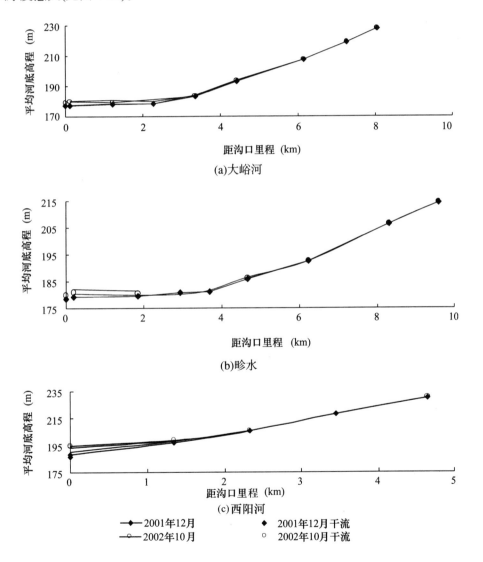

图 4-16　支流纵剖面示意

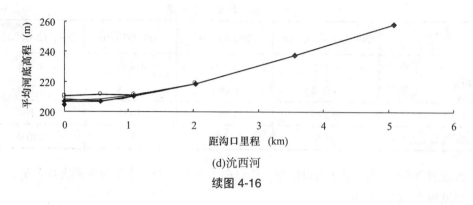

(d)沇西河

续图 4-16

(二)水库纵向淤积形态

1997 年截流至 1999 年 9 月施工导流期，泥沙主要淤积在距坝 15 km 范围以内，呈近似锥体淤积形态，见图 4-17；水库投入运用后，库水位升高，至 2000 年 11 月干流淤积呈三角洲形态，三角洲顶点距坝 70 km 左右，顶点高程 227.22 m。此后，三角洲顶点位置随着库水位的升降上下移动(见表 4-8)。

2001 年 12 月~2002 年 6 月中旬，大部分时段三门峡水库下泄清水，小浪底水库进库沙量仅为 0.05 亿 t，出库沙量为 0，库水位基本上经历了先升后降又抬升的过程，在 228.96~240.81 m 之间变化，前期形成的三角洲始终位于水库回水范围内。因此，干流纵向淤积形态几乎没有大的变化。

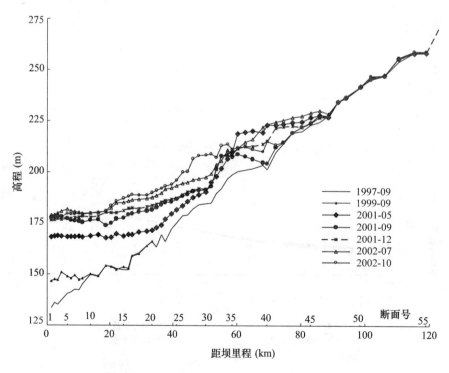

图 4-17 小浪底库区不同时段干流纵剖面套绘

表 4-8　小浪底库区三角洲特征参数统计

时间 (年-月-日)	库水位 (m)	三角洲特征值			
		距坝(km)	顶点高程(m)	顶点距坝(km)	洲面比降(‰)
2000-11-01	234.35	50 ~ 88	227.22	69.0	0.66
2001-05-18	218.80	50 ~ 88	218.86	60.0	2.88
2001-09-04	216.44	52 ~ 69	207.97	55.0	−2.51
2001-12-08	235.33	50 ~ 80	221.58	72.0	0.55
2002-06-20	233.48	50 ~ 80	221.60	72.0	0.86
2002-07-15	223.85	52 ~ 85	222.03	68.0	4.54
2002-10-15	210.98	41 ~ 74	206.60	46.2	2.90

2002 年 6 月下旬 ~ 7 月 3 日，受中游洪水及三门峡水库泄水的影响，小浪底水库出现了两次洪水过程，实测入库沙量为 1.05 亿 t，出库沙量为 0.006 6 亿 t，大部分泥沙淤积在库区。7 月 3 ~ 15 日，库区淤积主要为异重流淤积及浑水水库淤积，整个库区除 HH33—HH36 断面之间变化不大之外，纵剖面均有所抬升。

调水调沙试验之后至 10 月份，水库主要是补水下泄，库水位下降较大，库区淤积形态发生较大幅度的调整。距坝约 60 km 的 HH36—HH47 断面之间三角洲发生大幅度冲刷，冲起的泥沙大部分堆积在相邻库段 HH36 至距坝约 40 km 的 HH25 断面之间。三角洲顶点由距坝 68 km 左右下移 22 km 至距坝 46 km 处，顶点高程也由 222.03 m 降至 206.6 m。10 月份库区纵剖面三角洲顶坡段位于距坝 46 ~ 74 km 之间，比降为 2.9‰；距坝 41 ~ 46 km 库段为三角洲前坡段，比降为 20.6‰；距坝 40 km 以下库段淤积面总体上有所抬升，主要是浑水水库继续沉降淤积、前期库区淤积物随时间延长逐渐密实及上游库段输送下来的少量泥沙在该库段落淤所致。20 km 以下库段床面的抬升幅度明显小于 20 ~ 40 km 库段的抬升幅度，甚至个别断面有所下降，主要是 9 月上旬水库排沙等原因所致。

小浪底水库三角洲的淤积形态主要取决于库水位和来水来沙情况。一般情况下，库水位下降时，三角洲洲面发生明流冲刷，三角洲顶点位置下移。由图 4-18 可见，三角洲顶点高程与库水位之间存在着明显的相关关系，三角洲顶点高程随库水位的升高基本上沿 45°线抬升。

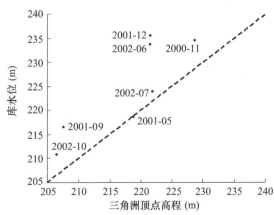

图 4-18　三角洲顶点高程与库水位的关系

(三)水库横断面淤积形态

不同的库段，其泥沙淤积机理不同。因此，各库段横断面冲淤规律有较大的差异(见图 4-19)。

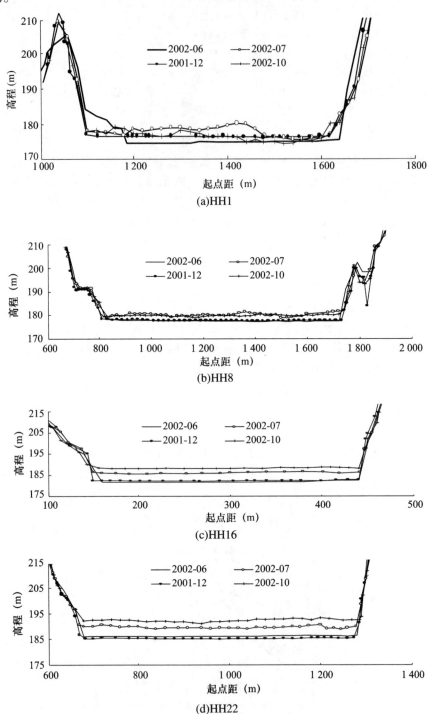

图 4-19　小浪底库区横断面套绘

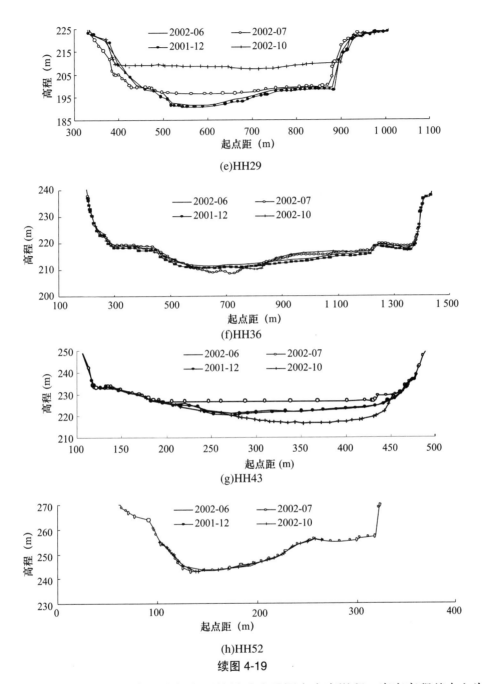

(e)HH29

(f)HH36

(g)HH43

(h)HH52

续图 4-19

　　坝前段 HH1—HH12 断面之间主要是异重流及浑水水库淤积，库底高程基本上为平行抬升，由于 7~10 月前期库区淤积物随时间延长逐渐密实，以及 9 月上旬水库排沙等原因，部分断面的河底有所下降。

　　HH13—HH33 断面之间全年横断面的变化均为床面持续淤积抬升，但冲淤发生的主要时段和床面淤积抬高的原因也不尽相同。其中，HH25 断面以下主要是调水调沙试验期间异重流及浑水水库淤积，HH26—HH33 断面之间床面的淤积抬高主要是由于水库运用水位较低，三角洲向下游搬移引起的。该库段抬升幅度最大值达到 16.7 m(HH30 断面)，最小值为 3.53 m(HH13 断面)。

HH34—HH47 断面之间库段位于水库回水变动段，经历了先异重流输沙后明流输沙两个阶段，断面形态调整较为复杂。其中，HH34—HH36 断面之间库段大多经历了淤积—冲刷—淤积的过程，若淤积，则一般为平行抬升，若冲刷，往往在主流区冲出河槽。HH37—HH47 断面之间横断面的变化主要发生在主槽。在该河段下游，主槽仍有明显的冲淤变化过程，但滩面变化不大，例如 HH43 断面。而对于 HH47 断面以上，主槽虽有冲淤，但不太明显，滩面变化更小，断面形态基本无变化，例如 HH52 断面。

(四)水库支流淤积特点

2002 年支流的淤积量为 0.17 亿 m³。支流的淤积时段主要为 2002 年 6～10 月。支流淤积方式有两种：2002 年 6～7 月主要为异重流淤积；2002 年 7～10 月主要是三角洲在向下游推移过程中，部分泥沙向支流倒灌形成的淤积，主要发生在位于水库回水末端的支流，如沇西河。随干流淤积面的抬高，支流沟口淤积面同步淤积发展。支流淤积形态取决于沟口处干流的淤积高程，这与小浪底水库运用初期模型试验研究的预测结果是一致的。

较大支流如大峪河、畛水、石井河、东洋河、西阳河及沇西河等的沟口处淤积面较平，均未形成明显"拦门沙"。支流表现出沟口淤积较厚，沟口以上沿程减少。2001 年 12 月～2002 年 10 月之间沟口断面平均河底高程上升 1.76～6.50 m，西阳河淤积厚度最大达 6.50 m。较大支流沟口横断面套绘见图 4-20。

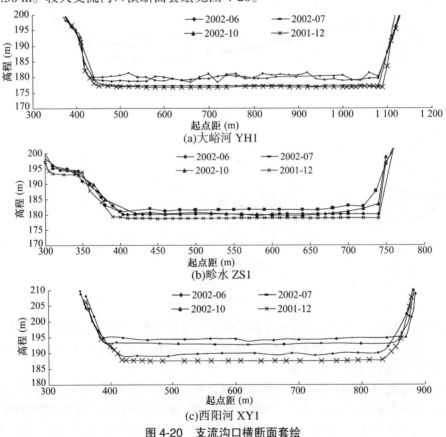

图 4-20　支流沟口横断面套绘

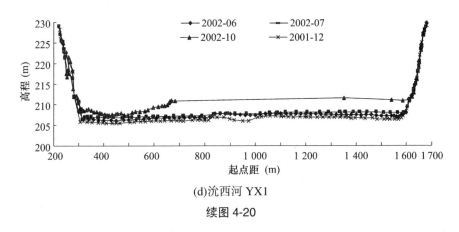

(d)沇西河 YX1

续图 4-20

(五)水库库容变化

从图 4-21 中可以看出，由于库区的冲淤变化主要发生在干流，支流冲淤变化较小，总库容的变化量与干流的接近；库区淤积主要发生在 215 m 高程以下，215 m 高程以下库容大幅度减少，特别是 180 m 高程以下库容基本淤满。截至 2002 年 10 月中旬，小浪底水库 275 m 高程干流库容为 66.45 亿 m³，支流库容为 51.85 亿 m³，总库容为 118.3 亿 m³。

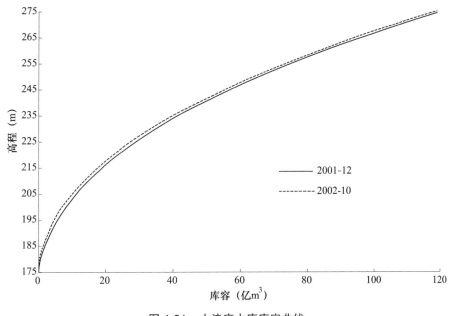

图 4-21　小浪底水库库容曲线

四、初步结论

(1)小浪底水库起始运用水位 210 m，至 2002 年 10 月小浪底库区坝前淤积面高程约为 180 m，远未达到起始运用水位 210 m 高程。因此，2003 年汛期小浪底水库仍可采取以蓄水拦沙为主的运用方式，但应相机调水调沙。

(2)2001 年实测资料表明，当中游发生洪水时，可结合三门峡水库泄空冲刷，增大洪水历时及洪水含沙量。这样不仅对三门峡水库有利，而且对小浪底水库异重流排沙也是有利的。

(3)2002 年实际运用情况表明，在小浪底水库异重流运移至坝前而不能及时排出库外的情况下，能够形成坝前浑水水库。由于泥沙级配较细，浑液面沉降速度较慢，浑水水库能够维持较长的时间。显然，这就为在把握浑液面高程、含沙量分布等特征指标条件下，通过不同高程孔洞组合控制出库含沙量提供了一定的可能性。

(4)2001 年 12 月~2002 年 10 月库区淤积主要集中在干流，其淤积量占总淤积量 2.11 亿 m³ 的 91.9%；支流淤积量占总淤积量的 8.1%，且主要集中在支流沟口。

库区淤积主要集中在 215 m 高程以下，特别是 180 m 高程以下库容基本淤满，至 2002 年 10 月，库容仅剩 0.15 亿 m³。从 1999 年 9 月~2002 年 10 月，小浪底库区总淤积量为 2.91 亿 m³，其中干流淤积量为 2.61 亿 m³。

第五章　黄河下游河床演变及 2003 年防洪形势预测

2002 年进入黄河下游的水沙过程仍属枯水少沙系列，下游河道总体上呈冲刷状态。调水调沙期间，下游河道淤滩刷槽，全下游主槽明显冲刷，特别是艾山以下窄河段的冲刷效果比较明显。

一、黄河下游水沙特点

(一)黄河下游来水来沙量

2002 运用年(2001 年 11 月～2002 年 10 月)内，进入下游水量(小浪底、黑石关、武陟三站之和，下同) 201.97 亿 m^3 (见表 5-1)，占多年均值(1919～2000 年平均，下同)的 51.5%。若扣除小浪底水库补水 18.7 亿 m^3，进入下游的年水量仅为 183.27 亿 m^3。其中，

表 5-1　2002 年黄河主要站水量统计

站名	2001 年 11 月～2002 年 6 月水量(亿 m^3)	距平(%)	不同月份水量(亿 m^3)					距平(%)	2001 年 11 月～2002 年 10 月水量(亿 m^3)	距平(%)
			7 月	8 月	9 月	10 月	7～10 月			
潼关	123.25	−25.40	16.24	13.22	15.28	13.21	57.95	−71.50	181.20	−50.80
三门峡	108.17	−33.10	15.60	10.92	13.17	11.21	50.90	−74.40	159.07	−55.90
小浪底	107.82	−33.30	39.71	16.68	12.47	16.18	85.04	−56.40	192.86	−45.90
黑石关	4.14	−63.90	1.11	0.72	1.08	0.69	3.60	−77.70	7.74	−72.00
武陟	0.89	−65.90	0.12	0.03	0.24	0.09	0.48	−92.30	1.37	−84.50
进入下游	112.85	−35.50	40.93	17.43	13.79	16.97	89.12	−59.00	201.97	−48.50
花园口	106.32	−40.00	41.10	18.22	14.17	17.24	90.73	−60.90	197.05	−51.80
夹河滩	102.99	−36.60	38.92	16.27	12.57	16.34	84.10	−61.90	187.09	−51.20
高村	82.26	−49.60	36.74	14.08	10.62	14.38	75.82	−65.60	158.08	−58.80
孙口	69.09	−55.40	34.76	12.55	8.07	12.11	67.49	−68.20	136.58	−62.80
艾山	58.64	−60.80	31.65	8.47	6.96	10.05	57.13	−73.80	115.77	−68.50
泺口	41.86	−71.20	27.82	5.23	5.18	6.02	44.25	−79.90	86.11	−76.40
利津	14.85	−88.60	24.89	1.64	1.43	1.31	29.27	−85.90	44.13	−86.90

注：历年均值统计至 2000 年。

非汛期水量为 112.85 亿 m^3，占年水量的 55.9%，较多年均值偏枯 35.5%；汛期水量为 89.12 亿 m^3，占年水量的 44.1%，较多年均值偏枯 59%。扣除小浪底水库汛期补水 30.70 亿 m^3，进入下游的汛期水量将减至 58.42 亿 m^3，与 2000 年、2001 年汛期平均值比较接近。汛期水量的减少幅度明显大于非汛期。黄河下游主要支流控制站与多年平均值相比也明显偏小。如伊洛河黑石关站来水 7.74 亿 m^3，偏少 72%；沁河武陟站来水 1.37 亿 m^3，偏少 84.5%。

全年进入下游的沙量为 0.71 亿 t(见表 5-2)，下游河道各站年沙量以夹河滩站最大，

为 1.56 亿 t。利津站相应年水量 44.13 亿 m^3，沙量 0.55 亿 t。

表 5-2　2002 年黄河主要站沙量统计

站名	2001 年 11 月~2002 年 6 月沙量(亿 t)	距平(%)	不同月份沙量(亿 t)					距平(%)	2001 年 11 月~2002 年 10 月沙量(亿 t)	距平(%)
			7 月	8 月	9 月	10 月	7~10 月			
潼关	1.940	−2	1.383	1.262	0.316	0.158	3.119	−65	5.059	−54
三门峡	1.020	−28	2.006	1.048	0.209	0.100	3.363	−67	4.383	−63
小浪底	0.015	−98	0.329	0.023	0.341	0.001	0.694	−95	0.709	−95
黑石关	0	−100	0	0	0	0	0	−100	0	−100
武陟	0	−100	0	0	0	0	0	−100	0	−100
进入下游	0.015	−99	0.329	0.023	0.341	0.001	0.694	−95	0.709	−95
花园口	0.271	−85	0.414	0.046	0.398	0.041	0.899	−90	1.170	−89
夹河滩	0.553	−66	0.452	0.070	0.401	0.085	1.008	−88	1.560	−84
高村	0.452	−76	0.385	0.060	0.249	0.104	0.798	−90	1.249	−87
孙口	0.329	−81	0.404	0.047	0.153	0.078	0.682	−91	1.011	−89
艾山	0.309	−82	0.485	0.037	0.138	0.070	0.730	−90	1.039	−88
泺口	0.203	−87	0.468	0.015	0.107	0.037	0.627	−91	0.830	−90
利津	0.024	−98	0.511	0.001	0.009	0.002	0.523	−93	0.547	−94

注：历年均值统计至 2000 年。

(二)下游洪水演进特点

1. 调水调沙试验期间下游洪水演进特点

2002 年 7 月 4 日 9 时~15 日 9 时，小浪底水库进行了首次调水调沙试验。小浪底出库水量 26.06 亿 m^3，出库沙量 0.32 亿 t，平均含沙量 12.3 kg / m^3，伊洛河和沁河同期来水 0.55 亿 m^3。调水调沙期间进入下游的总水量为 26.61 亿 m^3，沙量为 0.32 亿 t。本次洪水属低含沙量小洪水，且为典型的平头峰，最大流量和最大含沙量分别为 3 480 m^3 / s 和 83.3 kg / m^3，花园口站最大流量和最大含沙量分别为 3 170 m^3 / s 和 44.6 kg / m^3。

下游各水文站流量、含沙量过程如图 5-1 所示。从图上可以看出，小浪底水库出库径流近乎为一矩形洪水过程，与之相邻的花园口、夹河滩两站的洪水过程跟随性较好，过程线与小浪底水库出库的相似。小浪底至花园口河段洪峰传播时间约为 22 h，花园口至夹河滩河段约为 20 h。夹河滩至孙口河段，由于部分河段洪水漫滩，洪水过程线坦化十分明显，犹如矩形波切去了左上角；孙口以下河段，水流基本没有漫滩，各站流量过程线大致相似。孙口至艾山洪峰传播时间约为 14 h，艾山至泺口约 17 h，泺口至利津约 21 h，利津至丁字路口约 10 h。孙口以下河段由于落水期两岸引水的影响，使得各站落水过程线沿程变得陡峻，尤其艾山至利津河段更是如此。就全下游而言，小浪底站的洪水历时 264 h，艾山站洪水历时最长，为 352 h，至丁字路口站则减为 344 h，洪水历时反而缩短。

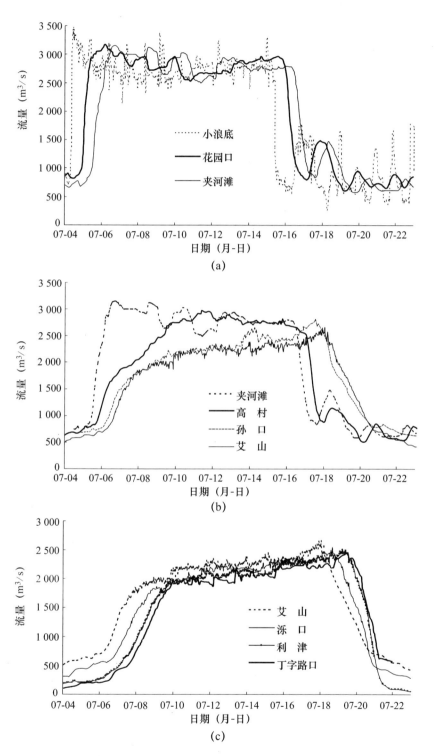

图 5-1 黄河下游洪水演进过程

表 5-3 为调水调沙试验期间洪水传播时间及速度与往年典型洪水的比较。可以看出，本次试验洪水传播时间明显增长，如夹河滩至高村为 108.7 h，高村至孙口为 146.5 h，分别较历史上传播历时最长的 1996 年洪水增加 35.2 h 和 25.5 h，传播速度亦相应减慢。

表 5-3　试验期间洪水传播时间、传播速度比较

项目	花园口—夹河滩	夹河滩—高村	高村—孙口	孙口—艾山	艾山—泺口	泺口—利津	花园口—利津
距离(km)	105.0	83.0	130.0	63.0	108.0	174.0	663.0
"75·8"洪水传播时间(h)	26.0	28.0	36.0	12.0	78.0	46.0	226.0
"96·8"洪水传播时间(h)	30.0	73.5	121.0	52.5	25.3	65.0	367.3
本次试验洪水传播时间(h)	16.5	108.7	146.5	13.0	14.7	13.6	313.0
"75·8"洪水传播速度(m／s)	1.12	0.82	1.00	1.46	0.38	1.05	0.81
"96·8"洪水传播速度(m／s)	0.97	0.31	0.30	0.33	1.19	0.74	0.50
本次试验洪水传播速度(m／s)	1.77	0.21	0.25	1.35	2.04	3.55	0.59

注：夹河滩断面指夹河滩(二)站。

从沿程水位看，本次洪水与"96·8"洪水相比，同流量水位除花园口、利津两站略低外，均比 1996 年同流量水位高 0.15～0.80 m，尤其是高村—艾山河段同流量水位偏高达 0.41～0.80 m(见表 5-4)，高村上下河段部分水位站的水位已超过"96·8"最高洪水位 0.31 m(苏泗庄)和 0.35 m(刘庄)。由于水位表现高，造成夹河滩—孙口区间部分河段漫滩。

表 5-4　主要水文站洪水位及流量比较

水文站	2002 年实测		相应 2002 年最高水位的流量(m³／s)		相应 2002 年最大流量的水位(m)		水位差(m)	
	最高水位 H_{2002}(m)	最大流量 (m³／s)	1996 年	1982 年	1996 年水位 H_{1996}	1982 年水位 H_{1982}	$H_{2002}-H_{1996}$	$H_{2002}-H_{1982}$
花园口	93.65	3 170	2 543	9 881	93.89	92.82	−0.24	0.83
夹河滩(三)	77.57	3 150	3 660	14 000	77.42	75.96	0.15	1.61
高村	63.75	2 980	5 450	8 140	63.22	62.52	0.53	1.23
孙口	49.00	2 800	3 416	6 915	48.59	47.12	0.41	1.88
艾山	41.76	2 670	3 548	5 220	40.96	40.09	0.80	1.67
泺口	31.03	2 550	2 990	4 100	30.76	29.61	0.27	1.42
利津	13.80	2 500	2 490	5 525	13.81	12.18	−0.01	1.62

由下游各水文站含沙量过程(见图 5-2)可以看出，7 月 9 日以前小浪底水库出库含沙量较大，其中 7 月 6～9 日，出现了两个较大的沙峰，最大含沙量分别为 66.2 kg／m³(7 月 7 日 12 时)和 83.3 kg／m³(7 月 9 日 4 时)。7 月 9 日 20 时后含沙量迅速回落至 3.0 kg／m³ 左右，且一直持续到 7 月 15 日零时。泥沙在向下游运动的过程中，花园口、夹河滩和高村站均相应地表现为两个沙峰，且下站的含沙量小于上站的，峰值沿程逐渐减小，最大含沙量至高村站分别降为 18.7 kg／m³ 和 21.4 kg／m³。高村至孙口河段水流漫滩，滩地淤积，主槽冲刷，含沙量沿程增加，到孙口站两个沙峰的含沙量分别增至 19.2 kg／m³ 和 22.2 kg／m³。孙口以下河段，主槽较上段更为窄深，流势集中，输沙能力有所提高，含沙量沿程恢复，两个沙峰的含沙量到达丁字路口站增为 25.7 kg／m³ 和 32.9 kg／m³，说明孙口以下河段明显冲刷。

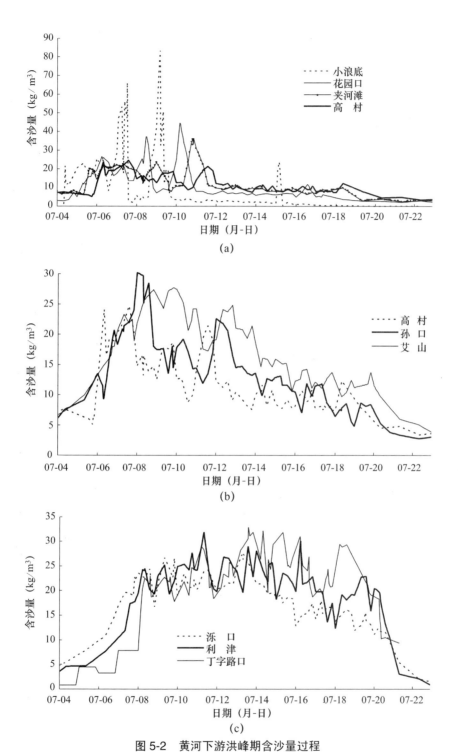

图 5-2　黄河下游洪峰期含沙量过程

　　从含沙量恢复的程度来看,小浪底至夹河滩河段,增幅较为明显,夹河滩至高村河段增幅较小,高村以下河段含沙量沿程增加较快,说明清水下泄过程中高村以下河道主河槽冲刷量较大。

2. 春灌期及 9 月份下游水沙沿程变化特点

1)春灌期水沙沿程变化

2002 年 3 月 2～15 日，小浪底水库泄放了一次日平均最大流量为 1 610 m³/s(3 月 11 日)的较大清水过程，花园口站最大日均流量达 1 820 m³/s，由于沿程大量引水，艾山站最大日均流量减小到 836 m³/s，至利津站仅剩 96 m³/s。

2)9 月份下游水沙沿程变化特点

小浪底水库于 9 月 5 日 16 时 24 分～11 日 10 时开启排沙洞排沙，出库最大流量为 1 390 m³/s，平均下泄流量约 500 m³/s，水库排沙 0.34 亿 t，排沙历时 138 h，出库最大含沙量 288 kg/m³，出库实测悬移质泥沙平均粒径为 0.011～0.014 mm，d_{50} 为 0.006～0.007 mm。利津站最大流量仅 65 m³/s，最大含沙量 66.7 kg/m³。排沙期沿程各站主要水、沙特征值如表 5-5 所示。可以看出，沙峰在孙口—泺口历时最长，达 168 h。

点绘排沙期间沿程流量和含沙量变化过程(见图 5-3、图 5-4)。可以看出，这次排沙流量较小，流量涨落过程不明显，但含沙量涨落过程比较显著。沙峰向下游演进过程中，均表现为相应的一个沙峰，夹河滩以上峰值沿程明显增加；夹河滩—孙口峰值沿程明显减小；孙口—泺口峰值变化不大；泺口—利津峰值又进一步减小。

表 5-5 2002 年 9 月小浪底水库排沙期间主要特征值统计

水文站	起始时间(日 T 时:分)	结束时间(日 T 时:分)	历时(h)	水量(亿 m³)	沙量(亿 t)	最大流量		最大含沙量	
						流量(m³/s)	相应时间(日 T 时:分)	含沙量(kg/m³)	相应时间(日 T 时:分)
小浪底	05T16:24	11T10:00	138	2.58	0.339	1 390	07T21:00	288.0	07T22:00
花园口	07T08:00	13T08:00	144	3.03	0.389	1 120	07T14:00	317.0	09T14:00
夹河滩	08T08:00	14T08:00	144	3.34	0.344	780	08T07:54	239.0	11T08:00
高村	09T08:00	15T08:00	144	2.96	0.208	625	10T08:00	136.0	11T20:00
孙口	10T08:00	17T08:00	168	2.29	0.126	645	15T04:00	107.0	14T09:30
艾山	11T08:00	18T08:00	168	2.00	0.116	625	16T08:00	121.0	16T00:00
泺口	13T08:00	20T08:00	168	1.78	0.097	501	17T08:00	99.0	17T00:00
利津	18T08:00	23T08:00	120	0.29	0.008	65	18T08:00	66.7	20T14:00

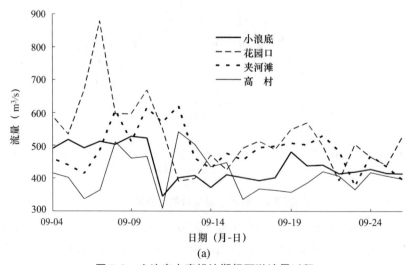

(a)

图 5-3 小浪底水库排沙期间下游流量过程

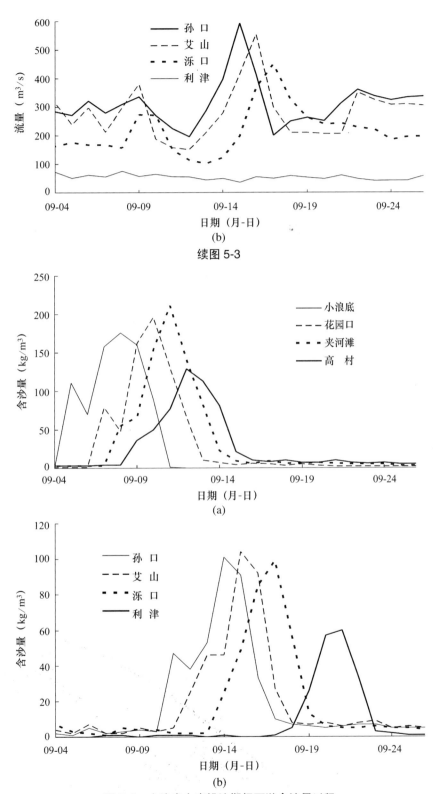

(b)

续图 5-3

(a)

(b)

图 5-4　小浪底水库排沙期间下游含沙量过程

一般情况下，黄河下游 500 m³ / s 的小流量携带 150 kg / m³ 的含沙量是困难的，而对于本次泥沙输移过程，在夹河滩以上约 200 km 和孙口至泺口约 170 km 的河段内，尽管两河段的最大日均含沙量分别达到 160 kg / m³ 和 100 kg / m³，但含沙量过程并没有明显的变化。分析认为，这主要是由于前期运移到小浪底水库坝前的异重流未能及时排出，形成浑水水库，又加上经过一段时间的浑液面沉降，使本次沙峰过程中的出库泥沙中值粒径相当小，只在 0.006 ~ 0.007 mm 之间。因此，也就使得在如此高的含沙量情况下，仍可长距离输移。由此也表明，黄河下游河道对细颗粒高含沙水流具有较高的输沙潜力。

二、下游河道冲淤变化特点

(一)2002 年下游河道冲淤变化特点

1. 调水调沙试验期间下游冲刷效果

调水调沙试验期间下游河道冲淤量计算采用以断面法为主、沙量平衡法为辅的综合算法。结果显示，下游白鹤—泺 2 河段共冲刷 0.362 亿 t，其中高村以上河段冲刷 0.191 亿 t，高村—泺 2 河段冲刷 0.171 亿 t。河道冲刷主要集中在夹河滩以上和艾山以下两河段，夹河滩—孙口河段由于洪水漫滩，淤积 0.082 亿 t。各河段的冲淤情况如表 5-6 所示。

需要说明的是，在黄河首次调水调沙试验分析报告中，对下游的冲淤效果及主槽过流能力变化均有详析，在此不再赘述。

表 5-6　调水调沙下游河道断面法冲淤量

河段	不同部位冲淤量(亿 t)			
	全断面	二滩	嫩滩	主槽
白鹤—花园口	−0.131	0.005	0.092	−0.227
花园口—夹河滩	−0.071	0	0.069	−0.140
夹河滩—高村	0.011	0.039	0.197	−0.225
高村—孙口	0.071	0.154	0.092	−0.175
孙口—艾山	−0.017	0.002	0.011	−0.029
艾山—泺口	−0.090	0	0.006	−0.096
泺口—利津	−0.107	0	0.003	−0.110
利津—泺 2	−0.028	0	0.033	−0.061
白鹤—高村	−0.191	0.044	0.357	−0.592
高村—泺 2	−0.171	0.156	0.143	−0.471
白鹤—泺 2	−0.362	0.200	0.501	−1.063

2. 调水调沙试验结束后下游河道回淤情况

调水调沙试验结束至汛末，进入下游的流量大多都很小，水流未出主槽。在此期间，小浪底水库有两次排沙过程，下泄沙量达 0.363 亿 t，主要集中在 9 月初的 6 天之内，其余时间水库基本为清水下泄。经计算，调水调沙过后至 2002 年 10 月下游利津以上河道累积冲刷 0.037 亿 t(见表 5-7),除夹河滩以上河段继续冲刷和孙口—艾山河段微冲外,其他河段均发生回淤,其中夹河滩—高村、高村—孙口以及泺口—利津三个河段回淤较多,分别为 0.073 亿 t、0.063 亿 t 和 0.073 亿 t,但与调水调沙期主槽冲刷量抵消后仍为冲刷,表明调水调沙过后在下泄的水沙条件下河道回淤并不明显。

表 5-7　2002 年调水调沙期及之后下游各河段主槽冲淤量　(单位:亿 t)

时段	各河段冲淤量							
	小浪底—花园口	花园口—夹河滩	夹河滩—高村	高村—孙口	孙口—艾山	艾山—泺口	泺口—利津	小浪底—利津
调水调沙期	−0.227	−0.140	−0.225	−0.175	−0.029	−0.096	−0.110	−1.002
试验后至汛末	−0.120	−0.124	0.073	0.063	−0.016	0.014	0.073	−0.037
合计	−0.347	−0.264	−0.152	−0.112	−0.045	−0.082	−0.037	−1.039

3. 春灌泄水期冲淤特点

根据输沙率法对 2001 年、2002 年春灌期下游各河段的冲淤变化进行了分析计算(见图 5-5),两年春灌期间的水量分别为 17.44 亿 m³ 和 15.83 亿 m³。表 5-8 还列出了与 2001 年、2002 年春灌期的水量相近(分别为 17.52 亿 m³ 和 15.73 亿 m³),但流量小于 800 m³/s 的春灌前后小水期的各河段冲淤量。可以明显看出,春灌期小浪底水库下泄 1 500 m³/s 左右的较大流量过程与泄放 800 m³/s 以下的流量过程相比,下游河道呈现出高村以上多冲、艾山以下多淤的特点;从沿程含沙量恢复情况看(见图 5-6、图 5-7),下泄 1 500 m³/s 的流量过程,含沙量在高村附近恢复至最大,一般达 10 kg/m³ 以上,明显比 800 m³/s 以下流量级同水量条件下的含沙量恢复值为大。但随着沿程引水的不断增多,艾山—利津河段在较大流量级条件下的含沙量降低幅度也明显大于小流量级泄放过程的降低幅度。

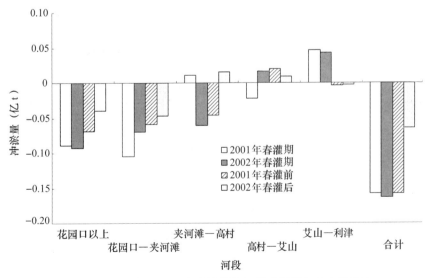

图 5-5　2001 年、2002 年春灌期各河段冲淤量与小水期比较

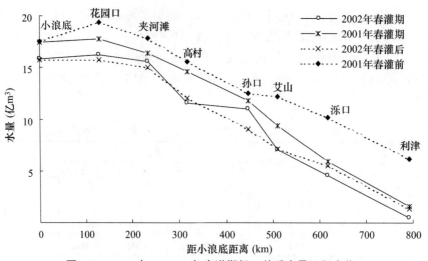

图 5-6 2001 年、2002 年春灌期间及前后水量沿程变化

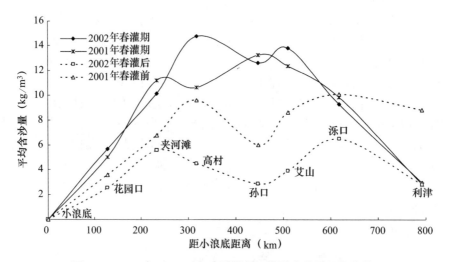

图 5-7 2001 年、2002 年春灌期间及前后含沙量沿程变化

表 5-8 2001 年、2002 年春灌前后冲淤量对比　　　　　　　　　　（单位：亿 t）

河段	不同时段冲淤量			
	2001 年春灌期 （03-26 ～ 04-11） 17 d	2002 年春灌期 （03-02 ～ 03-15） 14 d	2001 年春灌前 （02-26 ～ 03-25） 28 d	2002 年春灌后 （03-16 ～ 04-12） 28 d
花园口以上	−0.089 4	−0.092 5	−0.069 2	−0.039 8
花园口—夹河滩	−0.104 4	−0.069 6	−0.058 6	−0.046 5
夹河滩—高村	0.010 7	−0.061 0	−0.045 8	0.015 3
高村—艾山	−0.022 1	0.016 6	0.020 2	0.009 6
艾山—利津	0.047 1	0.043 3	−0.004 0	−0.003 2
合计	−0.158 0	−0.163 2	−0.157 4	−0.064 6

4. 河道纵断面形态及河势变化特点

1)纵断面形态调整

从主槽深泓点高程的变化来看(见图 5-8)，2002 年多数断面有所冲深。其中，夹河滩以上深泓点下降幅度平均超过 1 m，较 2001 年明显增大。图 5-9 所示为 2002 年下游各断面主槽冲淤厚度的沿程变化，同样可以看出，经过一年低含沙水流的造床作用，特别是汛初实施的调水调沙试验，大多数断面主槽的平均河底高程都有不同程度的降低，表明主槽沿程发生了冲刷，这与前述的年度冲淤量分布相一致。有些断面如沙鱼沟、袁坊、堤湾闸、南桥等受河势变化的影响，主槽发生摆动，导致计算的主槽有淤积抬高的现象。其他发生摆动的断面还有两沟、黄寨峪东、伊洛河口、西牛庄、黄练集、辛寨、陡门、韦城、柳园口、樊庄、古城、三义寨、杨集等，但这些断面的主槽一般仍是冲刷下降的。

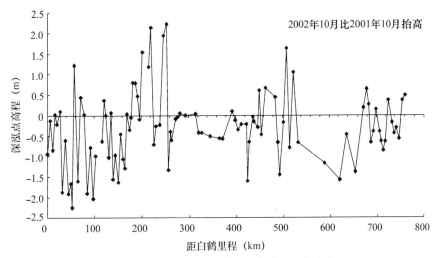

图 5-8 2002 年下游河道深泓点高程沿程变化

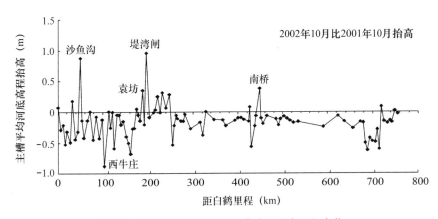

图 5-9 2002 年下游河道主槽冲淤厚度沿程变化

2)河势变化

根据对现场调查、河势查勘和卫星影像解译等多种资料的分析，认为 2002 年下游河势总体上没有发生大的变化。在工程相对配套完善的河段，主溜较平顺，河势变化很小，主要表现为河槽展宽、水面宽度增加、工程靠溜长度增加、一些畸形河湾河势有所调整，如顺河街与大宫之间的畸形河湾等，大多局部河段河势趋于有利方向发展；而在工程不配套和不完善的河段，河势变化虽然也较小，但流路很不规顺，前期形成的不利河势并没有被改变，一些脱河工程仍不靠河，难以发挥控导河势的作用。

(二)小浪底水库排泄异重流对下游河道冲淤的影响

对于蓄水期的多沙河流水库而言，利用异重流排沙是一种很重要的减淤运用方式。首先，它能有效地减缓水库拦沙库容的淤损。其次，就下游河道输沙而言，由于出库异重流挟带的泥沙颗粒很细，绝大部分属于冲泻质，所以在出库异重流的含沙量、流量搭配适当的条件下，是可望在下游输移过程中少淤或不淤的。2002 年小浪底水库调水调沙试验以黄河下游河道不淤或冲刷为目标，同时作为试验，旨在检验清水冲刷的调控指标。因此，控制出库含沙量不大于 20 kg／m³，大部分泥沙被拦在库内。为了回答在此期间小浪底水库若排放异重流会给下游河道冲淤带来何种影响，本次尝试用数学模型进行了对比计算。

图 5-10 绘出了小浪底水库形成异重流期间三门峡站日均流量、日均含沙量的过程线，可以看出有两次明显的洪峰和沙峰，其中 6 月 25 日流量、含沙量分别为 1 570 m³／s 和371 kg／m³，7 月 6 日流量、含沙量分别为 2 320 m³／s 和 418 kg／m³。鉴于小浪底水库排泄异重流的潜力是一个有待深化的问题，为了便于比较，暂假定在上述两场洪水过程中，三门峡站 d <0.016 mm 的悬沙部分能够全部通过小浪底水库调节后以异重流的形式下排。拟订两个方案，即小浪底站实测流量、含沙量(包括悬沙级配)过程，以及小浪底站实测流量过程加上三门峡站悬沙 d <0.016 mm 输沙过程。

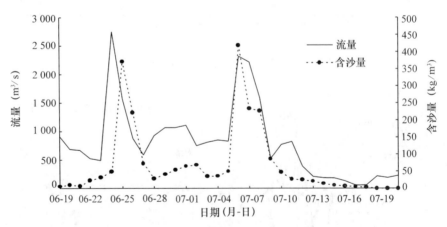

图 5-10　2002 年三门峡站 6～7 月流量、含沙量过程

数模计算的条件为：①采用 2002 年汛前下游河道实测大断面资料作为起始地形条件；②流量过程为小浪底、黑石关、武陟三站实测日均值；③下游各河段引水引沙量取实际上报结果；④模型计算时段为 2002 年 6 月 21 日～7 月 16 日。

在计算时段里，方案 1 的小浪底、黑石关、武陟三站水量为 36.61 亿 m³，沙量为0.326 亿 t；方案 2 的来水过程完全同方案 1 的，来沙量为 1.091 亿 t，均为粒径小于 0.016 mm的悬沙。两种方案数模计算结果如表 5-9 所示。可以看出，方案 1 下游河道冲刷 0.259 亿 t，除夹河滩—孙口河段淤积外，其他河段均呈冲刷状态；方案 2 在水量不变的情况下，沙量虽然增加了 0.765 亿 t，日均最大含沙量由方案 1 的 27.5 kg / m³ 增大到 139 kg / m³，但下游河道冲刷仍达 0.206 亿 t，沿程冲淤分布也基本一致。由此可初步说明，在计算水沙条件及河道边界条件下，若小浪底水库运用利用异重流排沙，不会明显增加下游河道的淤积。

表 5-9   2002 年不同异重流排泄下游各河段冲淤计算结果比较

计算方案	不同河段冲淤量(亿 t)							
	花园口以上	花园口—夹河滩	夹河滩—高村	高村—孙口	孙口—艾山	艾山—泺口	泺口—利津	全下游
方案 1	−0.120 0	−0.061 1	0.003 2	0.025 6	−0.005 8	−0.058 9	−0.041 5	−0.258 5
方案 2	−0.109 9	−0.043 2	0.011 7	0.050 7	0.004 6	−0.071 5	−0.048 1	−0.205 7

(三)清水下泄时期下游河道冲淤量与水力因素的关系

一般来说，在一定条件下，洪水冲刷过程在开始阶段发展较迅速，随着时间的推移逐渐趋缓，最后趋向于建立新的相对平衡。在冲刷的发展过程中，近坝段调整较为强烈，然后逐渐向下游发展。河道重新调整的程度与范围十分复杂，与水力因素(流量、断面形态、河道阻力)、平面形态、河势变化、滩槽物质组成等都有关系。

点绘清水下泄时期径流量与冲刷距离的关系(见图 5-11)，可以看出，流量越大，冲刷距离越远。一般来说，当花园口流量大于 2 500 m³ / s 时，可使全下游发生冲刷。小浪底水库运用 3 年来，几场小洪水及 2002 年调水调沙试验的冲刷距离与三门峡水库蓄水排沙期的规律也基本一致。

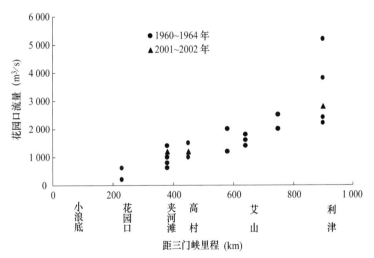

图 5-11   黄河下游流量与冲刷距离的关系

为寻找黄河山东段河道冲刷的条件，点绘 1961 ~ 1964 年花园口站 $Q^2 \Delta t$ (其中 Q 为流量，Δt 为历时)与艾山—利津河段冲淤量的关系，见图 5-12。由图 5-12 可见，随着 $Q^2 \Delta t$ 的加大，艾山—利津河段的冲刷量增大。考虑到影响河道冲淤因素的复杂性，可近似认为，当花园口站 $Q^2\Delta t$ 达到 $60\times10^6(\mathrm{m^3/s})^2\cdot\mathrm{d}$ 左右时，艾山—利津河段有望达到冲淤基本平衡。若将 2002 年调水调沙期的点据绘于该图中，可以看出其点据落于 1960～1964 年点群的下方，表明冲刷效果是明显的。

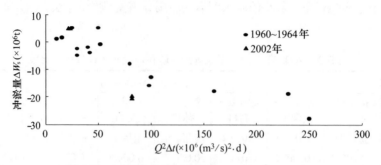

图 5-12　艾山至利津冲淤量 ΔW_s 与 $Q^2\Delta t$ 关系

　　为了更好地探讨不同流量对下游河道冲刷效果和部位，又点绘了各时段花园口日均流量与日均冲刷量的关系(见图 5-13)。从图上可以看出，艾山以上的冲刷量随流量的增大而增大。艾山—利津的冲淤量与花园口日均流量也具有明显的关系，当小于 1 000 $\mathrm{m^3/s}$ 时，淤积量较小；当流量为 1 600～2 500 $\mathrm{m^3/s}$ 时，淤积量较大；当流量大于 2 500 $\mathrm{m^3/s}$ 时，发生冲刷。从上下游河段的关系看，当流量小于 1 000 $\mathrm{m^3/s}$ 时，上段冲的较少，下段淤的也少；当流量在 1 000～2 000 $\mathrm{m^3/s}$ 之间时，上段冲刷量增大，下段淤积量加大，是最不利的流量条件。2002 年调水调沙试验流量为 2 600 $\mathrm{m^3/s}$，河槽冲刷量基本落在点群中间，符合长时期的规律。同时，由于试验期间水流漫滩，主槽冲刷量明显较大，从图中来看对河道演变是非常有利的。

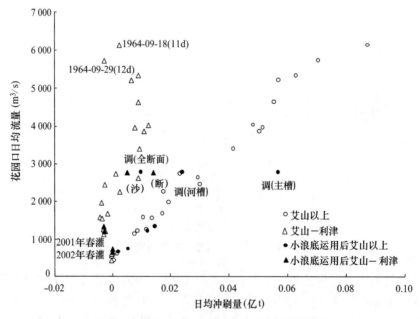

图 5-13　花园口流量和下游河段冲刷量的关系

进一步点绘清水下泄期洪水平均流量与单位水量冲淤量(冲淤效率)的关系(见图5-14)可以看出，单位水量冲淤量与流量关系密切，随着流量的增大，冲刷效率在加大，但当流量大于 $3\,000\,\mathrm{m^3/s}$ 后，冲刷效率基本稳定在 $15\sim20\,\mathrm{kg/m^3}$ 之间；而单位水量冲淤量与含沙量关系不明显，2002 年调水调沙期洪水平均含沙量约为 $12\,\mathrm{kg/m^3}$，点子与 $0\sim27\,\mathrm{kg/m^3}$ 的其他点子没有趋势性的差别。

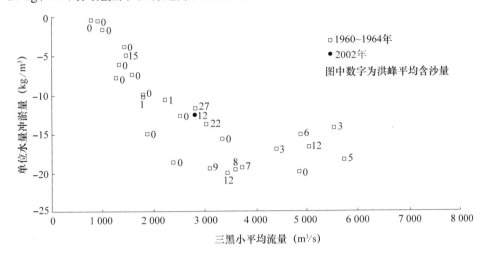

图 5-14　清水下泄期洪水平均流量与单位水量冲淤量关系

(四)清水下泄时期泥沙组成的沿程调整

水库异重流排沙进入下游河道的泥沙，基本属于冲泻质范围，一般在主槽淤积甚少，只有当水流漫滩后，滩地流速很小，才会发生一些淤积。但清水冲刷期下游河道在冲刷过程中，沿程泥沙进行不等量和不等质的交换，在含沙量沿程恢复的同时，不同粒径级的泥沙量也在变化。图 5-15 为 1961 年 6 月不同粒径级泥沙的沿程变化，由图可见，粒

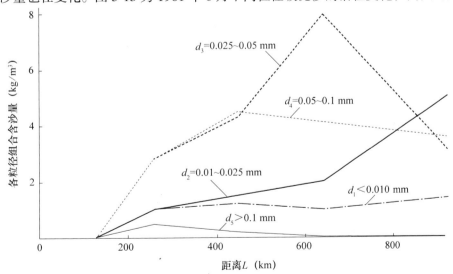

图 5-15　1961 年 6 月悬沙分组含沙量沿程变化

径小于 0.025 mm 的泥沙一直到利津都是沿程递增的，而大于 0.025 mm 的泥沙则不然，都是先增后减，由递增到递减的转折点则是粒径越粗越靠上游，如 0.025~0.05 mm 的转折点在艾山，0.05~0.10 mm 的转折点在高村，而大于 0.10 mm 的转折点在花园口，这种过程表明含沙量恢复时，沿程的悬沙与床沙进行着交换。

分析不同流量级洪水各粒径级泥沙的沿程变化(见图 5-16)可以看出，小于 0.025 mm 的泥沙主要来自水库下泄沙量，河床补给较少，不过，沿程似是增加的，特别是粒径小于 0.01 mm 的细颗粒泥沙，即使在 800 m³/s 的小流量条件下，全程基本不淤；粒径在 0.025~0.05 mm 的泥沙主要来自河床补给，一般恢复到艾山附近，但当流量在 2 500 m³/s 以上时，也可冲刷到利津；而粒径大于 0.05 mm 的泥沙，一般冲刷只发展到高村，即使流量达到 5 000 m³/s，这部分粗沙在高村以下也是衰减的。结合前述分析知，当流量大于 2 500 m³/s 时，冲刷可发展到全下游，但冲刷的沙量组成已经发生了变化，在高村以下的冲刷过程中，冲起细沙、淤下粗沙，同样表明沿程的悬沙与床沙发生了交换。

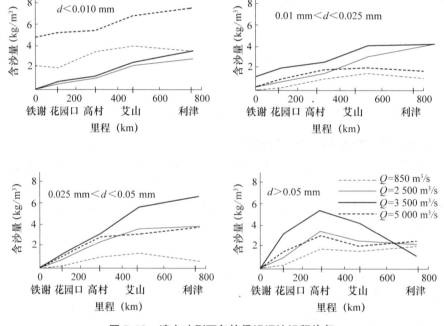

图 5-16　清水冲刷下各粒径组泥沙沿程恢复

(五)漫滩洪水对河道冲淤的影响

洪水漫滩后，滩槽泥沙交换，大量泥沙不断从主槽进入滩地。因此，滩地发生淤积，主槽发生冲刷，主槽面积特别是平滩下主槽过水面积得以明显扩大，从而增大了主槽的过洪排沙能力。同时，泥沙在孙口以上宽河段滩地大量落淤，降低了进入艾山以下河段的含沙量，也有利于艾山以下河段的冲刷。历次漫滩洪水期的滩区淤积与水沙条件的关系表明(见表5-10)，有些漫滩洪水的滩地淤积量比花园口的来沙量还要大。因此，下游每发生一次漫滩洪水，尽管防洪形势比较紧张，但大洪水造成长河段淤滩刷槽，塑造了有利于泄洪排沙的主槽，这是通过其他途径难以达到的。所以从长远来看，一定量级的洪水漫滩对防洪是有利的。

表 5-10　漫滩洪水下游河道滩槽冲淤量

| 日期
(年-月-日) | 不同河段冲淤量(亿 t) | | | | | | | | |
| | 花园口 | | | 花园口—艾山 | | | 艾山—利津 | | |
	洪峰流量 (m³/s)	沙量 (亿 t)	来沙系数 (kg·s/m⁶)	主槽	滩地	全断面	主槽	滩地	全断面
1953-07-06～08-14	10 700	3.97	0.011	−1.79	2.20	0.41	−1.21	0.83	−0.38
1953-08-15～09-01	11 700	5.79	0.038	1.06	1.03	2.09	0.43	0	0.43
1954-08-02～08-25	15 000	5.90	0.010	−3.44					
1954-08-28～09-09	12 300	6.32	0.017	−1.17	3.43	2.26	−0.91	1.47	0.56
1957-07-12～08-04	13 000	4.66	0.012	−3.23	4.66	1.43	−1.10	0.61	−0.49
1958-07-13～07-23	22 300	5.60	0.010	−7.10	9.20	2.10	−1.50	1.49	−0.01
1975-09-29～10-05	7 580	1.48	0.005	−1.42	2.14	0.72	−1.26	1.25	−0.01
1976-08-25～09-06	9 210	2.86	0.006	−0.11	1.57	1.46	−0.95	1.24	0.29
1982-07-30～08-09	15 300	1.99	0.005	0.52	0.11	0.63	−0.21	−0.13	−0.34
1988-08-11～08-26	7 000	5.04	0.017	−0.05	1.53	1.48	−0.25	0	−0.25
1996-08-03～08-15	7 860	3.39	0.019	−1.50	4.40	2.90	−0.11	0.05	−0.06
2002-07-04～07-15	3 170	0.37	0.005	−0.57	0.58	0.01	−0.20	0	−0.20

三、夹河滩—孙口河段洪水位偏高原因分析

分析三门峡水库蓄清排浑运用以来该河段冲淤变化可知，随着非汛期来水量的减少，夹河滩—孙口河段冲刷减弱，甚至发生淤积。当水量超过 150 亿 m³ 时，该河段发生冲刷，冲刷量在 0.1 亿 m³ 左右；水量小于 150 亿 m³，淤积概率和淤积量明显增加。随着龙羊峡、刘家峡两水库的运用和上中游水资源的开发，非汛期进入下游的水量减少，使夹河滩—孙口河段冲刷概率减小，淤积概率增大。

1986 年后，三门峡水库汛期小水排沙，往往形成小水带大沙的局面，加重了夹河滩—高村河段的淤积。从该河段 1973～1985 年和 1986～1999 年汛期各断面平均冲淤面积(见图 5-17)可看出，各断面年均淤积面积显著增大，1973～1985 年部分断面汛期有所冲刷，而 1986～1999 年汛期各断面均为淤积，每年平均增加淤积面积近 500 m²。

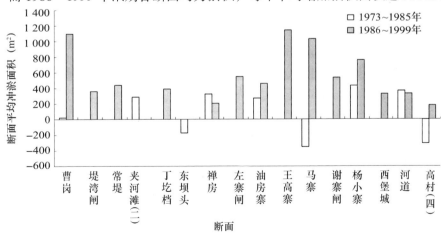

图 5-17　汛期夹河滩—高村河段各断面平均冲淤面积对比

自1999年汛期以来,小浪底水库以下泄清水为主,由于2000年、2001年最大流量均未大于2 000 m³/s,加之沿程大量引水,致使高村上下河段冲刷不多,河槽继续萎缩。

(一)前期河道累计淤积造成的影响

根据断面法冲淤量计算结果,自从小浪底水库下闸蓄水以来,第一个运用年(1999年10月~2000年10月)下游河道冲刷0.825亿m³,第二个运用年(2000年10月~2001年10月)下游河道冲刷0.816亿m³,两年下游河道累计冲刷1.641亿m³,详见表5-11。可以看出,2000运用年下游河道冲刷发展到夹河滩附近,2001运用年冲刷向下推移至高村河段。

表5-11 小浪底水库运用后下游各河段冲淤量

河 段	不同时段冲淤量(亿m³)		
	1999-10~2000-10	2000-10~2001-10	两年合计
白 鹤—花园口	−0.713	−0.473	−1.186
花园口—夹河滩	−0.470	−0.315	−0.785
夹河滩—高 村	0.056	−0.100	−0.044
高 村—孙 口	0.141	0.071	0.212
孙 口—艾 山	0.006	−0.017	−0.011
艾 山—泺 口	0.088	−0.003	0.085
泺 口—利 津	0.067	0.021	0.088
白 鹤—利 津	−0.825	−0.816	−1.641

从实测水位表现看,在1 000 m³/s同流量条件下,2000年的水位与上一年的相比,花园口站水位降低0.39 m,夹河滩站水位降低0.11 m,高村站水位保持不变;2001年高村以上河段同流量水位比上年又下降了0.28~0.10 m,水位降幅仍呈沿程减弱之势。

随着小浪底水库持续下泄清水,2002年非汛期下游河道又冲刷了0.445亿m³。除高村以上河道继续冲刷外,高村—孙口河段也微冲0.008亿m³。

虽然自小浪底水库运用至2002年汛前,下游河道冲刷已发展到高村附近,但若从1996年汛前开始统计,各河段累计冲淤情况则有所不同。1996年5月至1999年10月,下游河道主槽累计淤积3.906亿m³(见表5-12);1999年10月~2002年5月,全下游累计冲刷2.084亿m³。二者相加,尚有1.822亿m³淤积物没有冲完。从河段分布来看,夹河滩以上主槽累积冲刷0.622亿m³,夹河滩—高村主槽仍累计淤积1.517亿m³,高村以下各河段主槽也发生了累积性淤积,其中夹河滩—孙口河段主槽淤积状况最为严重。由此可见,小浪底水库运用之前的几年连续淤积是本次调水调沙期局部河段洪水位偏高的主要原因之一。

图5-18是1996年以来高村断面532 m河宽范围内平均河底高程的变化过程,从图上可以明显地看到,1996年入汛以来,该断面总体以淤积抬升为主,到2002年汛前累计淤高0.81 m。

表 5-12 1996 年 5 月以来下游河道冲淤成果

河　段	不同时段冲淤量(亿 m³)					
	1996-05 ~ 1999-10		1999-10 ~ 2002-05		1996-05~2002-05	
	主槽	滩地	主槽	滩地	主槽	滩地
白　鹤—花园口	1.082	0.626	−1.308		−0.226	0.626
花园口—夹河滩	0.674	0.954	−1.070		−0.396	0.954
夹河滩—高　村	1.587	1.189	−0.070		1.517	1.189
高　村—孙　口	0.377	0.251	0.204		0.581	0.251
孙　口—艾　山	0.193	−0.019	0.001		0.194	−0.019
艾　山—泺　口	−0.063	−0.016	0.117		0.054	−0.016
泺　口—利　津	0.056	0.114	0.042		0.098	0.114
白　鹤—高　村	3.343	2.769	−2.448		0.895	2.769
高　村—利　津	0.563	0.330	0.364		0.927	0.330
白　鹤—利　津	3.906	3.099	−2.084		1.822	3.099

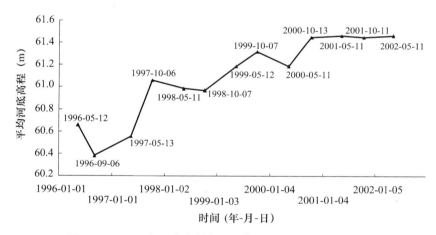

图 5-18 1996 年以来高村断面河槽平均河底高程变化过程

(二)调水调沙试验涨水期河床淤积的影响

黄河下游主槽在较大洪水的涨水阶段往往发生明显冲刷,起冲流量一般为 2 500 ~ 3 000 m³/s。而调水调沙试验的洪水涨水阶段河道冲刷不明显,高村断面反而出现明显淤积。高村断面在洪水漫滩前发生了明显淤积,到最大流量时虽有所冲刷,但不明显。从平均河底高程变化看,7 月 5 日 18 时,流量为 844 m³/s,平均河底高程为 61.41 m;到 7 月 11 日 9 时 10 分,实测流量为 2 980 m³/s,平均河底高程为 61.69 m,在整个涨水过程中,平均河底高程抬高了 0.28 m(见图 5-19)。

孙口断面在洪水漫滩前也发生了明显淤积,到最大流量时虽有所冲刷,但仍不明显,整个试验期该断面发生了累积性淤积。孙口断面在 7 月 5 日 6 时,流量为 678 m³/s,河底平均高程为 46.27 m;到 7 月 17 日 11 时 42 分,实测流量 2 800 m³/s,平均河底高程

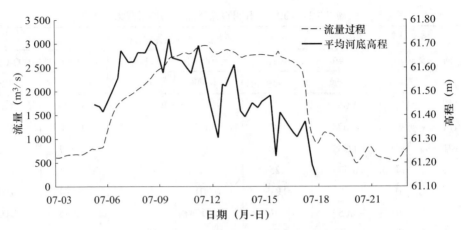

图 5-19　2002 年调水调沙期高村断面主槽河底高程变化

46.62 m，抬升了 0.35 m(见图 5-20)。因此，水流在漫滩前该河段发生明显淤积是造成其水位表现偏高、平滩流量减小的另一主要原因。从夹河滩、高村、孙口三站的输沙率变化也可知，该河段在 2 000 m³ / s 流量以前均发生了明显淤积。

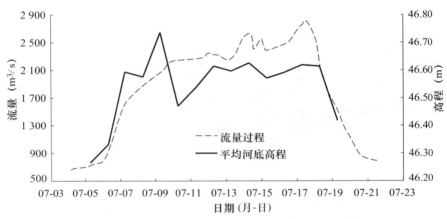

图 5-20　2002 年孙口断面调水调沙期主槽河底高程变化

(三)主槽进一步萎缩的影响

自小浪底水库运用以来，两年下泄流量多在 800 m³ / s 以下，春灌引水高峰期为 1 000 ~ 2 000 m³ / s，对下游河道极为不利，致使主河槽进一步萎缩，对本次小流量漫滩起重要作用。以高村站为例，点绘实测典型洪水的水位 ~ 流量关系(见图 5-21)，从图中可以看出，与历次漫滩洪水相比，本次洪水涨率明显偏大。已有研究表明，黄河下游河道洪水期排洪能力主要依靠主槽冲刷来提高。本次洪水期间，由于主槽近年来不断萎缩，致使当流量涨至不足 2 000 m³ / s 时便漫滩，主流分散对主槽冲刷下切十分不利。同时，嫩滩种植的茂密的农作物不仅增大了河槽阻力，而且严重影响了滩槽水沙交换，进而削弱了主槽的冲刷。另外，滩区众多的阻水建筑物也明显影响滩区过洪能力。因此，在目前河槽严重萎缩的边界条件下，上述诸因素综合作用，导致该站水位 ~ 流量关系中洪水位涨率增大，同流量水位明显升高。

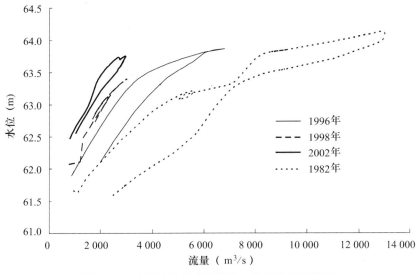

图 5-21   高村水文站典型洪水水位与流量的关系

四、2003 年黄河下游防洪形势预测

(一)两种类型洪水预测计算结果

采用修正过的河床变形方程和泥沙连续方程,并引入了黄河水流挟沙力公式、黄河下游河道糙率计算公式、含沙量横向分布公式、悬沙平均粒径横向分布公式、悬沙与床沙级配计算公式,以及悬沙与床沙交换的计算方法等,建立了一整套能较准确模拟黄河下游河道洪水水沙传播、水位变化、河床冲淤变形过程的河道准二维动床洪水演进数学模型。利用该模型,对 2003 年黄河下游洪水演进过程进行了预测计算。

1. 计算条件

计算水沙条件选择两类典型洪水,即洪峰流量为 7 860 m³/s 的"96·8"型洪水和洪峰流量为 15 300 m³/s 的"82·8"型洪水,流量过程采用当年花园口站实测洪水过程,含沙量过程参照 1961~1964 年花园口站输沙率与流量关系线设计,悬沙中值粒径取为 0.015 mm。

为保证计算孙口断面水位变化过程的精度,计算河段下延至孙口下游 26.18 km 的邵庄断面。洪水预报计算初始地形条件按照 2001 年汛后花园口至邵庄实测大断面控制。除实测大断面外,还概化出 1 215 个子断面。初始床沙组成按近几年来花园口、夹河滩、高村、孙口断面的实测资料平均值内插或外延求得,并根据实际情况对个别断面略加调整。计算末端水位根据 2002 年洪水水位~流量关系,并结合"2002 年黄河下游河道冲淤变化及排洪能力分析研究"中所提供的资料分析确定。

2. "96·8"型洪水预测计算结果

模型计算时段为 1996 年 8 月 1~11 日,并向后顺延 5 d,共计 16 d,最大洪峰流量为 7 860 m³/s。表 5-13 列举了沿程各测站流量为 5 000 m³/s 涨峰期洪水位及洪峰期的最高洪水位。由于本次水沙系列含沙量较小,加之小浪底水库拦沙运用后,河道受到了不同程度的冲刷，花园口、夹河滩(三)、高村最高洪水位分别为94.28 m、77.85 m、64.44 m，与实际"96·8"洪水位相比，花园口水位降低0.45 m，而夹河滩(三)和高村水位却分别升高0.49 m 和0.57 m。

表 5-13　"96·8"型洪水沿程主要测站洪峰流量及洪水位计算结果

测站	涨峰期洪水位(m) Q=5 000 m³/s	最高洪水位 (m)	最大洪峰流量 (m³/s)
花园口	93.74	94.28	7 860
双井	92.39	92.89	7 721
赵口	88.53	88.84	7 496
辛寨	87.09	87.54	7 498
大张庄	83.58	84.03	7 413
黑岗口	82.96	83.37	7 379
古城	79.23	79.53	7 267
夹河滩(三)	77.41	77.85	7 252
禅房	73.63	74.31	7 060
大溜寺	71.46	71.72	6 952
石头庄	69.67	69.86	7 039
于林	66.79	67.15	7 021
高村	64.18	64.44	7 041
南小堤	63.34	63.63	6 913
连山寺	60.36	60.73	6 277
彭楼	57.12	57.26	6 195
梁路口	49.44	49.68	5 972
孙口	49.15	49.41	5 937

图 5-22 为沿程主要水文站洪峰流量传播过程，表 5-14 列举了计算河段主要水文站水文要素预报计算结果。由此可以看出，洪水漫滩后，滩地削峰滞洪作用明显，洪峰传

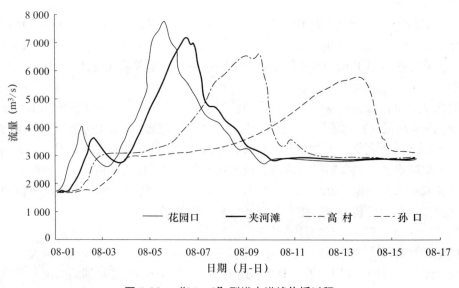

图 5-22　"96·8"型洪水洪峰传播过程

播至夹河滩(三)、高村、孙口时峰值分别削减了7.7%、10.4%、24.4%。由于滩地植被茂盛，蓄水滞洪及糙率非常大，洪水演进速度明显减慢，洪峰由花园口传播至孙口的时间为193 h，比正常洪峰传播时间加长很多。同时，峰型在沿程传播过程中也逐渐变得更为肥胖，致使山东河道高水位长时间居高不下，防洪形势仍很严峻。

表5-14 "96·8"型洪水预报计算主要水文要素

测站	花园口	夹河滩(三)	高村	孙口
洪峰流量(m³/s)	7 860	7 252	7 041	5 937
相对于花园口削峰率(%)	0	7.7	10.4	24.4
最大含沙量(kg/m³)	37.32	44.41	47.64	52.18
洪峰到达时间(h)	0	21	92	193
河段冲淤量(亿m³)	−0.25		−0.15	−0.09

图5-23为计算河段主要测站含沙量传播过程。因该场洪水含沙量较小，且悬沙平均粒径组成较细，河道普遍发生冲刷，花园口—孙口河段共冲刷0.49亿m³，花园口—夹河滩(三)、夹河滩(三)—高村、高村—孙口三河段分别冲刷0.25亿m³、0.15亿m³、0.09亿m³。

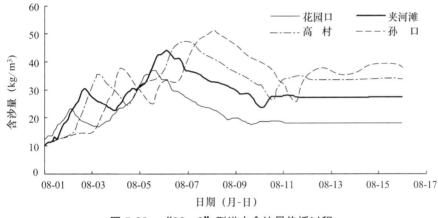

图5-23 "96·8"型洪水含沙量传播过程

3. "82·8"型洪水预测计算结果

模型计算洪峰过程选为花园口站实测的1982年7月30日~8月10日，并向后顺延5 d，共计17 d，最大洪峰流量为15 300 m³/s。表5-15列举了沿程主要测站涨峰期 $Q=9\,000\,\text{m}^3/\text{s}$ 时洪水位及洪峰期最高洪水位，花园口、夹河滩(三)、高村、孙口站最高洪水位分别为95.10 m、78.46 m、65.32 m、50.31 m。

图5-24为沿程主要水文站洪峰流量传播过程，表5-16为计算河段主要水文站水文要素统计结果。因该场洪水峰高量大，洪峰由花园口至夹河滩(三)、高村、孙口站时，洪峰流量分别减少了906 m³/s、2 626 m³/s、5 944 m³/s，削减率分别为5.9%、17.2%、38.8%。洪峰由花园口传播至孙口的时间为110 h，比1982年洪水传播时间延长了7 h。滩地的大量滞洪削峰作用也引起了洪峰变形较大，花园口站大于6 000 m³/s流量的洪水持续历时为89 h，传播到孙口增加到119 h，将会给黄河下游防洪带来巨大的压力。

表 5-15　"82·8"型洪水沿程主要测站洪峰流量及洪水位计算结果

测站	涨峰期洪水位(m) $Q=9\,000\,m^3/s$	最高洪水位 (m)	最大洪峰流量 (m^3/s)
花园口	94.50	95.10	15 300
双井	93.58	94.20	15 162
赵口	89.02	89.49	15 023
辛寨	87.72	88.15	14 996
大张庄	84.25	84.90	14 887
黑岗口	83.59	84.18	14 855
古城	79.73	80.23	14 597
夹河滩(三)	77.97	78.46	14 394
禅房	74.75	75.45	13 916
大溜寺	71.94	72.22	13 412
石头庄	69.96	70.12	13 120
于林	67.41	67.86	12 756
高村	64.92	65.32	12 674
南小堤	63.97	64.26	12 561
连山寺	61.08	61.53	11 854
彭楼	57.89	58.01	10 700
梁路口	50.43	50.52	9 526
孙口	50.20	50.31	9 356

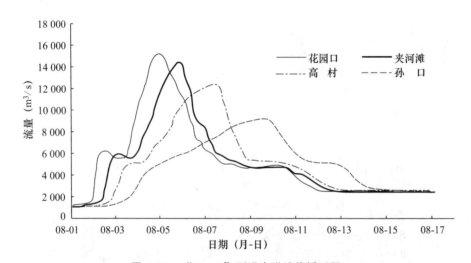

图 5-24　"82·8"型洪水洪峰传播过程

表 5-16　"82·8"型洪水预报计算主要水文要素

测站	花园口	夹河滩(三)	高村	孙口
洪峰流量(m^3/s)	15 300	14 394	12 674	9 356
相对于花园口削峰率(%)	0	5.9	17.2	38.8
最大含沙量(kg/m^3)	59.48	70.58	78.91	86.90
洪峰到达时间(h)	0	25	54	110
冲淤量(亿 m^3)	−0.42		−0.24	−0.12

图 5-25 为含沙量传播过程。因该场洪水含沙量较小，整个计算河段内表现为冲刷，总冲刷量为 0.78 亿 m³。就各个河段而言，花园口—夹河滩(三)河段冲刷了 0.42 亿 m³，夹河滩(三)—高村冲刷了 0.24 亿 m³，高村—孙口冲刷了 0.12 亿 m³。

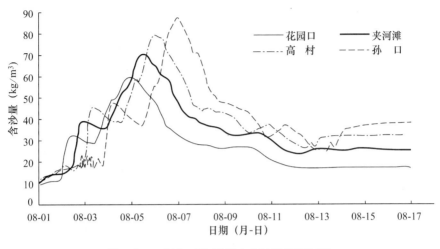

图 5-25 "82·8"型洪水含沙量传播过程

(二)2003 年汛初黄河下游各河段平滩流量预估

1. 小浪底水库运用前后下游河道平滩流量变化概况

1998 年 7 月 16 日花园口站出现 4 700 m³/s 的洪峰，从实测资料分析，艾山以上平滩流量为 2 600～3 800 m³/s。其中，高村、孙口两站的平滩流量较小，分别为 2 900 m³/s 和 2 600 m³/s 左右，艾山—利津河段最大流量 3 000 m³/s 时尚未漫滩。

1999 年汛期花园口站最大洪峰流量为 3 340 m³/s，夹河滩、高村、孙口三站相应洪峰流量分别为 3 320 m³/s、2 700 m³/s 和 2 450 m³/s。本次洪水在下游演进过程中未出现漫滩现象。

2002 年调水调沙试验期，夹河滩—孙口河段发生漫滩，高村上下河段平滩流量不足 2 000 m³/s，为全下游最小。试验过后，高村以上水文站断面平滩流量大多是增大的，花园口、高村分别增大了 300 m³/s 和 700 m³/s，夹河滩变化不大，艾山以下河段的泺口、丁字路口分别增大了 160 m³/s 和 550 m³/s，孙口和艾山站则分别减小了 180 m³/s 和 100 m³/s。

2. 2003 年汛初下游河道平滩流量预估

据统计，1996 年 5 月～1999 年 10 月夹河滩以上累计冲刷 1.034 亿 m³，夹河滩—艾山累计淤积 2.138 亿 m³，艾山以下微冲 0.067 亿 m³，呈现出两头冲、中间淤的格局，其中，夹河滩—高村以及高村—孙口两河段淤积状况最为严重。

对夹河滩—艾山河段 1996 年汛前、2002 年汛前和 2002 年汛后三次实测大断面进行套绘，并计算各断面平滩以下过水面积，如图 5-26 所示。1996 年这一河段共布设有 37 个测淤断面，经比较，2002 年汛前有 30 个断面的平滩以下过水面积比 1996 年汛前的断面减小，其中减幅最大的为南桥断面，其面积减少了 1 231 m²，其余 7 个断面平滩以下过水面积增大,增幅最大的为油房寨断面,增加了 502 m²。平均平滩过水面积由 1996 年汛前的 1 526 m² 减小到 2002 年汛前的 1 186 m²,2002 年汛后恢复到 1 290 m²。但目前仍有近 40% 的断面其平滩以下过水面积不足 1 200 m²。

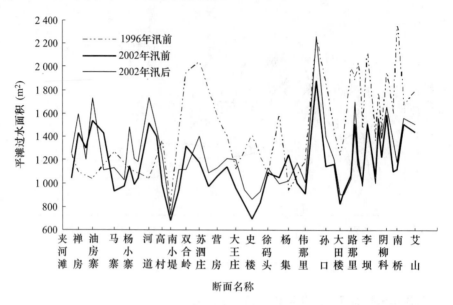

图 5-26　夹河滩—艾山河段平滩以下过水面积沿程变化

1996 年汛前~2002 年汛前,高村—孙口河段 14 个断面中就有 12 个断面的平滩以下过水面积是减小的。即使经过调水调沙试验的冲刷,该河段平均平滩以下过水面积仍只有 1 196 m²,表明这一河段将可能成为 2003 年下游河道防洪的薄弱河段。

根据计算,2003 年汛初夹河滩—艾山河段平滩流量为 2 300~3 000 m³/s,其中高村—孙口河段为 2 300~2 500 m³/s,将成为全下游排洪能力最小的河段;夹河滩以上和艾山以下河段平滩流量将超过或接近 3 000 m³/s。

五、初步结论

(1)2002 年调水调沙试验期间,下游夹河滩—孙口河段水位表现高的主要原因有小浪底水库运用之前的几年连续淤积、近 3 年连续小流量下泄引起的主槽进一步萎缩以及涨水阶段部分河段明显淤积等。

(2)调水调沙试验期间,下游白鹤—泺 2 河段共冲刷 0.362 亿 t,冲刷主要集中在夹河滩以上和艾山以下两河段,冲刷量分别为 0.191 亿 t 和 0.171 亿 t,夹河滩—孙口河段由于洪水漫滩,淤积 0.082 亿 t。试验期间,下游主槽的冲刷效果较为明显,尤以漫滩较多的夹河滩—孙口河段为甚。主槽冲刷使沿程平滩流量均有增大,其中夹河滩—孙口河段增幅最大,达 300~500 m³/s。

调水调沙试验结束至汛末,下游河道累积冲刷 0.037 亿 t,除夹河滩以上河段继续冲刷和孙口—艾山河段微冲外,其他河段均发生回淤。其中,夹河滩—孙口以及泺口—利津回淤较多,但与调水调沙期主槽冲刷相抵后仍为冲刷,表明调水调沙过后河道回淤并不明显。

(3)清水下泄条件下,流量越大,冲刷距离越远。一般来说,流量为 2 500 m³/s,水量达到 22 亿 m³时,可望达到全下游冲刷。

(4)1996 年汛前~2002 年汛后,夹河滩—艾山河段仍发生了累积性淤积,与 1996 年汛前相比,平滩以下过水面积减小较多。考虑到 2002 年调水调沙试验之后这一河段均有不同程度的回淤,预计 2003 年汛初夹河滩—艾山河段平滩流量为 2 300~3 000 m³/s,其中高村—孙口河段为 2 300~2 500 m³/s。2003 年汛期高村上下河段防洪形势依然十分严峻。

第六章　认识和建议

一、初步认识

(1)黄河高效造床输沙流量枯竭,黄河干支流河道萎缩已严重危及黄河基本功能。

1950～1985年,黄河干支流河道形态虽随来水来沙条件的改变不断调整,但未发生大的变化。1986年龙羊峡水库投入运用,以及黄河水资源利用量不断增长,黄河的水沙情势已发生了重大改变。如对黄河造床输沙起决定作用的大于 3 000 m^3/s 的日均流量出现天数,黄河下游花园口站已经从 20 世纪 50 年代年均 49.3 d 减至 1997～2001 年的年均 0.8 d。因此,导致了黄河干支流河道普遍淤积萎缩,在 20 世纪 90 年代以来黄河下游经常发生小洪水大漫滩以及防洪、防凌形势日趋加重的局面。

(2)维持黄河的基本功能,实质上就是要维持黄河一定的泄洪输沙能力,其核心是必须保留必要的造床输沙流量,这是维系黄河基本功能所必需的水量。因此,在对黄河水资源进行开发利用时,必须保留高效造床输沙流量及其历时,即高效造床输沙用水。对黄河来说,这是最重要的生态环境需水量,是治黄的核心所在。

(3)2002 年 7 月,清涧河流域发生的 500 年一遇的特大暴雨,再次检验了水利水保综合治理措施的减水减沙效果。总体上看,目前水利水保工程措施的治理标准还较低,中常降雨条件下的减水减沙效果明显,但一旦遭遇大暴雨洪水,减水减沙效果明显降低,中游产生高含沙量大洪水的概率依然存在。同时,随着骨干坝库库容的减小,相应减水减沙作用也明显降低,水利水保措施的减水减沙效果具有较强的时效性和阶段性。

(4)2002 年 6 月份下旬潼关高程出现 329.14 m 历史新高,主要是因为不利的前期河床边界条件与不利的水沙过程相遭遇。在 6 月份小洪水前,潼关高程已经达到了 328.4 m 左右,逢遇潼关站出现洪峰流量 1 510 m^3/s、洪水平均含沙量为 118 kg/m^3 的高含沙小洪水后,进一步加重了潼关河段的淤积,使潼关高程抬升 0.72 m,遂而达到历史新高。

在三门峡水库运用方式变化不大的条件下,潼关高程的变化主要取决于水沙条件,特别是洪水过程。在洪峰期平均含沙量小于 150 kg/m^3 的情况下,潼关高程的下降幅度随汛期水量增加和洪峰流量的增大而增大,随洪水含沙量的增大而减小。特别是当洪峰平均含沙量 150 kg/m^3 左右、洪峰流量小于 2 000 m^3/s 的洪水期,潼关高程的抬升幅度更大。这也是增水减沙降低潼关高程的机理所在。但当含沙量大于 150 kg/m^3、洪峰流量在 2 300～14 000 m^3/s、来沙系数在 0.022～0.087 kg·s/m^6 的条件下,潼关高程抬升幅度随含沙量的升高而减小;当含沙量大于 200 kg/m^3 以后,潼关高程反而明显下降。此现象的机理还有待进一步分析研究。

桃汛洪水对于降低潼关高程具有较好的效果。在桃汛期,随着洪峰流量和洪量的增加,以及水库起调水位的降低,潼关高程的冲刷下降幅度增大。但是,当潼关洪峰流量小于 1 900 m^3/s,或者起调水位较高时,潼关高程还会明显升高。

根据方案计算结果,在桃汛期降低一定的坝前水位,可以使淤积部位下移。例如,在相同水沙条件下,若将桃汛期坝前平均水位由 316 m 水位降至 310 m 时,与原型实测相比，黄淤 22—黄淤 30 和黄淤 30—黄淤 36 两河段的淤积量分别减少了 12% 和 10%，黄淤 1—黄淤 22 河段淤积量增加了 16%，说明黄淤 36 断面以下的淤积分布重心下移，对减轻潼关河段的淤积是有利的。

(5)自 1999 年 10 月~2002 年 10 月，小浪底水库共淤积 8.74 亿 m³，年均近 3 亿 m³。其中干流淤积量占全库区的 89.62%，主要淤积在 215 m 高程以下；支流的淤积量占 10.38%，其淤积部位主要在沟口附近，距大坝愈近，淤积厚度愈大。

当异重流不能及时排出时，将在坝前形成浑水水库。由于输移到坝前的异重流所挟带的沙粒较细，浑水水库的浑液面沉降很慢(小于 1 m / d)，部分泥沙能够在较长时间内悬浮在水库里，当浑水水库范围内的泄洪排沙设施打开时，仍能够排出库外。2002 年 9 月上旬出库日平均含沙量达到 170 kg / m³(已经被水电站的清水水流稀释过)，通过排沙洞排出的水流含沙量更高。浑水水库的存在为处理库区的泥沙(主要指没有被及时排出库外的异重流)提供了更大的灵活性。

(6)黄河下游河道输沙特性与泥沙粒径组成具有密切的关系。以异重流方式通过小浪底水库进入下游的泥沙组成很细，属于冲泻质，在下游主槽输移过程中基本不淤。因此，小浪底水库以异重流的方式排沙，增大进入下游的细沙含沙量，不会明显增加下游河道主槽的淤积。洪水漫滩后，细颗粒泥沙在滩地落淤，也有利于增加滩区土壤的黏性和滩地的稳定性。

调水调沙试验以后的 9 月上旬，小浪底水库在 500 m³ / s 流量挟带 150 kg / m³ 的含沙量的条件下排沙，除夹河滩—孙口河段和泺口以下河段由于大量引水、淤积较为严重外，在夹河滩以上河段和孙口—泺口河段基本不淤，也表明了下游河道对于细颗粒泥沙具有较强的输沙能力。

(7)黄河下游河道洪水漫滩后，部分泥沙将从主槽进入滩地，使滩地淤积、主槽发生冲刷或少淤，这对增大或保持一定的主槽过流面积和排洪能力是有利的。因此，保证黄河下游每年出现一次漫滩小洪水是很有意义的。

(8)调水调沙试验期间夹河滩—孙口河段水位偏高的主要原因是该河段河道前期累计淤积、调水调沙试验洪水涨水期发生淤积和近两年主槽进一步萎缩等综合因素造成的。

尽管调水调沙试验期间黄河全下游发生冲刷，但根据计算，2003 年汛期，夹河滩—艾山河段的防洪形势依然十分严峻。据预测，2003 年汛初夹河滩—艾山河段平滩流量为 2 300~3 000 m³ / s，其中高村—孙口河段为 2 300~2 500 m³ / s，将成为全下游排洪能力最小的河段，夹河滩以上和艾山以下河段平滩流量将超过或接近 3 000 m³ / s。

二、对策及建议

(一)应在汛期维持造床输沙作用较大的洪水过程

由于流域水沙条件和边界条件的巨大变化，造床输沙作用较大的洪水越来越少，从而导致了水库排沙无水、"蓄清排浑"水库难以维持年内冲淤平衡、冲积性河段输沙无水、河槽严重淤积萎缩、部分河段二级悬河加剧、防洪形势严峻的不利局面。因此，需要在考虑社会经济发展用水的同时，预留出必要的造床输沙水量，维持下游河道排洪输沙等基本功能，尤其是应在洪水期维持造床输沙作用较大的洪水过程。为此，应加强对洪水的预报，并通过水库的合理调度，充分发挥洪水较为强烈的造床输沙作用，以达到维持三门峡水库年内冲淤平衡、增大中下游河道主槽冲刷、提高河道过洪能力之目的。

另外，针对区间不平衡水量增大的特点，建议加强对沿黄引水的监测。仅就下游不平衡水量而言，如果能够减少一半，即可节省出超过 30 亿 m^3 的水量，足够增加一次调水调沙试验用水。

(二)应采用多种措施，降低潼关河床高程

1. 适时改变三门峡水库运用方式，降低运行水位

三门峡水库运用 40 多年，积累了丰富的实践经验，得到的一条最基本的认识就是：三门峡水库的运用方式与运用水位应随着入库水沙条件的变化不断进行调整，在不影响潼关河床高程的前提下充分发挥三门峡水库的综合效益。考虑到当前小浪底水库有足够库容完全能够承担黄河下游的防凌与春灌蓄水任务的有利时机，非汛期(10 月~翌年 5 月)三门峡的发电运用水位以不超过 316~318 m 为限；桃汛起始水位应降至 313 m，以充分利用桃汛冲刷，降低潼关高程；6 月份按汛期调度运用方式运行；汛期采取"洪水敞泄排沙，平水发电"的运行方式。由于潼关河床高程居高不下，汛期潼关站出现洪水的概率小，建议 2003 年汛期，当潼关出现大于 1 000 m^3/s 的流量时，三门峡水库即敞泄排沙，按 2002 年来水条件，照上述方式进行调度运用，潼关高程有可能比 2002 年的实际运用水位有所降低。

2. 充分发挥桃汛洪水冲刷降低潼关河床高程的作用

桃汛期间，潼关河段的冲刷除与桃汛洪峰流量、洪量大小有关外，还受三门峡水库运用水位的影响，如运用水位低，则桃汛洪水对潼关河床的冲刷作用大。1974~1979 年桃汛期三门峡水库运用水位高，桃汛起调水位平均为 321.43 m，桃汛期潼关河床年均只降低 0.01 m；1980~1992 年桃汛期三门峡水库起调水位降低到 319 m 左右，潼关河床高程年均降低 0.10~0.11 m；1993~1998 年，桃汛期三门峡水库平均起调水位下降为 315.31 m，潼关河床高程年均下降 0.26 m。

1998 年 10 月万家寨水库投入运用后，在桃汛前期水库泄水，桃峰到来时水库蓄水，改变了桃汛洪水过程，下泄的洪峰流量削减，洪量减少。1999~2002 年，桃汛期万家寨水库平均拦蓄桃汛水量为 3 亿~4 亿 m^3，削峰比为 30%~40%，对桃汛洪水冲刷降低潼关河床高程有不利影响。

综合分析认为，若对水库运用方式适当调整，可望对降低潼关高程产生明显作用，如将万家寨水库改为在桃汛洪水涨水期逐渐降低库水位，使桃汛涨水期出库流量增大，桃汛洪峰期水库不进行调蓄削峰，待桃汛过后再行蓄水。万家寨水库调蓄桃汛洪水，但应尽量减小对洪峰流量和相应洪量的影响，保持下泄洪水呈单峰流量过程，使得潼关洪峰不小于 1 900 m^3/s，洪量维持在 10 亿 m^3。

3. 对东垆湾进行人工裁弯

东垆湾位于黄淤 30—黄淤 27 断面之间，是潼关至三门峡大坝间的一个畸形河湾。据三门峡水文水资源局分析，由于弯道长度增加引起上段河道溯源淤积的发展，黄淤 29—黄淤 31 断面间增加淤积 0.11 亿 m^3，黄淤 31—黄淤 36 和黄淤 36—黄淤 41 断面间分别增加淤积 0.34 亿 m^3、0.21 亿 m^3，相应引起弯道上游河段同流量水位抬升。在流量

$1\,000\ m^3/s$ 左右时，黄淤 30 断面水位升高 $1.45 \sim 1.70\ m$，黄淤 36 断面水位升高 $0.80\ m$，潼关(六)断面升高 $0.50 \sim 0.70\ m$。

1993 年 8 月下旬，曾在东垆湾弯颈处自然裁弯，河长约缩短 $5\ km$，8 月 25 日 ~ 11 月 20 日，$1\,000\ m^3/s$ 流量情况下，大禹渡水位下降 $1.28\ m$，坩垮下降近 $0.20\ m$。2001 年 9 月 6 ~ 8 日东垆湾再次发生自然裁弯。裁弯后，河长缩短了约 $7\ km$，引起上游河段溯源冲刷，汛末大禹渡 $1\,000\ m^3/s$ 流量的水位下降约 $0.74\ m$，冲刷已发展至黄淤 34 断面附近，黄淤 34—黄淤 28 断面约 $30\ km$ 河段内河槽共冲刷 0.13 亿 m^3，冲刷自下而上逐渐减少。

建议对黄淤 30—黄淤 27 断面河段进行人工裁弯，并对裁弯上下游河段进行河道整治，以便控导主流、稳定主槽位置，有效降低潼关河床高程。

除上述措施外，还应对潼关以下河道进行整治，并对潼关以下河段辅以疏浚挖槽。

(三)应加强小浪底水库与三门峡水库的联合调度

2002 年 10 月，小浪底库区坝前淤积面高程约为 $180\ m$，还未达到起始运用水位 $210\ m$ 高程。因此，2003 年汛期小浪底水库仍可采用以蓄水拦沙的运用方式为主。而为合理使用水库拦沙容积，多拦对下游不利的粗沙，充分发挥水库的拦沙减淤效益，当异重流到达坝前后，可考虑使之全部下泄。当中游发生洪水时，可结合三门峡水库泄空冲刷，增大洪水历时，充分发挥小浪底水库异重流排沙作用。根据资料分析及数学模型计算，从下游河道的输沙角度而言，由于异重流所挟带的泥沙颗粒很细，具有较强的输沙能力，不会明显增大下游河道主槽的淤积量。

(四)加强小浪底水库调水调沙的作用

针对黄河下游河槽萎缩、平滩流量降低的严峻形势，在不发生大范围漫滩的条件下，建议通过小浪底水库调水调沙，形成漫滩(漫滩范围大致在现有两岸控导工程连线之间)小洪水，通过滩槽水沙交换，淤滩刷槽，增加下游河道主槽的平滩流量。

(五)制定防洪对策

2003 年防洪形势仍相当严峻，应在新的防洪形势要求下，立足于"大水保安全"、注重利用"中小洪水塑造河槽"的基础上，制定防洪对策。

(六)对已建水库和淤地坝进行除险加固

加快中游多沙粗沙区支流的水利水保工程建设步伐，对已建水库与淤地坝进行除险加固是当前治黄的一项紧迫任务。

黄河上中游地区 1980 年以前修建了大量水库与淤地坝，曾发挥了巨大的防洪减淤作用。但是，由于黄河中游水土流失严重，多沙区支流已建的水库与各类淤地坝大多数已进入运行后期，库容已基本淤满，滞洪拦沙作用逐年降低；病险库坝比例很大，如不采取除险加高加固措施，一遇较大暴雨洪水，便容易发生水毁垮坝，使入黄泥沙剧增，不仅使多年淤成的坝地大量冲失，同时也将加重干流水库与河道的泥沙淤积，使多年治理的减沙效益毁于一旦。

另外，当前黄河上中游地区不少已建水库或骨干坝正采用"蓄清排浑"的运用方式加以改造，普遍增建泄洪排沙设施，以求长期保持兴利库容。调查发现，黄河上中游地区的水沙主要集中在洪水期，如果洪水期不蓄水拦沙，则很可能洪水过后无水可蓄，不能为当地兴利，同时将洪水泥沙排入黄河，又加重了黄河干流水库与河道的防洪与泥沙淤积负担。因此，应在条件适宜时，对这些水库采用加高及除险加固措施，增大库容并采取"蓄洪拦沙"的运用方式，这不仅可取得较大的综合效益，而且所需投资与增建泄洪排沙设施相比较增加也不多。

(七)建议

建议针对以下问题开展专题研究：

(1)异重流浑水水库及小水异重流排沙的试验研究。为了进一步增大水库运用的灵活性，在中游小洪水以异重流形式运移到小浪底水库坝前，而又不具备调水调沙试验条件时(2002年6月和8月份中游的几场小洪水都属于这种情况)，可以进行小流量异重流排沙的试验研究，既有利于有效利用小浪底水库宝贵的库容，又可不对下游造成明显淤积。同时，也可通过放淤等方式充分利用保水保肥能力较强的细颗粒泥沙。当然，为确保细沙高含沙水流在下游的远距离输送，还需进一步研究相应的对策。

基于2002年9月浑水水库小流量排沙的效果，可进一步系统研究利用浑水水库小流量排沙的可行性，并制订切实可行的实施方案。

(2)大流量低含沙洪水对降低潼关高程具有明显作用。近年来，水少峰低，大洪水出现概率小，那么对如何充分发挥桃汛洪水对降低潼关高程的作用应作进一步研究，并对三门峡水库坝前运用水位开展优化研究。同时，还应针对一些高含沙洪水过程可使潼关河段形成明显冲刷的现象开展深入研究，认识其过程特点及冲刷机理，提出相应对策。

(3)小浪底水库异重流数值模拟方法的进一步研究。小浪底水库异重流既遵循一般输移规律，又有其特殊性。例如平面形态复杂、干支流倒灌、浑水水库等。基于实测资料观测结果，建立合理实用的计算方法，对分析长系列小浪底水库运用方式具有重要作用。此外，拥有一套完善的模型，在原型调水调沙之前，利用数学模型进行水库调度方案比选具有重要的价值。

同时，为通过不同高程孔洞组合控制出库含沙量，还需要加强对浑液面高程、含沙量分布等特征指标变化规律和模拟方法的研究。

(4)水土保持治理措施体系优化组合研究。大量的定位观测资料分析表明，在同样降水和地理条件下，因水土保持治理措施配置不同，其蓄水减沙效果尤其对控制大洪水的作用可能相差很大。因此，应开展水土保持治理措施体系的优化研究，包括工程、生物、耕作等各类措施的数量组合、空间组合等，为水土保持生态建设工程规划、设计提供科学依据，提高流域治理的水平。

(5)进一步优化小浪底库区异重流测量方案。对小浪底水库异重流输沙规律的认识需要基于原型资料的观测，但受洪水历时、观测技术等因素的制约，目前原型观测的资料数量还有限。因此，优化异重流的观测项目及观测内容是十分必要的。总结2001年及2002年异重流观测情况，建议加强或改进对异重流潜入点、支流异重流倒灌、浑水水库泥沙沉降过程、各泄水洞分流分沙比等方面的观测方式和方案研究。

第二部分 专题研究报告

第一专题 黄河干流水沙特性

第一章 流域雨情

2002 年汛期黄河流域降雨较少，各区间与历年同期相比普遍偏少 20%~65%(见表 1-1)。兰州以上少沙来源区偏少达 42%，直接对流域来水量影响很大。兰托区间、渭河咸阳以上也偏少 40% 以上。一些支流偏少的程度较大，金堤河和大汶河分别偏少达 55% 和 63%。而 2002 年 7 月晋陕区间的清涧河流域出现强降雨，子长站雨量达 321 mm，是黄河流域的最大雨量。

表 1-1 黄河流域 2002 年降雨统计

区 域	6 月		7 月		8 月		9 月		10 月		7~10 月		
	降雨(mm)	距平(%)	降雨(mm)	距平(%)	降雨(mm)	距平(%)	降雨(mm)	距平(%)	降雨(mm)	距平(%)	降雨(mm)	距平(%)	最大雨量(mm)
兰州以上	78.4	11	52.8	−42	44.3	−50	57.6	−16	10.0	−71	164.7	−42	121
兰托区间	93.3	244	30.4	−46	29.4	−55	36.6	16	2.3	−83	98.7	−41	87
晋陕区间	132.2	156	76.6	−24	46.1	−55	76.7	31	22.9	−17	222.3	−23	321
汾 河	106.3	76	52.8	−53	53.9	−49	91.5	40	42.5	19	240.7	−21	150
北洛河	114.7	95	61.0	−45	59.2	−46	80.1	3	32.0	−16	232.3	−31	121
泾 河	131.6	130	53.2	−50	81.6	−21	70.9	−4	36.2	−11	241.9	−25	169
渭河咸阳以上	102.3	43	35.5	−69	59.8	−41	67.9	−34	38.0	−32	201.2	−46	116
咸张华区间	102.7	59	39.0	−62	77.9	−19	78.1	−17	36.1	−37	231.1	−34	137
伊洛河	126.8	73	78.0	−47	66.0	−44	79.2	−6	36.6	−34	259.8	−36	207
沁 河	114.4	63	85.9	−42	61.6	−49	102.8	48	31.7	−21	282.0	−26	172
三小区间	83.3	31	64.7	−56	57.0	−49	77.5	−1	36.7	−26	235.9	−39	125
小花干流区间	71.4	18	70.6	−51	79.2	−25	72.3	−1	24.5	−46	246.6	−33	162
金堤河	62.0	−5	73.0	−52	40.6	−68	45.4	−27	10.0	−72	169.0	−55	141
大汶河	69.3	−19	69.3	−67	54.4	−64	31.9	−50	17.3	−50	172.9	−63	124

注：历年均值统计至 2000 年。

2002 年流域降雨的一个显著特点是 6 月份降雨较多(见图 1-1)，除金堤河和大汶河少量偏少外，其余各区间普遍较历史同期偏多，晋陕区间和泾河偏多 1 倍多，兰托区间偏多达 244%。对比 6 月和汛期各月的降雨量可见，除小花区间是 8 月雨量最大外，其余各区间都是 6 月雨量最大。6 月降雨近似汛期情况，而 10 月降雨却与汛期相差较大，尤其是上游地区 10 月降雨稀少。

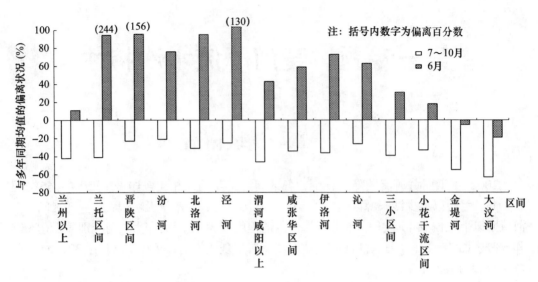

图 1-1　2002 年黄河流域区间降雨与多年平均值的偏离情况

第二章 流域水沙特点

一、持续枯水少沙

2002年黄河流域降雨偏少,形成流域枯水少沙的基本特点。流域枯水严重(见表2-1),除兰州年水量较长系列偏少26%外,流域各站偏少都在40%以上,干流上游唐乃亥年水量只有112.5亿 m^3,比长系列均值197.9亿 m^3 减少43%,为1957年以来的最小水量;出口站利津年水量仅有44.4亿 m^3,比长系列均值减少达88%,为1950年以来的第三小水量年份;支流伊洛河黑石关和汾河河津也分别偏少达75%和85%。

由于无强降雨,流域产沙很少(见表2-2),来沙控制站龙华河洑年沙量仅有6.197亿t,较长系列偏少57%。下游受小浪底水库拦沙影响,来沙量为0.709亿t,在下游沿程冲刷过程中沙量有所恢复,花园口、高村、艾山沙量超过1亿t,利津沙量为0.546亿t,比长系列减少94%。受渭河流域6月降雨偏多的影响,非汛期渭河华县和北洛河洑头沙量与历史同期相比有所增大,造成龙华河洑非汛期来沙量增加23%,达到1.935亿t。但由于绝对量小,对流域年来沙量影响较小。

水沙量延续了1986年以来的枯水少沙特征,同时也是1997年以来第6个特枯水年份。由表2-3、表2-4及图2-1可见,与长系列均值相比,1997～2001年同2002年一样,水沙量偏少较多,尤其从头道拐以下的中下游地区,水量偏少在50%以上,而且干流基本上是从上至下水量偏少程度逐渐增加(见图2-2),中游龙华河洑和进入下游的水量年均仅为194.9亿 m^3 和174.2亿 m^3,利津水量年均仅为58.4亿 m^3,比长系列均值减少达84%。沙量减少程度更甚过水量,中下游沙量减少在60%以上,龙华河洑年均沙量仅为5.466亿t,下游来沙仅为3.071亿t。从图2-1黄河主要控制站的长期历年水沙变化过程可看到,1997年以来除唐乃亥1999年水沙量大于长系列均值外,其他年份各站的水沙量都小于长系列均值,而且距均值线的距离都较大。因此,从系列平均和逐年情况两方面说明,1997～2002年黄河流域是一个连续的水量特枯、沙量偏少的系列。

二、汛期水量减少幅度大于非汛期,水沙量年内分配改变

由于2002年流域降雨特点为汛期减少,6月增加,同时受水库运用和引水的影响,黄河流域汛期水量的减少幅度基本上要大于非汛期。从几个主要控制站的年内时段水量减少幅度来看,唐乃亥、头道拐、龙华河洑和小黑武非汛期减幅分别是23%、7%、23%和39%,而汛期却达到43%、48%、51%和54%,兰州非汛期增加3%,而汛期则减少48%,都超过非汛期许多。因此,干流汛期水量除下游艾山和利津外,基本上都小于非汛期,汛期水量占全年的比例在30%～50%之间,与长系列情况汛期占到全年的60%左右有较大差异。从表2-1、表2-3可看到,2002年水量分配情况与1997～2001年是极为相似的。总之,1986年以来流域水量分配发生了根本改变。这一点在特枯水年份更为显著。

2002年沙量的年内分配与历年有所差别,主要来沙控制站龙华河洑非汛期沙量是增加的,而汛期沙量减幅达67%。因此,汛期沙量仅占全年的69%,小于1997～2001年系列的80%和长系列的89%。

表 2-1 黄河流域 2002 年主要控制站水量统计

站名	水量(亿m³)							汛期占年比例(%)	距长系列均值(%)						
	11~6月	7月	8月	9月	10月	7~10月	年		11~6月	7月	8月	9月	10月	7~10月	年
唐乃亥	60.4	21.3	11.9	9.9	9.0	52.1	112.5	46	-23	-36	-60	-68	-65	-56	-43
兰州	142.5	24.2	19.6	19.4	29.4	92.7	235.2	39	3	-49	-58	-57	-22	-48	-26
头道拐	93.0	4.5	7.4	11.2	10.4	33.4	126.4	26	-7	-85	-81	-71	-68	-76	-48
龙门	108.5	14.3	10.7	14.5	12.7	52.2	160.7	32	-17	-63	-79	-69	-68	-70	-47
华县	17.7	2.9	4.2	2.3	1.5	10.8	28.5	38	-40	-74	-66	-83	-86	-77	-63
河津	0.9	0.4	0.1	0.4	0.3	1.1	2.0	55	-82	-77	-98	-82	-82	-87	-85
洑头	1.9	0.9	0.5	0.4	0.4	2.2	4.1	54	-34	-17	-63	-54	-50	-47	-42
龙华河洑	128.9	18.5	15.4	17.6	14.8	66.3	195.2	34	-23	-65	-77	-72	-71	-72	-51
潼关	123.0	16.2	13.2	15.3	13.2	58.0	180.9	32	-26	-68	-80	-75	-75	-75	-55
三门峡	108.4	15.6	10.9	13.2	11.2	50.9	159.3	32	-35	-69	-84	-79	-79	-78	-60
小浪底	107.4	39.7	16.7	12.5	16.2	85.0	192.4	44	-36	-22	-75	-80	-69	-63	-52
黑石关	4.1	1.1	0.7	1.1	0.7	3.6	7.7	47	-65	-78	-89	-74	-80	-81	-75
武陟	0.9	0.1	0.0	0.2	0.1	0.5	1.4	36	-74	-94	-99	-86	-92	-94	-88
小黑武	112.4	40.9	17.4	13.8	17.0	89.1	201.5	44	-39	-28	-77	-80	-70	-65	-54
花园口	106.4	41.1	18.2	14.2	17.2	90.7	197.1	46	-42	-28	-76	-80	-71	-65	-56
高村	83.5	36.7	14.1	10.6	14.4	75.8	159.3	48	-50	-19	-79	-83	-74	-67	-60
艾山	58.0	31.7	8.5	7.0	10.1	57.1	115.1	50	-63	-29	-88	-89	-82	-75	-70
利津	15.1	24.9	1.6	1.4	1.3	29.3	44.4	66	-89	-39	-98	-98	-98	-87	-88

表 2-2　黄河流域 2002 年主要控制站沙量统计

站名	沙量(亿 t)							汛期占年比例(%)	距长系列均值(%)						
	11~6 月	7 月	8 月	9 月	10 月	7~10 月	年		11~6 月	7 月	8 月	9 月	10 月	7~10 月	年
唐乃亥	0.023	0.051	0.007	0.003	0	0.060	0.083	72	-35	27	-71	-85	-100	-34	-34
兰州	0.097	0.019	0.035	0.006	0	0.060	0.157	38	-17	-91	-88	-95	-100	-91	-79
头道拐	0.186	0.003	0.028	0.029	0.019	0.079	0.265	30	-27	-99	-91	-90	-90	-92	-79
龙门	1.068	1.578	0.502	0.221	0.056	2.357	3.425	69	-6	-39	-87	-81	-90	-71	-63
华县	0.716	0.520	1.059	0.034	0.005	1.618	2.334	69	98	-61	-31	-94	-95	-54	-40
河津	0	0.001	0	0.001	0.001	0.002	0.002	100	-100	-99	-100	-99	-100	-100	-100
洑头	0.151	0.192	0.091	0.003	0.062	0.285	0.436	65	247	-38	-74	-97	-93	-63	-46
龙华河洑	1.935	2.290	1.652	0.258	0.062	4.262	6.197	69	23	-47	-72	-87	-91	-67	-57
潼关	1.934	1.383	1.262	0.316	0.158	3.119	5.053	62	-14	-57	-75	-86	-84	-73	-63
三门峡	1.020	2.006	1.048	0.209	0.100	3.363	4.383	77	-48	-38	-79	-91	-91	-71	-68
小浪底	0.015	0.329	0.023	0.341	0.001	0.694	0.709	98	-99	-90	-100	-85	-100	-94	-95
黑石关	0	0	0	0	0	0	0	0	-99	-100	-100	-100	-100	-100	-100
武陟	0	0	0	0	0	0	0	0	-100	-100	-100	-100	-100	-100	-100
小黑武	0.015	0.329	0.023	0.341	0.001	0.694	0.709	98	-99	-90	-100	-85	-100	-94	-95
花园口	0.275	0.414	0.046	0.398	0.041	0.899	1.174	77	-86	-83	-99	-83	-96	-92	-91
高村	0.456	0.385	0.060	0.249	0.104	0.797	1.253	64	-76	-76	-98	-88	-91	-90	-87
艾山	0.303	0.485	0.037	0.138	0.070	0.730	1.033	71	-83	-67	-99	-94	-94	-91	-89
利津	0.024	0.511	0.001	0.009	0.002	0.523	0.547	96	-98	-63	-100	-100	-100	-93	-94

表 2-3 黄河流域 1997~2001 年主要控制站水量统计

站名	水量(亿 m³)							汛期占年比例(%)	距长系列均值(%)						
	11~6 月	7 月	8 月	9 月	10 月	7~10 月	年		11~6 月	7 月	8 月	9 月	10 月	7~10 月	年
唐乃亥	75.1	29.3	23.9	21.3	20.8	95.4	170.5	56	-5	-12	-19	-30	-19	-20	-14
兰州	141.8	25.1	23.8	22.2	23.7	94.8	236.6	40	3	-48	-49	-51	-37	-47	-25
头道拐	84.3	8.0	14.1	13.6	6.7	42.5	126.8	34	-16	-74	-64	-65	-79	-70	-48
龙门	98.5	13.2	17.8	15.5	11.3	57.8	156.3	37	-24	-66	-65	-66	-71	-67	-49
华县	12.7	5.8	4.5	3.4	3.4	17.0	29.7	57	-57	-47	-64	-75	-67	-64	-61
河津	0.9	0.4	0.2	0.2	0.3	1.1	2.0	58	-83	-79	-92	-92	-80	-87	-86
龙华河洑	114.9	20.4	23.9	20.0	15.7	80.0	194.9	41	-31	-61	-65	-68	-70	-66	-52
潼关	110.3	17.9	22.1	17.7	17.0	74.6	184.9	40	-34	-65	-67	-71	-67	-68	-54
三门峡	96.9	16.7	20.6	16.7	14.4	68.4	165.3	41	-42	-67	-69	-73	-73	-70	-59
小浪底	107.4	16.8	17.1	14.2	12.0	60.1	167.5	36	-36	-67	-75	-77	-77	-74	-58
黑石关	5.9	1.6	2.1	1.1	0.8	5.6	11.5	49	-50	-69	-66	-74	-77	-71	-63
武陟	0.6	1.0	0.9	0.4	0.3	2.6	3.2	81	-83	-45	-72	-77	-71	-66	-71
进入下游	110.2	15.8	16.1	15.2	16.8	63.9	174.1	37	-40	-72	-79	-77	-70	-75	-60
花园口	112.7	19.7	20.8	15.9	13.4	69.8	182.5	38	-38	-65	-73	-77	-77	-73	-59
高村	87.9	16.6	16.8	13.5	11.4	58.3	146.2	40	-48	-63	-75	-79	-79	-75	-63
艾山	64.1	14.6	15.8	11.0	8.9	50.3	114.4	44	-59	-67	-77	-83	-84	-78	-71
利津	26.3	10.3	11.5	5.6	4.6	32.1	58.4	55	-81	-75	-82	-91	-91	-86	-84

表2-4 黄河流域1997~2001年主要控制站沙量统计

站名	沙量(亿t)							汛期占年比例(%)	距长系列均值(%)						
	11~6月	7月	8月	9月	10月	7~10月	年		11~6月	7月	8月	9月	10月	7~10月	年
唐乃亥	0.036	0.040	0.021	0.010	0.002	0.072	0.108	67	3	0	-14	-49	-74	-21	-14
兰州	0.082	0.137	0.165	0.027	0.016	0.345	0.427	81	-30	-35	-42	-78	-41	-46	-44
头道拐	0.143	0.029	0.051	0.038	0.008	0.125	0.268	47	-44	-87	-84	-87	-96	-88	-79
龙门	0.713	1.050	0.922	0.173	0.055	2.199	2.912	76	-37	-60	-76	-85	-90	-73	-69
华县	0.340	0.670	0.555	0.089	0.079	1.393	1.733	80	-6	-49	-64	-85	-27	-61	-56
河津	0	0.001	0.012	0	0	0.013	0.013	100	-100	-99	-93	-100	-100	-96	-96
洑头	0.043	0.310	0.346	0.101	0.007	0.764	0.807	95	0	0	0	0	0	0	0
龙华河洑	1.096	2.031	1.834	0.363	0.141	4.370	5.466	80	-30	-53	-69	-81	-79	-66	-62
潼关	1.514	1.367	1.492	0.296	0.242	3.397	4.911	69	-32	-57	-70	-87	-76	-70	-64
三门峡	0.142	1.946	1.735	0.220	0.279	4.181	4.323	97	-93	-39	-66	-90	-74	-64	-68
小浪底	0.041	1.422	1.183	0.111	0.034	2.750	2.791	99	-98	-55	-77	-95	-97	-76	-79
黑石关	0	0.001	0.003	0	0	0.004	0.004	100	-98	-98	-95	-99	-100	-97	-97
武陟	0	0.003	0	0	0	0.003	0.003	100	-100	-86	-99	-100	-98	-95	-96
进入下游	0.084	1.709	1.169	0.078	0.031	2.987	3.071	97	-96	-48	-77	-97	-97	-75	-78
花园口	0.657	1.147	1.016	0.203	0.089	2.455	3.112	79	-68	-54	-78	-91	-92	-77	-75
高村	0.775	0.724	0.622	0.199	0.107	1.653	2.428	68	-59	-54	-80	-91	-91	-79	-76
艾山	0.622	0.705	0.491	0.200	0.103	1.498	2.120	71	-66	-51	-83	-91	-91	-81	-78
利津	0.146	0.515	0.374	0.140	0.062	1.091	1.237	88	-89	-63	-87	-94	-95	-86	-86

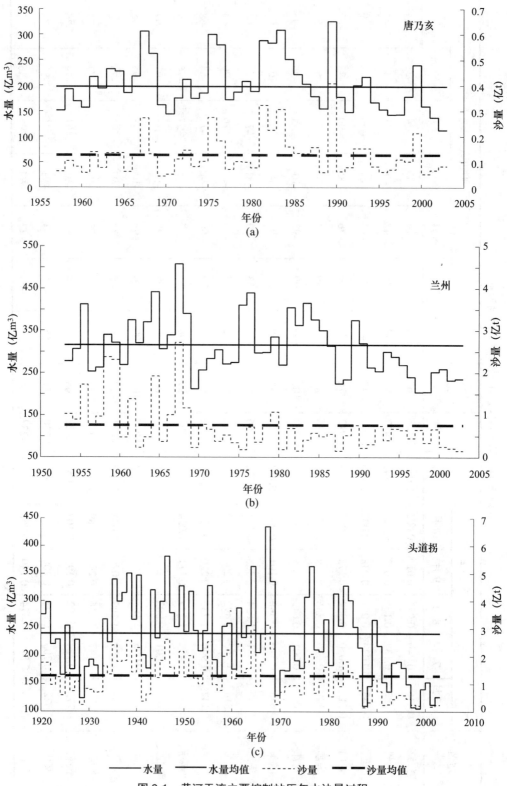

图 2-1　黄河干流主要控制站历年水沙量过程

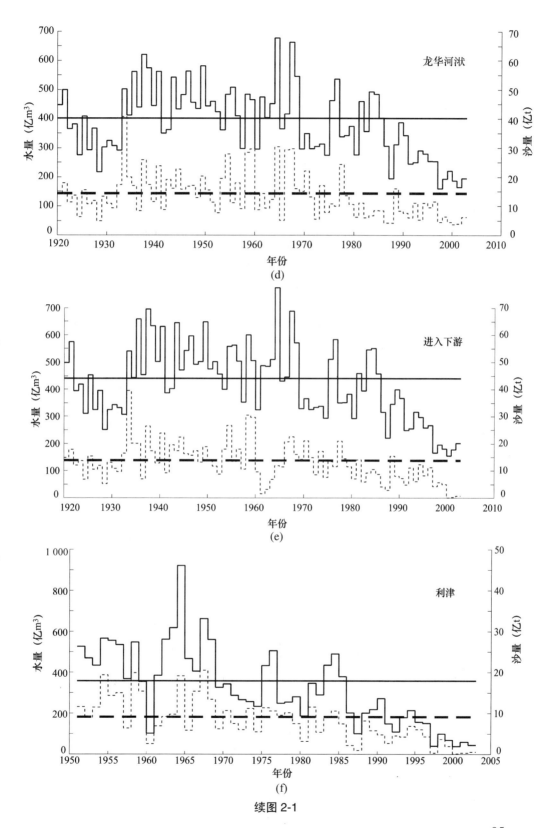

续图 2-1

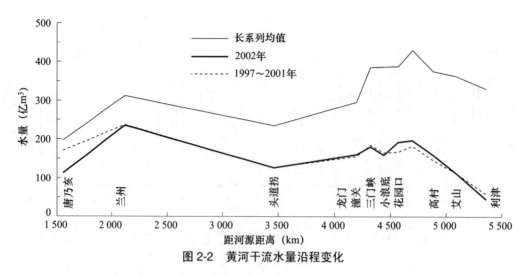

图 2-2　黄河干流水量沿程变化

三、年内各月水量分配趋于均匀

1997 年以来，主要由于流域汛期降雨偏少以及水库的调节，造成干流年内各月的水量趋于接近。以潼关为例，由图 2-3 可见，长系列平均汛期 7~10 月潼关各月水量远大于非汛期各月，汛期各月水量占年的比例为 13%~17%，非汛期各月仅占 4%~7%。而 1997 年以后各月水量差明显减小，除桃汛 3 月和 8 月水量稍多，占到年的 13% 和 12% 外，其余 10 个月分别占到 5%~10%。2002 年汛期水量继续减少，桃汛来水又遭万家寨水库调节，而 6 月由于降雨增多，水量较前期有所增加，因而年内水量分配更趋均匀，除 3 月、6 月水量占到全年的 10% 和 12% 外，其余 10 个月均占到 5%~9%。下游各站 2002 年受小浪底水库调水调沙试验的影响，7 月水量较大，其余各月份比较接近。

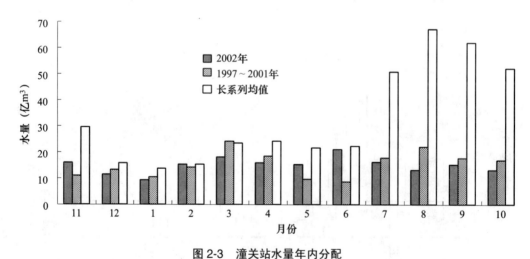

图 2-3　潼关站水量年内分配

四、中大流量过程减少，小流量出现概率增大

河道输沙能力不仅取决于水量，与水流的过程也有密切的关系。黄河干流 3 000 m³／s

以上的大流量输沙能力比较强，而 1 000 m³/s 以下的小流量造床和输沙作用都较小。

2002 年全流域大流量过程很少出现，仅下游花园口由于小浪底水库调水调沙试验泄放洪水出现了历时 1 d 的大于 3 000 m³/s 的流量过程，其他各站日均流量都在 3 000 m³/s 以下。从表 2-5 即可看到，干流 1 000 ~ 3 000 m³/s 的中流量级过程都很少，兰州和花园口以下该流量级过程稍多，历时分别为 30 d 和 13 ~ 14 d，唐乃亥、龙门、潼关历时仅有 4 ~ 5 d。相反，汛期主要是 1 000 m³/s 以下的小流量，除兰州站历时为 93 d 以外，其余各站历时在 109 ~ 119 d，占到汛期总天数的 89% ~ 97%(见表 2-6、图 2-4~图 2-7)。甚至 500 m³/s 以下的小流量成为汛期的主要流量级，上中游的唐乃亥、龙门、潼关 2002 年历时为 66 ~ 80 d，占到汛期的一半以上，而下游的艾山、利津更分别多达 100 d 和 109 d，占到汛期的 81% 和 89%。这一水流特点与 1997 ~ 2001 年系列是一致的，1997 ~ 2001 年 3 000 m³/s 以上的大流量出现概率也极小，只有龙门、潼关、花园口、艾山站出现年均不到 1 d，其余站连续 5 年日均流量未达到 3 000 m³/s，而 1 000 m³/s 以下小流量各站均在 90 d 以上，占到汛期的 80% 以上。对比长系列水流过程，3 000 m³/s 以上的大流量各站年均都有出现，潼关以下年均出现 25 ~ 30 d，占汛期的 20% 多；1 000 m³/s 以下的小流量历时唐乃亥和头道拐均有 60 d 左右，占到汛期的一半，兰州和龙门约 40 d，占汛期的 30% 多，而潼关以下各站在 25 ~ 35 d，占汛期的 20% ~ 30%，远小于 2002 和 1997 ~ 2001 年的出现概率。这反映出特枯水系列的一个特点，即河道绝大多数时间都是小流量过程。

相应于不同流量级历时的改变，水沙量在各级流量级的分配也发生了变化。图 2-4~图 2-7 显示出，水沙量从 1996 年以前平均情况主要在 1 000 m³/s 以上流量级，转变为 2002 年和 1997 ~ 2001 年的在 1 000 m³/s 以下流量级。1 000 m³/s 以下流量级输送的水量占汛期水量的比例，唐乃亥至龙门各站从 1996 年以前的 14% ~ 29% 变为 2002 年的 68% ~ 97%，潼关以下各站从 6% ~ 7% 变为 23% ~ 89%。干流各站沙量除利津外从 2% ~ 14% 增加到 40% ~ 73%。但水沙量在 1 000 m³/s 以下小流量的集中程度没有历史高，从 1997 ~ 2001 年统计情况可见，1 000 ~ 2 000 m³/s 的中级流量也输送了相当一部分水沙量。

汛期不同流量级含沙量的变化表明，除小浪底水库投入运用后下游含沙量明显降低以外，汛期不同流量级的含沙量都有增大的趋势。如潼关水文站，1 000 ~ 3 000 m³/s 和 3 000 m³/s 以上流量级的水流含沙量在 1950 ~ 1996 年平均为 40.5 kg/m³ 和 62.6 kg/m³，而 1997 ~ 2001 年则增加到 69.5 kg/m³ 和 272.6 kg/m³，2002 年 1 000 ~ 3 000 m³/s 流量级的含沙量高达 133.1 kg/m³。含沙量的变化反映出 1997 年以来小水带大沙这种不利的水沙组合更为突出。

汛期大流量级持续时间及相应径流量的显著减少，给河道输沙和河道自身的造床作用带来了极为不利的影响。

表2-5　黄河流域主要控制站汛期各流量级水沙特征

站名	时段	各流量级年均历时(d)					各流量级年均水量(亿 m³)						各流量级年均沙量(亿 t)					
		<500	500~1000	1000~2000	2000~3000	>3000	<500	500~1000	1000~2000	2000~3000	>3000	汛期	<500	500~1000	1000~2000	2000~3000	>3000	汛期
唐乃亥	2002年	80.0	39.0	4.0	0	0	25.4	22.8	3.8	0	0	52.0		0.019	0.043	0.018	0	0.081
	1997~2001年	11.8	76.0	30.0	5.2	0	4.8	47.1	33.7	10.9	0	96.5	0.001	0.014	0.045	0.032	0.008	0.099
	1956~1996年	3.4	55.9	50.0	12.1	1.6	1.3	36.2	61.1	24.1	5.0	127.7	0	0				
兰州	2002年	0	93.0	30.0	0	0	0	63.4	29.2	0	0	92.6	0	0.052	0.020	0	0	0.072
	1997~2001年	0	90.4	32.6	0	0	0	61.9	32.6	0	0	94.5	0	0.116	0.226	0	0	0.342
	1967~1996年	1.6	37.8	57.3	17.4	8.8	0.6	27.0	65.7	37.1	28.0	158.4	0	0.032	0.201	0.125	0.119	0.478
头道拐	2002年	99.0	23.0	1.0	0	0	20.4	12.3	0.9	0	0	33.6	0.029	0.062	0.016	0	0	0.107
	1997~2001年	87.3	32.8	3.0	0	0	17.0	18.7	2.8	0	0	38.5	0.010	0.107	0.414		0	0.963
	1952~1996年	27.0	33.2	41.5	16.6	4.7	6.3	21.8	51.3	34.4	14.6	128.4				0.322	0.110	
龙门	2002年	74.0	44.0	4.0	1.0	0	21.2	25.0	4.3	1.7	0	52.2	0.531	0.497	0.640	0.689	0	2.357
	1997~2001年	63.6	48.6	10.0	0.6	0.2	15.3	29.7	11.0	1.3	0.6	57.9	0.300	0.731	0.731	0.280	0.157	2.199
	1950~1996年	16.5	27.5	46.4	23.0	9.6	4.7	17.9	57.8	48.1	32.0	160.5	0.113	0.554	2.059	1.896	3.008	7.630
潼关	2002年	66.0	52.0	4.0	1.0	0	19.8	31.6	4.8	1.8	0	58.0	0.625	1.617	0.594	0.280	0	3.116
	1997~2001年	45.0	53.4	21.2	3.0	0.4	10.7	33.1	23.4	5.9	1.4	74.5	0.178	0.791	1.290	0.752	0.386	3.397
	1950~1996年	6.7	20.7	42.6	28.2	24.9	2.0	13.4	54.0	59.5	87.0	215.9	0.034	0.338	1.973	2.623	5.406	10.374
花园口	2002年	21.0	88.0	3.0	10.0	0	7.7	53.1	3.1	24.1	2.6	90.6	0.043	0.472	0.015	0.297	0.056	0.883
	1997~2001年	59.6	42.6	16.6	3.4	0.8	15.4	25.6	18.9	7.3	2.5	69.7	0.112	0.432	0.826	0.803	0.280	2.453
	1950~1996年	6.7	18.4	39.7	27.3	30.8	1.8	11.9	50.6	58.1	117.6	240.0	0.021	0.249	1.529	2.147	5.253	9.199
高村	2002年	52.0	58.0	4.0	9.0	0	17.7	31.7	5.4	21.1	0	75.9	0.168	0.294	0.078	0.249	0	0.789
	1997~2001年	69.6	37.4	12.8	3.2	0	14.3	22.4	14.9	6.5	0	58.1	0.124	0.446	0.648	0.434	0	1.652
	1950~1996年	10.1	19.1	38.0	26.5	29.3	2.5	12.3	48.0	56.0	111.0	229.8	0.026	0.225	1.357	1.851	4.574	8.033
艾山	2002年	100.0	10.0	4.0	9.0	0	27.7	5.4	6.0	18.0	0	57.1	0.203	0.097	0.139	0.317	0	0.756
	1997~2001年	85.6	22.8	11.2	3.0	0.4	16.4	13.9	13.3	6.1	1.0	50.7	0.143	0.280	0.668	0.359	0.051	1.501
	1950~1996年	12.3	18.7	35.0	26.6	30.5	2.7	12.1	44.3	56.1	117.5	232.7	0.021	0.181	1.208	1.895	4.408	7.713
利津	2002年	109.0	1.0	4.0	9.0	0	6.1	0.5	5.5	17.1	0	29.2	0.017	0.008	0.121	0.374	0	0.520
	1997~2001年	101.2	10.0	9.2	2.6	0	9.0	6.5	11.1	5.4	0	32.0	0.067	0.181	0.543	0.301	0	1.092
	1950~1996年	18.0	16.5	34.9	24.4	29.2	3.2	10.9	44.4	51.5	111.4	221.4	0.027	0.162	1.275	1.842	4.436	7.742

表2-6　黄河流域主要控制站汛期各流量级水沙量占汛期总量的比例

站名	时段	各流量级历时(%)					各流量级年均水量(%)					各流量级年均沙量(%)				
		<500	500~1000	1000~2000	2000~3000	>3000	<500	500~1000	1000~2000	2000~3000	>3000	<500	500~1000	1000~2000	2000~3000	>3000
唐乃亥	2002年	65	32	3	0	0	49	44	7	0	0	1	24	53	22	0
	1997~2001年	10	62	24	4	0	5	49	35	11	0	0	14	46	32	8
	1956~1996年	3	45	41	10	1	1	28	48	19	4					
兰州	2002年	0	76	24	0	0	0	68	32	0	0	0	73	27	0	0
	1997~2001年	0	73	27	0	0	0	66	34	0	0	0	34	66	0	0
	1967~1996年	1	31	47	14	7	0	17	42	23	18	0	7	42	26	25
头道拐	2002年	80	19	1	0	0	61	36	3	0	0	27	58	15	0	0
	1997~2001年	71	27	2	0	0	44	49	7	0	0	1	11	43	34	11
	1952~1996年	22	27	34	13	4	5	17	40	27	11					
龙门	2002年	60	36	3	1	0	41	48	8	3	0	23	21	27	29	0
	1997~2001年	52	40	8	0	0	27	51	19	2	1	14	33	33	13	7
	1950~1996年	13	22	38	19	8	3	11	36	30	20	2	7	27	25	39
潼关	2002年	54	42	3	1	0	34	55	8	3	0	20	52	19	9	0
	1997~2001年	37	43	17	3	0	14	45	31	8	2	5	23	38	22	11
	1950~1996年	5	17	35	23	20	1	6	25	28	40	1	3	19	25	52
花园口	2002年	17	72	2	8	1	8	59	3	27	3	5	53	2	34	6
	1997~2001年	48	35	13	3	1	22	37	27	10	4	4	18	34	33	11
	1950~1996年	6	15	32	22	25	1	5	21	24	49	0	3	17	23	57
高村	2002年	42	47	3	8	0	23	42	7	28	0	21	37	10	32	0
	1997~2001年	57	30	10	3	0	25	38	26	11	0	8	27	39	26	0
	1950~1996年	8	15	31	22	24	1	5	21	25	48	0	3	17	23	57
艾山	2002年	81	8	3	8	0	48	9	11	32	0	27	13	18	42	0
	1997~2001年	70	19	9	2	0	32	28	26	12	2	10	19	44	24	3
	1950~1996年	10	15	28	22	25	1	5	19	24	51	0	2	16	25	57
利津	2002年	89	1	3	7	0	21	2	19	58	0	3	2	23	72	0
	1997~2001年	82	8	8	2	0	28	20	35	17	0	6	17	50	27	0
	1950~1996年	15	13	28	20	24	2	5	20	23	50	0	2	17	24	57

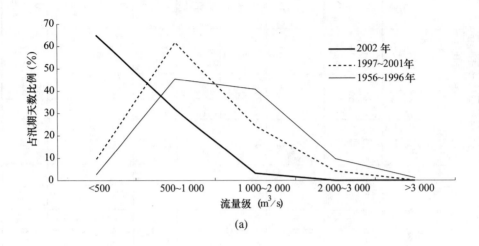

(a)

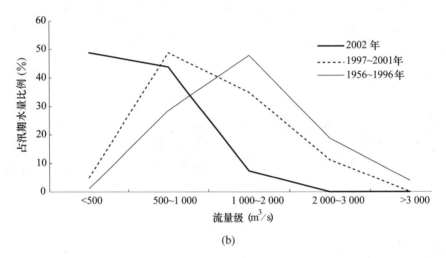

(b)

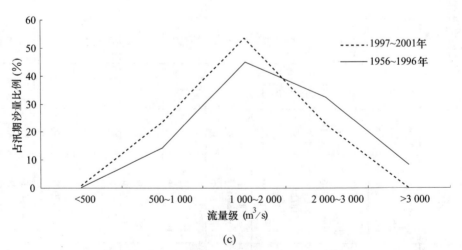

(c)

图 2-4　黄河干流主要控制站唐乃亥各级流量特征对比

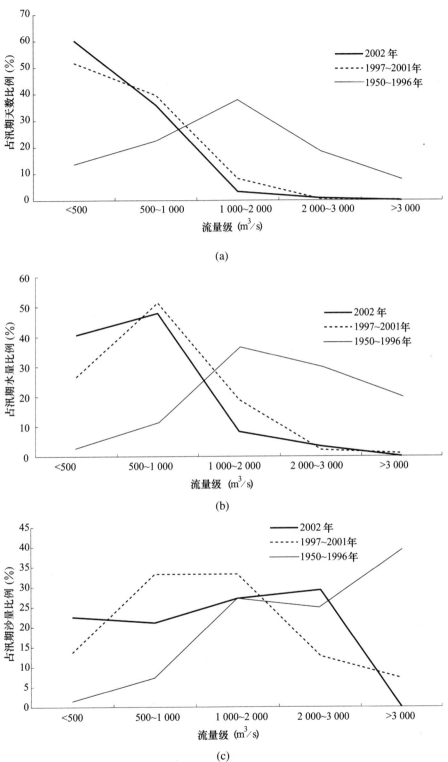

(a)

(b)

(c)

图 2-5 黄河干流主要控制站龙门各级流量特征对比

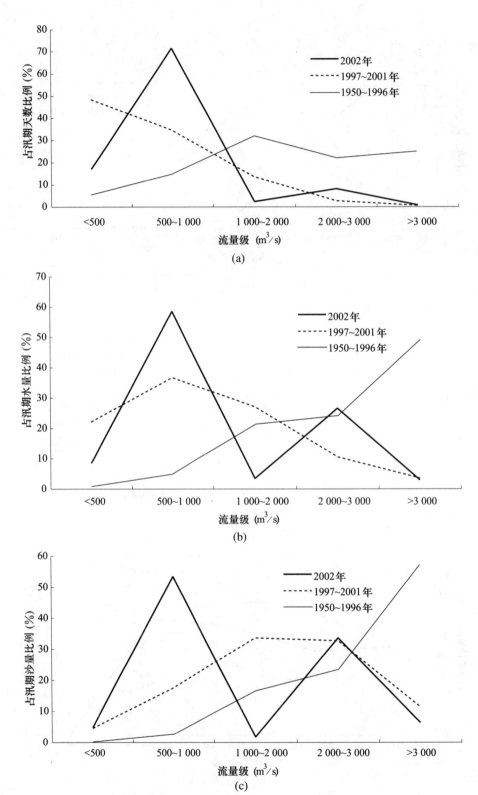

图 2-6 黄河干流主要控制站花园口各级流量特征对比

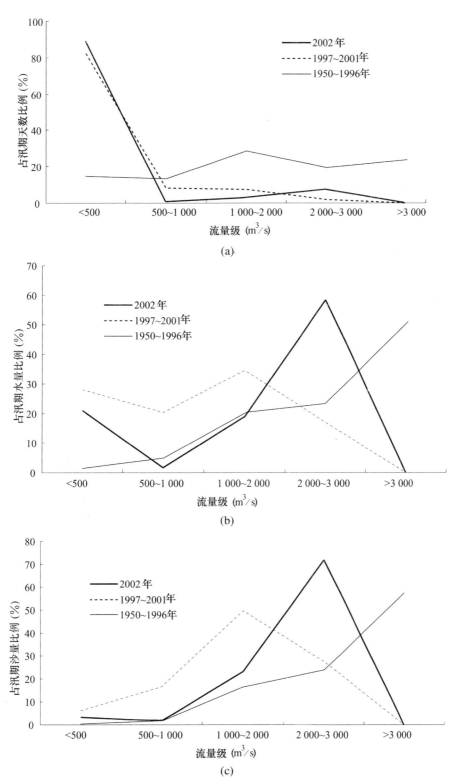

图 2-7　黄河干流主要控制站利津各级流量特征对比

第三章　流域洪水特点及水库的调节

2002 年上游无大洪水发生(见表 3-1),仅 7 月有 3 次 1 000 m³/s 左右的小洪水,都被龙羊峡水库拦蓄。经龙羊峡、刘家峡(以下简称龙、刘)两水库调节后,在非汛期 11 月、4~5 月和汛期 10 月刘家峡出库站小川出现较明显的 3 次较大水流过程。2002 年中游暴雨较少,干流无大洪水发生;6 月份的中游小洪水较多,但是都被小浪底水库或三门峡水库拦蓄,下游没有出现洪水过程;3 月份的桃汛洪峰也被三门峡水库拦蓄;只有 7 月上旬中游发生的一场洪水,在小浪底水库调水调沙试验期间被排放到下游,形成了 2002 年汛期下游惟一的一次洪水过程。另外,2002 年 3 月,为满足下游灌溉用水的要求,小浪底水库泄放了一次流量为 1 500 m³/s 的清水过程;9 月上旬小浪底水库小水排沙,虽然流量只有 500 m³/s 左右,但出库日均最大含沙量达 176 kg/m³,形成了黄河下游一次较为独特的沙峰过程。

表 3-1　黄河干流主要控制站洪峰流量特征　　　　　(单位:m³/s)

时段	项目	兰州	头道拐	龙门	潼关	花园口
2002 年	最大洪峰流量	1 720	2 140	4 600	2 520	3 170
	发生时间(月-日)	07-15	03-01	07-04	07-06	07-06
1997~2002 年	最大洪峰流量	2 780	3 350	7 160	6 500	4 660
	发生年份	1999	1998	1998	1998	1998
1986~2002 年	最大洪峰流量	3 870	3 350	11 000	8 260	7 860
	发生年份	1986	1998	1996	1988	1996
长系列	最大洪峰流量	5 660	5 420	21 000	15 400	22 300
	发生年份	1964	1967	1967	1977	1958

一、上游洪水特点及水库的调节

2002 年上游唐乃亥以上降雨偏少,没有大洪水发生。唐乃亥在 6 月 3 日~7 月 27 日发生了 3 次较大水流过程(见图 3-1),最大日均流量为 1 220 m³/s(见表 3-2),总水量为 38.6 亿 m³。龙羊峡水库将洪水全部调蓄,削减了洪峰流量,最大出库(贵德)日均流量仅为 625 m³/s,共蓄水 20.1 亿 m³。

其他时期的较大流量过程基本上是龙、刘两库共同补水所形成的。2001 年 11 月 1~21 日龙、刘两库共补水 6.3 亿 m³,形成小川站一次最大日均流量 928 m³/s 的径流过程。2002 年 9~10 月唐乃亥有一最大日均流量 507 m³/s 的小水过程,经龙、刘两库补水 18.7 亿 m³,形成小川站最大日均流量 1 160 m³/s 的径流过程。2002 年 4 月 6 日~5 月 26 日刘家峡水库在龙羊峡水库增加出库流量但保持平稳过程的条件下,泄放了一场明显的洪水过程,补水 13.2 亿 m³,出库最大日均流量为 1 190 m³/s,较进库增加了 485 m³/s。

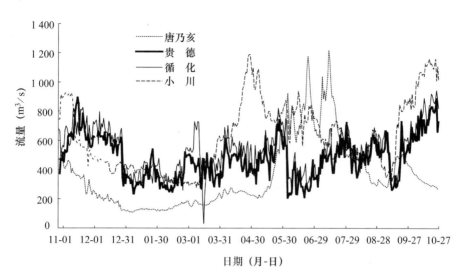

图 3-1　2002 年上游龙羊峡、刘家峡水库进出库流量过程

表 3-2　2002 年上游洪水特征及水库的调节

时段(月-日)	站　名	最大日均流量 (m³/s)	水　量 (亿 m³)	龙羊峡水库 蓄(+) 泄(−) (亿 m³)	刘家峡水库 蓄(+) 泄(−) (亿 m³)
2001-11-01 ~11-21	唐乃亥	509	7.6	−3.5	−2.8
	贵　德	895	11.1		
	循　化	822	11.8		
	小　川	928	14.6		
2002-04-06 ~05-26	唐乃亥	404	11.0	−9.2	−13.2
	贵　德	631	20.2		
	循　化	705	23.8		
	小　川	1 190	37.0		
2002-06-03 ~07-27	唐乃亥	1 220	38.6	20.1	−12.9
	贵　德	625	18.5		
	循　化	752	21.5		
	小　川	727	34.4		
2002-9-12 ~10-31	唐乃亥	507	16.0	−9.5	−9.2
	贵　德	889	25.6		
	循　化	947	28.5		
	小　川	1 160	37.7		

二、中下游洪水特点及水库的调节

(一)非汛期洪水特点

1. 桃汛洪水特点

2002 年 3 月 13~22 日桃汛洪水，潼关最大洪峰流量为 1 340 m³/s；水、沙量分别为 7.9 亿 m³ 和 0.080 亿 t，分别比 1986~2001 年桃汛期最大洪峰流量及水、沙量均值偏少 55%、43% 和 65%，是三门峡建库以来峰值最低、洪量最小的一次桃汛(见表 3-3)。

表 3-3 2002 年黄河中下游各场次洪水特征

时段 (月-日)	站名	洪峰 流量 (m³/s)	最大 含沙量 (m³/s)	水量 (亿 m³)	沙量 (亿 t)	三门峡蓄(+)泄(−)		小浪底蓄(+)泄(−)	
						水量 (亿 m³)	沙量 (亿 m³)	水量 (亿 t)	沙量 (亿 t)
03-02~ 03-22	三门峡	1 140	0	9.99	0			−10.38	0
	小浪底	2 850	0	20.37	0				
03-13~ 03-22	龙门	1 690	13.7	7.91	0.048				
	华县	66	0	0.41	0				
	潼关	1 340	12.2	7.90	0.080	3.56	0.080	−2.93	0
	三门峡	1 110	0	4.34	0				
	小浪底	1 780	0	7.27	0				
06-09~ 06-16	龙门	1 560	136.0	2.71	0.117				
	华县	1 200	109.0	2.70	0.161				
	潼关	2 180	73.5	5.58	0.238	0.28	0.205	−0.38	0.033
	三门峡	1 270	20.3	5.30	0.033				
	小浪底	2 320	0	5.68	0				
06-22~ 06-26	龙门	1 200	54.4	3.30	0.107				
	华县	890	787.0	1.51	0.437				
	潼关	1 510	312.0	4.65	0.550	−0.72	−0.262	2.40	0.812
	三门峡	4 470	468.0	5.37	0.812				
	小浪底	1 270	0	2.97	0				
06-27~ 07-01	龙门	2 430	299.0	3.30	0.365				
	华县	520	73.6	1.45	0.068				
	潼关	1 430	76.5	4.41	0.201	0.29	−0.009	1.03	0.205
	三门峡	2 700	108.0	4.12	0.210				
	小浪底	2 230	55.1	3.09	0.005				
07-03~ 07-14	龙门	4 580	1 050.0	8.47	1.386				
	华县	525	595.0	2.04	0.308				
	潼关	2 450	263.0	10.15	0.983	0.19	−0.805	−16.50	1.470
	三门峡	3 780	507.0	9.96	1.788				
	小浪底	3 320	90.5	26.46	0.318				
07-26~ 08-03	龙门	1 230	79.4	3.04	0.152				
	华县	325	698.0	0.87	0.284				
	潼关	1 020	223.0	3.60	0.387	0.52	0.226	-3.02	0.161
	三门峡	1 410	104.0	3.08	0.161				
	小浪底	1 960	0	6.10	0				
08-06~ 08-12	龙门	1 090	113.0	2.45	0.183				
	华县	600	731.0	1.16	0.348				
	潼关	920	271.0	3.07	0.377	0.48	0.131	−1.29	0.244
	三门峡	1 360	493.0	2.59	0.246				
	小浪底	1 900	0	3.88	0.002				
08-13~ 08-22	龙门	693	130.0	2.66	0.134				
	华县	675	666.0	2.23	0.682				
	潼关	1 070	351.0	4.85	0.694	0.93	0.051	−1.24	0.623
	三门峡	2 420	649.0	3.92	0.643				
	小浪底	1 550	4.9	5.16	0.020				
09-05~ 09-11	三门峡	775	14.8	1.70	0.014			−1.25	−0.325
	小浪底	1 410	288.0	2.95	0.339				

2. 6 月份小洪水特点

2002 年 6 月降雨偏多，中游相继出现三场小洪水(见表 3-3)。6 月 11 日 10 时 30 分渭河华县站出现当年最大洪峰流量 1 200 m³/s，与龙门洪峰流量 1 560 m³/s 共同形成潼关 6 月 9~16 日的一场小洪水，洪峰流量为 2 180 m³/s，最大含沙量为 73.5 kg/m³；第二次出现在 6 月 22~26 日，潼关洪峰流量 1 510 m³/s，最大含沙量 312.0 kg/m³，洪峰水量主要由黄河来水组成，沙量主要由渭河、北洛河来沙组成，渭河华县来沙量占潼关来沙量的近 80%。这次洪水期间华县站洪峰流量为 890 m³/s，最大含沙量达 787.0 kg/m³，北洛河㳇头站最大含沙量为 453 kg/m³，洪峰流量仅为 344 m³/s。这场洪水洪峰流量小、含沙量高、来沙量大，对潼关高程影响较大。第三次出现在 6 月 27 日~7 月 1 日，潼关洪峰流量为 1 430 m³/s，最大含沙量为 76.5 kg/m³，来水来沙均以龙门站为主，属于低含沙量洪水。

3. 小浪底和三门峡两水库的调节及下游洪水特点

2002 年非汛期三门峡和小浪底两水库都以蓄水运用为主，在此期间的洪水大都被拦蓄在了三门峡和小浪底两水库内。三门峡、小浪底两水库非汛期进出库流量和蓄水位变化过程(见图 3-2)表明：桃汛期洪水和 6 月份的第一场小洪水被三门峡水库滞蓄，出库水量分别占入库水量的 55% 和 95%。第二场 6 月 22~26 日高含沙量小洪水期间，水库泄水排沙，库水位降到 302.85 m(6 月 25 日)。第三场洪水敞泄排沙，出库水量分别为入库水量的 115% 和 93%，出库沙量分别为入库沙量的 148% 和 104%。这两次三门峡水库小洪水排沙过程都被小浪底水库拦蓄，小浪底出库水量仅分别为入库水量的 55% 和 75%，出库沙量仅分别为入库沙量的 0 和 2%(见表 3-3)。

因此，非汛期洪水经过两库调节以后，都没有在下游形成相应的洪水过程。

4. 其他洪水情况

由表 3-3 和图 3-2 还可以看出，在桃汛洪水以前(2002 年 3 月上中旬)，为了满足下游灌溉用水的需要，小浪底水库还泄放了一次 1 500 m³/s 左右的小洪水过程，20 d 泄水 20.37 亿 m³。

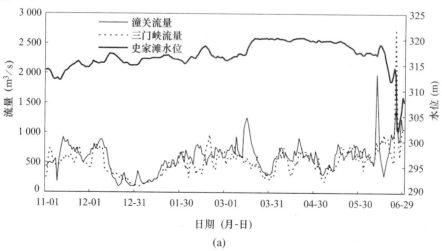

(a)

图 3-2 三门峡、小浪底水库非汛期进出库流量和库水位变化过程

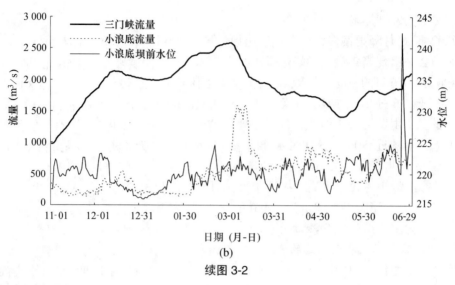

(b)

续图 3-2

(二)汛期洪水特点

1. 7 月份发生一次较大洪水过程

7 月 4~6 日，黄河晋陕区间及泾河、北洛河局部地区受强对流天气影响，降大到暴雨，暴雨中心主要分布在清涧河、延水、泾河及北洛河上中游地区。其中，7 月 4 日清涧河子长站日降雨量为 168 mm。受降雨影响，黄河中游部分干支流相继发生了一次洪水过程(见表 3-4)。

表 3-4　中游 7 月暴雨洪水特征值统计

河名	站名	洪峰流量				最大含沙量 (kg／m³)	水量 (亿 m³)	沙量 (亿 t)
		峰现时间		相应水位 (m)	流量 (m³／s)			
		日	时:分					
黄河	吴堡						2.68	
无定河	白家川	4	22:00	6.13(假定基面)	450	900	0.29	0.14
		5	06:12	6.26(假定基面)	450			
清涧河	延川	4	11:00	92.55(假定基面)	5 500	835	1.00	0.70
		5	05:18	87.61(假定基面)	1 360			
延水	甘谷驿	4	11:42	899.88	1 600	800	0.75	0.43
		5	10:36	900.57	2 000			
区间合计							4.72	1.27
黄河	龙门	4	20:42	385.51	3 920	1 050	5.31	1.38
		4	23:24	385.96	4 600			
		5	09:30	384.38	2 290			
黄河	河津						0.14	0
泾河	张家山	5	09:12	424.15	630	276		
北洛河	洑头	6	04:36	363.81	437	776	0.42	0.14
渭河	华县	6	19:18	337.89	555	595	0.95	0.23
区间合计							6.82	1.75
黄河	潼关	5	17:48	328.56	2 000	208	5.71	0.75
		6	12:00	328.64	2 520			
		6	14:18	328.69	2 500			
黄河	三门峡	7	21:48	278.07	3 780	513	6.16	1.72

清涧河子长站 4 日 7 时 6 分出现历史最大的洪峰流量 4 670 m³/s，出口站延川 4 日 11 时洪峰流量为 5 500 m³/s，洪水位为 92.55 m，分别为该站有实测资料以来的历史第二大洪峰流量、最高洪水位，最大含沙量为 835 kg/m³；延水甘谷驿站 5 日 10 时 36 分洪峰流量为 2 000 m³/s，最大含沙量为 800 kg/m³；无定河白家川站 5 日 6 时 12 分洪峰流量为 450 m³/s，最大含沙量为 900 kg/m³。

上述吴龙(吴堡—龙门，下同)区间支流洪水与干流吴堡来水合成并演进至龙门。龙门站 4 日 23 时 24 分出现当年最大洪峰流量 4 600 m³/s，最大含沙量为 5 日 1 时的 1 050 kg/m³，为 1977 年以来的最大含沙量(1977 年为 821 kg/m³)。这场洪水期间，干流龙门下游局部河段发生了 1977 年以来的首次"揭河底"现象。

在吴龙区间洪水稍后，龙潼(龙门—潼关，下同)区间的支流也出现洪水。北洛河湫头 6 日 4 时 36 分洪峰流量为 437 m³/s，最大含沙量为 776 kg/m³；泾河张家山站 5 日 9 时 12 分洪峰流量为 630 m³/s，最大含沙量为 276 kg/m³；渭河华县站 6 日 19 时 18 分洪峰流量为 555 m³/s(咸阳没有明显的洪水过程，流量维持在 70 m³/s 左右)，最大含沙量为 595 kg/m³。

上述干支流洪水汇合演进至潼关，潼关 6 日 12 时出现洪峰流量 2 520 m³/s，最大含沙量为 7 日 20 时的 276 kg/m³。三门峡水库自 7 月 5 日 8 时开始排沙运用，至 7 日 21 时 48 分洪峰流量为 3 780 m³/s，最大含沙量为 6 日 2 时的 513 kg/m³。

2. 汛期小洪水过程

除 7 月份洪水以外，在汛期的 7~8 月潼关还有 3 场 1 000 m³/s 左右的小洪水，最大含沙量在 223~351 kg/m³ 之间。洪水期水量主要来自龙门，沙量主要来自华县。龙门站洪峰流量在 693~1 200 m³/s 之间，华县最大含沙量在 666~731 kg/m³ 之间。

3. 小浪底水库和三门峡水库的调节及下游洪水特点

2002 年汛期三门峡水库仍采用洪水期排沙、平水期发电的运用方式，中游的几场洪水全部被排出库外进入小浪底水库(见表 3-2、图 3-3)。

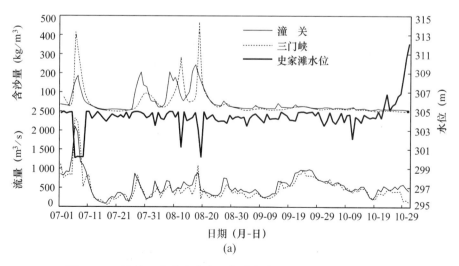

(a)

图 3-3 三门峡、小浪底水库汛期进出库流量和库水位变化过程

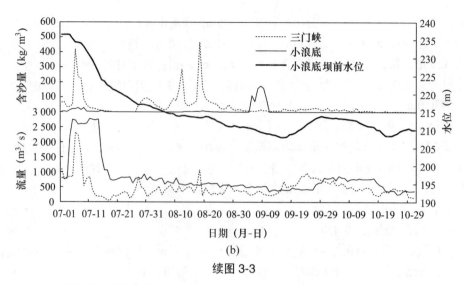

(b)

续图 3-3

小浪底水库汛期以补水为主,7 月 4～15 日进行了调水调沙试验,利用非汛期的蓄水泄放了一次流量为 2 600 m³/s 的低含沙水流过程。在此期间,中游发生了一次较大洪水过程,部分泥沙以异重流的方式排除库外;其他时段的小洪水过程都被拦蓄在水库里。

4. 9 月份黄河下游的一次沙峰过程

9 月 5～13 日小浪底水库在小流量条件下排沙,出库流量大致在 492～522 m³/s 之间,而相应出库日均含沙量却达到 70～176 m³/s,且出现了本年度的最大日均含沙量,为 176.14 kg/m³。

(三)调水调沙试验期间下游洪水及演进特点

2002 年 7 月小浪底水库进行调水调沙试验,试验期间下游主要站水文特征如表 3-5 所示。4 日 9 时～15 日 9 时,出库水量 26.06 亿 m³,出库沙量 0.319 亿 t,平均含沙量 12.2 kg/m³,伊洛河和沁河同期来水 0.55 亿 m³,进入下游的水量为 26.61 亿 m³,沙量为 0.319 亿 t;下游河道最下端水文站丁字路口从 7 月 7 日 16 时流量开始上涨至 7 月 22 日零时洪峰回落,历时 344 h,水量为 22.94 亿 m³,沙量为 0.532 亿 t。小浪底站最大流量和最大含沙量分别为 3 480 m³/s 和 83.3 kg/m³,花园口站最大流量和最大含沙量分别为 3 170 m³/s 和 44.6 kg/m³,经过 800 多公里的演进,到丁字路口水文站,最大流量和最大含沙量分别减小到 2 450 m³/s 和 32.9 kg/m³。洪水持续历时在下游各水文站有所不同。随着洪水过程坦化,艾山站的洪水历时由小浪底站的 264 h 增大为 352 h,历时最长;艾山以下河段持续历时变化不大。

本次洪水自小浪底水库泄放最大流量 3 480 m³/s(7 月 4 日 10:54)至丁字路口站出现最大洪峰流量 2 450 m³/s(7 月 19 日 10:00),历时 359 h(约 15 d)。其中,洪水从花园口演进到利津历时 313 h,仅比"96·8"洪水少 54.3 h。特别是调水调沙期间漫滩严重的夹河滩—孙口河段洪峰传播历时 255.2 h,比历史上传播时间最长的 194.5 h("96·8"洪水)还长 60.7 h。其中夹河滩—高村为 108.7 h,高村—孙口为 146.5 h,分别比历史上传播历时最长的"96·8"洪水增加了 35.2 h 和 25.5 h。

表 3-5　黄河调水调沙试验期间下游主要站水文特征

水文站	起止时间 (月-日 T 时)	历时 (h)	水量 (亿 m³)	沙量 (亿 t)	$Q_{最大}$(m³/s)		最大含沙量 (kg/m³)	最高水位 (m)
					量值	时间		
小浪底	07-04T09~ 07-15T09	264	26.06	0.319	3 480	07-04 T10:54	83.3	136.38
黑石关	07-04T09~ 07-15T09	264	0.49		109	07-07 T12:00	0.16	107.88
武陟	07-04T09~ 07-15T09	264	0.06		13.5	07-07 T14:00		103.17
小黑武	07-04T09~ 07-15T09	264	26.61	0.319				
花园口	07-04T16~ 07-17T00	296	28.23	0.372	3 170	07-06 T04:00	44.6	93.67
夹河滩	07-05T00~ 07-17T12	300	28.14	0.400	3 150	07-06 T16:30	36.0	77.59
高村	07-05T12~ 07-18T02	302	25.84	0.328	2 980	07-11 T09:10	24.7	63.76
孙口	07-06T04~ 07-20T16	348	25.76	0.364	2 800	07-17 T11:42	30.2	49.00
艾山	07-06T08~ 07-21T00	352	25.14	0.449	2 670	07-18 T00:24	27.7	41.76
泺口	07-06T14~ 07-21T00	346	23.74	0.451	2 550	07-18 T15:24	26.7	31.03
利津	07-07T00~ 07-21T08	344	23.35	0.505	2 500	07-19 T05:00	31.9	13.80
丁字路口	07-07T16~ 07-22T00	344	22.94	0.532	2 450	07-19 T10:00	32.9	5.53

与此同时，本次洪水洪峰变形也较为显著。洪峰变形主要集中在夹河滩—孙口河段(见图 3-4)，尤以高村—孙口河段最为显著；对于夹河滩以上和孙口以下两河段而言，由于水流基本不漫滩，所以洪水演进过程中洪峰变形不大。夹河滩—高村河段主要受生产堤以内滩地普遍上水、河槽滞蓄水量显著增加的影响，使得洪峰传播速度慢，洪峰变形较大。高村—孙口河段除了生产堤至主槽之间嫩滩大量滞蓄水量之外，更主要是南小堤险工以下几处生产堤溃口，大量水流进入生产堤至临黄大堤之间，导致该河段洪峰变形最大。孙口站流量过程线显示，最大洪峰流量直到落水前才出现。

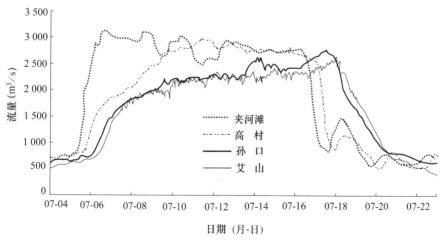

图 3-4　黄河下游夹河滩—艾山河段洪水演进过程

本次洪水花园口站洪峰流量仅为 3 170 m³/s。但洪水期除花园口、利津两站水位略低于"96·8"洪水同流量相应水位外，其余各站均比"96·8"洪水同流量水位高 0.15~0.8 m，尤其是高村—艾山河段同流量水位偏高达 0.41~0.8 m。由于水位表现高，造成夹河滩—孙口区间部分河段漫滩。还需指出，本次调水调沙试验中，高村上下河段洪水位明显偏高，部分水位站水位已超过"96·8"洪水的最高洪水位 0.31 m(苏泗庄)和 0.35 m(刘庄)。

三、1997 年以来洪水的特点

1986 年以来，黄河流域暴雨减少，同时黄河干支流水库对于洪水调节作用增强，使得黄河干支流洪水特别是中等以下洪水发生频次和相应洪量明显降低，洪水的沿程变化特点也正在发生显著的变化：龙羊峡、刘家峡两水库对上游来水过程进行了调节，汛期削减较大洪水，非汛期补水增加出库流量；万家寨水库运用改变了桃汛洪水的洪峰；2 000 m³/s 以下的小洪水一般被小浪底和三门峡水库拦蓄。同时，小浪底水库在库区蓄水量达到一定标准后，可以泄放较大的洪水过程；为了下游灌溉或者其他方面的特殊需要，小浪底水库也能够相机泄放一定的水流或者含沙量过程。

1986 年以来大洪水出现概率降低。由表 3-1 及图 3-5 可见，只有龙门 1994 年和 1996 年发生了两场 10 000 m³/s 以上的大洪水。1997 年进入特枯水系列以来，干流洪水的最主要特点就是无大洪水发生，洪峰流量降低，最大洪峰流量为龙门的 7 160 m³/s。

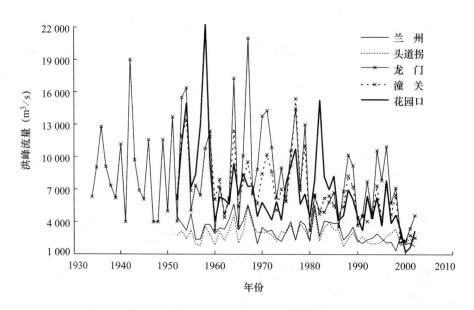

图 3-5　黄河干流主要站历年洪峰流量过程

图 3-5 明显反映出，1997~2002 年各站洪峰流量与长系列相比大大降低。兰州有 3 年洪峰流量超过 2 000 m³/s，有 3 年只有 1 000 m³/s；头道拐 5 年在 3 000 m³/s 以下，而且全部发生在 3、4 月份的桃汛期；龙门、潼关、花园口也分别有 2 年、4 年、2 年洪峰流量在 3 000 m³/s 以下。这说明各年出现的多是中小流量级的洪水，也正是这种洪水特点造成了特枯水系列河道演变特点与以前各时期的显著差别。

第四章 水库运用及对干流水沙的影响

一、流域8座主要水库整体运用情况

2002年黄河流域来水偏枯，流域8座主要水库运用年蓄水量都较去年同期减少。截至2002年11月1日，8座水库蓄水总量为136.71亿 m³，全年泄水71.14亿 m³（见表4-1），其中龙羊峡水库和小浪底水库分别泄水39.90亿 m³和18.70亿 m³，分别占总泄水量的56%和26%，充分发挥了多年调节水库的作用。

表 4-1 黄河流域主要水库蓄泄水情况

| 水库 | 2001年11月1日 | | 2002年7月1日 | | 2002年11月1日 | | 非汛期蓄水变量（亿 m³） | 汛期蓄水变量（亿 m³） | 年蓄水变量（亿 m³） |
	水位（m）	蓄水量1（亿 m³）	水位（m）	蓄水量2（亿 m³）	水位（m）	蓄水量3（亿 m³）	2–1	3–2	3–1
龙羊峡	2 563.96	128.00	2 549.46	92.10	2 547.70	88.10	−35.90	−4.00	−39.90
刘家峡	1 724.50	28.90	1 723.22	27.50	1 717.28	21.60	−1.40	−5.90	−7.30
万家寨	969.16	5.56	973.47	6.53	960.37	3.74	0.97	−2.79	−1.82
三门峡	313.84	1.98	304.80	0.09	313.02	1.13	−1.89	1.04	−0.85
小浪底	224.79	32.00	236.56	44.00	209.75	13.30	12.00	−30.70	−18.70
陆 浑	312.47	4.08	311.01	3.68	312.13	3.96	−0.4	0.28	−0.12
故 县	516.94	3.73	520.59	4.19	515.01	3.50	0.46	−0.69	−0.23
东平湖	41.86	3.60	41.13	2.53	40.30	1.38	−1.07	−1.15	−2.22
合计		207.85		180.62		136.71	−27.23	−43.91	−71.14

二、龙羊峡、刘家峡水库运用对干流水沙的调节

(一)水库运用

龙羊峡和刘家峡水库控制了黄河主要少沙来源区的水量。1986年10月～2001年10月，龙、刘两库年均蓄水4.2亿 m³，其中非汛期泄水36.3亿 m³、汛期蓄水40.5亿 m³，对水流的调节能力较大，两库联合运用影响了干流的来水条件。

1. 龙羊峡水库

2002年为保障用水，实现黄河不断流，龙羊峡水库泄水量大、泄水时间长（见图4-1），整个运用年仅蓄水不足2个月，其余10个多月都是泄水运用，水位下降16.26 m，泄水39.9亿 m³，是自1986年10月龙羊峡水库运用以来泄水量最大的一年。非汛期泄水35.9亿 m³，占年泄水量的90%；而汛期泄水4亿 m³，是运用以来第一次出现汛期泄水运用。从2000年11月～2002年10月，龙羊峡水库已连续两年蓄水变量为负值，即泄水运用，共泄水89.9亿 m³。截至2002年11月1日，水库蓄水量为88.1亿 m³。

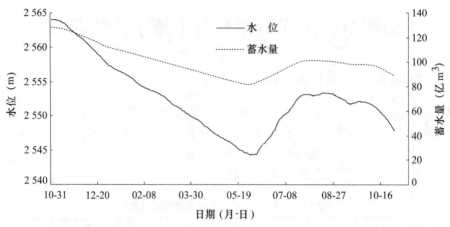

图 4-1　龙羊峡水库 2002 年运行情况

2002 年水库运用大致经历了四个阶段：从 2001 年 11 月~2002 年 6 月 1 日，进行了 7 个多月的泄水运用，库水位从 2 563.96 m 降到 2 544.37 m，下降 19 m 多，泄水 46.9 亿 m³；2002 年 6 月 1 日后进入蓄水阶段，到 7 月 28 日蓄水不足 2 个月，蓄水 19.9 亿 m³；其后到 8 月 27 日为不调蓄阶段；8 月 27 日又开始泄水，直至 2002 年 11 月 1 日。

2.　刘家峡水库

2002 年刘家峡水库同样是非汛期和汛期都泄水运用，年泄水 7.3 亿 m³，其中非汛期泄水 5.9 亿 m³，占到全年泄水总量的 81%。

刘家峡水库运行情况见图 4-2。从图上可以看出全年经历了泄水、蓄水循环五个阶段，即 2001 年 11 月~2002 年 3 月防凌蓄水、2002 年 4~5 月春灌泄水、2002 年 6 ~7 月防汛及排沙泄水、2002 年 8 月蓄水、2002 年 9~10 月秋灌及抗旱调水泄水。运用年内最高水位和最低水位相差 16.12 m，全年水位下降 6.8 m。

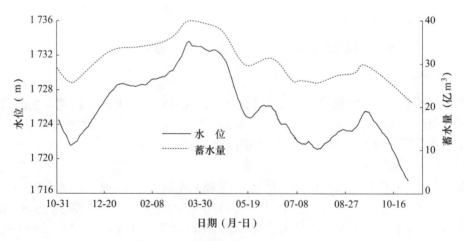

图 4-2　刘家峡水库 2002 年运行情况

(二)对水量的调节

龙、刘两库将汛期来水调节到非汛期下泄，影响到水量的年内分配。由表 4-2 可见，

表 4-2　2002年水库运用对干流水量的调节

项目	11月	12月	1月	2月	3月	4月	5月	6月	7月	8月	9月	10月	非汛期	汛期	年	汛占年(%)
龙羊峡蓄泄水量(亿m³)	-6.0	-11.0	-6.0	-5.0	-7.2	-6.5	-5.3	11.1	8.9	-1.2	-1.8	-9.9	-35.9	-4.0	-39.9	10
刘家峡蓄泄水量(亿m³)	-0.3	5.8	0.2	2.1	3.5	-4.4	-4.3	-3.2	-2.1	2.2	0.3	-6.3	-0.6	-5.9	-6.5	91
两库合计(亿m³)	-6.3	-5.2	-5.8	-2.9	-3.7	-10.9	-9.6	7.9	6.8	1.0	-1.5	-16.2	-36.5	-9.9	-46.4	21
兰州水量(亿m³)	21.1	13.9	12.3	9.7	11.5	20.7	27.3	25.9	24.2	19.6	19.4	29.4	142.5	92.7	235.2	39
两库蓄泄占兰州(%)还原水库后	-30	-37	-47	-30	-32	-53	-35	30	28	5	-8	-55	-26	-11	-20	
兰州水量(亿m³)	14.8	8.7	6.5	6.8	7.8	9.8	17.7	33.8	31.0	20.6	17.9	13.2	106.0	82.8	188.7	44
小浪底蓄泄水量(亿m³)	10.4	2.6	4.1	4.2	-13.7	-2.0	1.6	4.7	-23.3	-5.1	2.3	-4.5	11.9	-30.6	-18.7	
花园口水量(亿m³)	7.0	10.1	6.1	8.9	25.6	17.1	15.5	16.1	41.1	18.2	14.2	17.2	106.5	90.7	197.2	46
小浪底蓄泄占花园口(%)还原水库后	148	26	67	47	-53	-12	10	29	-57	-28	16	-26	11	-34	-9	
花园口水量(亿m³)	17.4	12.7	10.2	13.1	11.9	15.1	17.1	20.8	17.8	13.1	16.5	12.7	118.4	60.1	178.5	34

两库运用水量全年占到兰州水量的 20%，非汛期占到 1／4 多。由于 2002 年运用情况特殊，汛期也泄水，所以对兰州水量年内分配改变不大。但从各月水量变化看，除 8 月、9 月外，运用水量基本上占到兰州水量的 30%以上，而如果没有水库影响，兰州最大水量是在 6 月、7 月，不是实测的 10 月份。这说明水库调节对水量年内分配的影响仍较大。

以 2000 年和 2001 年的情况来分析特枯水年份水库运用对水量分配的影响(见表 4-3)。两年两库非汛期分别泄水 48.1 亿 m³ 和 44.2 亿 m³，汛期蓄水 16.5 亿 m³ 和 27.8 亿 m³，对兰州水量影响较大。若没有两库调节，兰州汛期水量占全年的比例将从 37%和 39%增加到 50%和 55%，接近龙羊峡水库运用前的 57%。

表 4-3　2000 年、2001 年水库运用对干流水量的调节　　　(单位：亿 m³)

项目	2000 年				2001 年			
	1999 年 11 月~2000 年 6 月	7~10 月	年	汛占年(%)	2000 年 11 月~2001 年 6 月	7~10 月	年	汛占年(%)
龙羊峡蓄泄水量(亿 m³)	−44.0	15.0	−29.0		−39.0	18.0	−21.0	
刘家峡蓄泄水量(亿 m³)	−4.1	1.5	−2.6		−5.2	9.8	4.6	
两库合计(亿 m³)	−48.1	16.5	−31.6		−44.2	27.8	−16.4	
兰州水量(亿 m³)	162.1	96.9	259.0	37.0	141.3	90.8	232.1	39.0
两库蓄泄占兰州(%)	−30	17	−12		−31	31	−7	
还原水库后兰州水量(亿 m³)	114.0	113.4	227.4	50.0	97.1	118.6	215.7	55.0
小浪底蓄泄水量(亿 m³)	5.5	35.9	41.4		−33.4	17.9	−15.5	
花园口水量(亿 m³)	100.0	49.3	149.3	33.0	134.9	44.9	179.8	25.0
小浪底蓄泄占花园口(%)	5	73	28		−25	40	−9	
还原水库后花园口水量(亿 m³)	105.5	85.2	190.7	45.0	101.5	62.8	164.3	38.0

(三)对水流过程的调节

从汛期流量级特征的变化来看(见表 4-4)，龙羊峡水库主要是将水流过程调节均匀。2002 年汛期出库流量与进库流量相比，500 m³／s 以下和 1 000 m³／s 以上的流量级出现的天数都减少了，分别由 80 d 和 4 d 减少到 66 d 和没有出现，而 500~1 000 m³／s 的流量级却由 39 d 增加到 57 d，在 500~1 000 m³／s 的水量也相应增加了，其占汛期水量的比例从 47%增加到 69%。

龙羊峡水库基本控制了唐乃亥以上的来水，汛期蓄水运用削减了洪水和中大流量过程(见表4-4)。龙羊峡水库运用以来，对汛期水流调节的特点主要是减少了中大流量级的历时和水量，增加了小流量出现的概率和相应水量，因而将年内过程调平。1987~2002年(缺1999年和2000年资料)汛期年均1 000 m³/s以上的水流历时由进库的37 d减少到6 d，水量由47亿 m³减少到8.1亿 m³，而1 000 m³/s以下的水流历时由86 d增加到117 d，水量由49.4亿 m³增加到58.6亿 m³。2002年龙羊峡水库汛期是向下游补水运用，与其他年份蓄水运用不同。因此，2002年500 m³/s以下历时增加是特殊情况。从表4-4可见，1987~2001年(缺1999年和2000年资料)各年水库运用都造成500 m³/s以下小流量历时的增加，自龙羊峡水库运用以来(含2002年在内)年均增加27 d，水量增加7.8亿 m³。因此，经龙羊峡水库调节后，汛期出库水流95%是1 000 m³/s以下、33%是500 m³/s以下的流量，分别输送了88%和19%的水量。

表4-4 龙羊峡水库运用以来汛期对水流的调节

项目	年份	唐乃亥不同流量级出现的天数(d)				贵德不同流量级出现的天数(d)			
		<500 m³/s	<1 000 m³/s	>1 000 m³/s	合计	<500 m³/s	<1 000 m³/s	>1 000 m³/s	合计
各流量级历时(d)	1987	14	75	48	123	54	123	0	123
	1988	7	85	38	123	18	123	0	123
	1989	0	11	112	123	7	46	77	123
	1990	0	106	17	123	8	123	0	123
	1991	0	101	22	123	20	123	0	123
	1992	0	47	76	123	74	122	1	123
	1993	0	50	73	123	2	123	0	123
	1994	7	109	14	123	15	121	2	123
	1995	10	103	20	123	37	123	0	123
	1996	6	120	3	123	45	123	0	123
	1997	39	108	15	123	67	123	0	123
	1998	1	61	62	123	94	123	0	123
	2001	13	112	11	123	66	123	0	123
	2002	80	119	4	123	66	123	0	123
	年均	14	86	37	123	41	117	6	123
各流量级水量(亿 m³)	1987	5.3	40.0	61.5	101.5	11.2	59.9	0	59.9
	1988	2.8	49.2	39.6	88.8	7.1	68.0	0	68.0
	1989	0	9.0	183.3	192.3	2.6	25.6	111.4	137.0
	1990	0	67.1	17.2	84.2	3.2	70.3	0	70.3
	1991	0	63.0	23.5	86.5	7.1	75.2	0	75.2
	1992	0	32.3	97.7	130.0	19.5	47.2	0.9	48.1
	1993	0	35.2	94.3	129.5	0.8	75.6	0	75.6
	1994	2.8	61.0	15.7	76.7	5.7	67.6	1.8	69.4
	1995	3.8	64.4	20.2	84.6	13.3	66.9	0	66.9
	1996	2.5	66.5	2.7	69.2	13.9	60.8	0	60.8
	1997	15.6	52.5	16.8	69.3	19.0	50.9	0	50.9
	1998	0.4	44.0	69.3	113.3	31.0	44.4	0	44.4
	2001	5.4	59.7	11.5	71.2	22.1	50.2	0	50.2
	2002	25.4	48.3	3.8	52.1	17.6	57.0	0	57.0
	年均	4.6	49.4	47.0	96.4	12.4	58.6	8.1	66.7

三、小浪底水库运用及对水沙的调节

(一)水库运用

2002 年是小浪底水库蓄水运用的第 3 年, 2002 年 3 月 1 日达到最高蓄水位 240.87 m(见图 4-3), 蓄水量 53.3 亿 m^3。2001 年 11 月 1 日~2002 年 11 月 1 日, 小浪底水库共泄水 18.7 亿 m^3, 其中非汛期蓄水 11.9 亿 m^3, 汛期泄水 30.6 亿 m^3。水库运用历经防凌蓄水(2001 年 11 月~2002 年 2 月)、春灌泄水(2002 年 3~6 月)、防汛泄水(2002 年 7~10 月)三个阶段, 库水位从 224.79 m 下降至 209.75 m, 蓄水量从 32 亿 m^3 减少到 13.3 亿 m^3。

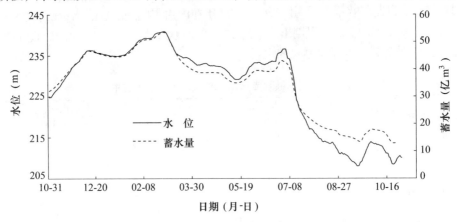

图 4-3 2002 年小浪底水库运行情况

小浪底水库 7 月进行调水调沙试验, 试验初始库水位 236.42 m(7 月 4 日 9 时), 水库蓄水量 43.5 亿 m^3, 调水调沙结束时库水位 223.84 m(7 月 15 日 9 时), 蓄水量 27.6 亿 m^3, 水位共下降了 12.58 m, 相应水库蓄水量减少 15.9 亿 m^3, 其中汛限水位 225 m 以上补水 14.6 亿 m^3。

(二)对水量的调节

由表 4-2、表 4-3 所示的小浪底水库调蓄水量占花园口水量的比例可见, 小浪底水库运用对下游来水量的影响一般是汛期大于非汛期, 减小汛期水量, 增大非汛期水量, 改变年内分配。2000 年和 2001 年还原水库影响水量后, 花园口汛期水量占年水量的比例分别从 33%和 25%增加到 45%和 38%。但由于 2002 年小浪底水库运用与往年有所不同, 变为非汛期蓄水、汛期泄水运用, 所以对水量年内分配的影响也与往年有所差别, 还原水库影响水量后花园口汛期水量占年水量的比例从 46%减小到 34%。

(三)对泥沙的调节

2002 年小浪底水库进库沙量为 4.38 亿 t, 出库沙量为 0.71 亿 t, 水库排沙比为 16%。水库在汛期排沙, 由图 3-3 及表 3-3 可见, 主要在 7 月 3~14 日和 9 月 5~11 日两次排沙。7 月份排沙是水库调水调沙试验时的异重流排沙, 出库最大流量达 3 480 m^3/s, 最大含沙量仅 83.3 kg/m^3, 出库沙量为 0.318 亿 t, 排沙比为 18%。9 月份排沙是将前期异重流在库内形成的浑水水库小流量时排出库, 最大出库流量仅为 1 410 m^3/s, 最大含沙量高达 288 kg/m^3, 出库沙量为 0.339 亿 t, 排沙比为 242%。

第五章 干流引水及其影响

一、干流引水情况

2002 年黄河干流全河共引水 239.3 亿 m³(见表 5-1),其中利津以上地区引水量为 233.1 亿 m³,占到黄河天然径流量 580 亿 m³ 的 40%,是利津实测水量 44.4 亿 m³ 的 5.3 倍。从引水量的时间分布上看,全河引水汛期与非汛期相差不大,但集中在 3~12 月,主要是 5~7 月这三个月,占到全年引水量的 44%。从沿程分布来看,呈现两头大、中间小的特点。头道拐以上的上游地区引水量达 142.9 亿 m³,占全河的 60%;三门峡以下的下游地区引水量为 93.5 亿 m³,占全河的 39%;而中游地区引水量很小,仅占全河的 1%。分析小河段的引水情况可见,引水量最大的有三个河段,分别是下河沿—石嘴山、石嘴山—头道拐和高村—利津河段,引水量都高达 60 多亿 m³。考虑到各河段长度不同,换算为单位河长引水量后可见,下河沿—石嘴山河段单位河长引水量最大,达到 0.19 亿 m³/km,其次是高村—利津河段,为 0.14 亿 m³/km。

表 5-1 2002 年黄河干流引水量统计　　　　(单位:亿 m³)

月份	龙羊峡—兰州	兰州—下河沿	下河沿—石嘴山	石嘴山—头道拐	头道拐—龙门	龙门—三门峡	三门峡—花园口	花园口—高村	高村—利津	利津以下	利津以上合计	全河合计
11	0.572	0.740	8.514	0.644	0.163	0.013	0.045	0.495	0.891	0.264	12.075	12.339
12	0.611	0.054	0	0.291	0.007	0.012	0.108	0.096	4.341	0.110	5.520	5.630
1	0.573	0.055	0	0.307	0.001	0.013	0.135	0.081	2.503	0.402	3.668	4.070
2	0.508	0.056	0	0.275	0.001	0.122	0.239	0.337	1.864	0.227	3.402	3.629
3	0.525	0.052	0	0.293	0.001	0.829	0.417	1.925	10.057	0.506	14.099	14.605
4	0	0.568	4.510	4.240	0.021	0.238	0.373	1.248	6.739	0.846	17.937	18.783
5	0.319	1.372	12.808	11.534	0.044	0.130	0.399	0.952	8.405	0.775	35.963	36.738
6	0.315	1.466	12.190	9.746	0.037	0.076	1.171	2.192	6.363	0.316	33.556	33.872
7	0.550	1.491	14.741	9.142	0.066	0.637	0.458	1.238	6.115	0.548	34.436	34.984
8	0.543	0.741	10.370	5.122	0.087	0.190	0.434	1.829	7.438	0.871	26.753	27.624
9	0.185	0.058	1.622	9.696	0	0.063	0.428	1.185	6.003	0.815	19.239	20.053
10	0.329	0.310	2.344	12.487	0.127	0.009	0.406	1.736	8.672	0.532	26.420	26.952
11~6月	3.423	4.363	38.022	27.331	0.274	1.432	2.887	7.325	41.162	3.447	126.220	129.667
7~10月	1.607	2.600	29.076	36.448	0.280	0.898	1.726	5.987	28.227	2.766	106.848	109.614
全年	5.030	6.963	67.098	63.779	0.554	2.330	4.613	13.312	69.389	6.214	233.068	239.281
非汛期占年(%)	68	63	57	43	49	61	63	55	59	55	54	54
河段占全河(%)	2.1	2.9	28.0	26.7	0.2	1.0	1.9	5.6	29.0	2.6	97.4	100.0
单位河长引水量(亿m³/km)	0.01	0.02	0.19	0.10	0	0.01	0.02	0.09	0.14			

二、引水对干流水量的影响

(一)上游地区

头道拐以上的上游地区历史上即有引水,近20年来引水量增加迅速。由于引水量大,而且处于河流的上游,引的是黄河主要清水来源区的低含沙水流,所以对河流水沙及河道演变的影响较大。由表 5-2 可见,2002 年头道拐以上引水量达到头道拐实测水量的 1 倍多,汛期达到 2 倍多,影响程度大于非汛期。突出的是 7 月份引水量高达 25.9 亿 m^3,头道拐实测水量仅为 4.5 亿 m^3,引水量是实测水量的 5.75 倍,将 7 月份的引水量折算为日均流量约 970 m^3/s。因此,如果没有引水,头道拐日均流量将从仅仅约 170 m^3/s 增加到 1 140 m^3/s,由此可见引水的巨大影响。因为年内各时期引水量不均匀,所以对干流水量分配也产生影响,2002 年头道拐实测汛期水量仅占全年的 26%,还原引水量后可增加到 38%。

表 5-2　2002 年黄河流域引水对干流水量的影响

项目	时间							汛占年(%)
	11~6 月	7 月	8 月	9 月	10 月	7~10 月	年	
头道拐以上引水量(亿 m^3)	73.1	25.9	16.8	11.6	15.5	69.7	142.9	49
头道拐实测水量(亿 m^3)	93.0	4.5	7.4	11.2	10.4	33.4	126.5	26
引水占实测(%)	79	575	227	104	149	209	113	
还原后头道拐水量(亿 m^3)	166.1	30.4	24.2	22.8	25.9	103.1	269.4	38
利津以上引水量(亿 m^3)	126.2	34.4	26.8	19.2	26.4	106.8	233.0	46
利津实测水量(亿 m^3)	15.1	24.9	1.6	1.4	1.3	29.3	44.3	66
引水占实测(%)	836	138	1 675	1 371	2 031	365	526	
还原后花园口水量(亿 m^3)	141.3	59.3	28.4	20.6	27.6	136.1	277.3	49

(二)下游地区

下游出口控制站利津的水沙条件受全河引水引沙的影响,还原前后的差异极大。2002 年全年利津以上引水量是利津实测水量的 5.3 倍,非汛期和汛期分别达到 8.4 倍和 3.7 倍,对非汛期的影响大于对汛期的影响。因此,利津汛期水量占全年的比例还原前为 66%,还原后变为 49%。引水量对利津水量的影响巨大,大部分月份引水量达到实测水量的 10 倍以上,10 月份超过 20 倍。以 10 月为例,利津实测日均流量仅为 48.5 m^3/s,还原引水量后可达到 1 034 m^3/s。

三、区间水量不平衡问题

2002 年黄河干流中下游以上报引水量计算的区间水量损失,与根据河道水文站间水量差计算的水量损失相差较大，两者之差称为不平衡水量。从表 5-3 可见，2002 年中游不平衡水量三门峡以上为 34.42 亿 m^3，而小浪底库区为−19.8 亿 m^3(小浪底多泄水19.8 亿 m^3)。下游(小黑武—利津)不平衡水量达到 69.3 亿 m^3，占上报引水量的 79%，占小黑武径流量的 34%，远大于一般情况下区间水量耗损(渗漏、蒸发等)占来水量约 10%的比例。中下游合计不平衡水量达 83.92 亿 m^3，是上报引水量的 1 倍多。

表 5-3　2002 年黄河中下游水量平衡分析

项目	龙华河洑—三门峡	三门峡—小浪底	龙华河洑—小浪底	小黑武—利津	龙华河洑—利津
区间水量差量(亿 m^3)	35.9	−33.1	2.8	156.6	159.4
引水及水库蓄水量(亿 m^3)	2.33(三门峡水库蓄水−0.85)	−13.3	−11.82	87.3	75.48
不平衡水量(亿 m^3)	34.42	−19.8	14.62	69.3	83.92

第六章 流域中下游水沙资源配置特点

随着流域治理开发程度的不断提高，黄河流域径流泥沙的空间和时间分布正在发生明显的改变，特别是在水量较枯的年份，干支流骨干工程的调节和沿黄引水引沙对流域水沙的空间和时间分布影响更大(见表6-1、表6-2)。

表 6-1　黄河中下游水量时空分布

时段	6 站水量之和 (亿 m³)	区间耗水量(亿 m³)		水库蓄水量(亿 m³)		下游引 水量 (亿 m³)	利津 水量 (亿 m³)
		潼关 以上	潼关— 三门峡	龙羊峡— 刘家峡	小浪底 水库		
1950~1960 年	480.9	−4.5	2.9			27.8	463.9
1960~1964 年	594.5	−0.1	4.6			38.4	627.6
1964~1973 年	429.2	12.0	−8.2	5.5		39.7	397.2
1973~1980 年	398.4	1.1	2.5	−0.2		87.1	306.5
1980~1985 年	484.9	−3.3	6.6	−0.1		95.2	388.2
1985~1999 年	284.9	0.7	5.3	11.2		100.7	154.4
1950~1999 年	413.3	1.3	2.0	4.2		67.0	346.4
1999~2002 年	196.6	8.9	21.9	−31.7	4.4	75.0	47.3
1960~2002 年	381.7	3.2	3.2	2.6	0.3	83.6	297.0
2002 年	204.3	14.3	21.6	−47.2	−18.7	87.3	44.4
		各项占 6 站水量的比例(%)					
1950~1960 年		−0.9	0.6	0	0	5.8	96.5
1960~1964 年		0	0.8	0	0	6.5	105.6
1964~1973 年		2.8	−1.9	1.3	0	9.2	92.5
1973~1980 年		0.3	0.6	0	0	21.9	76.9
1980~1985 年		−0.7	1.4	0	0	19.6	80.1
1985~1999 年		0.3	1.9	3.9	0	35.4	54.2
1950~1999 年		0.3	0.5	1.0	0	16.2	83.8
1999~2002 年		4.5	11.1	−16.1	2.3	38.1	24.1
1960~2002 年		0.8	0.8	0.7	0.1	21.9	77.8
2002 年		7.0	10.6	−23.1	−9.2	42.7	21.7

注：1. 6 站分别为龙门、华县、河津、洑头、黑石关、武陟(小董)。

　　2. 数字为年均值。

表 6-2　黄河中下游泥沙时空分布

时段	6 站沙量 (亿 t)	冲淤量(亿 t)				下游引沙量 (亿 t)	利津沙量 (亿 t)
		潼关 以上	潼关— 三门峡	小浪底 水库	下游 河道		
1950~1960 年	18.24	0.74	0		3.61	1.07	13.21
1960~1964 年	17.43	2.77	11.62		−5.78	0.79	11.23
1964~1973 年	17.14	3.05	−1.33		4.44	1.10	10.73
1973~1980 年	12.01	−0.05	0.27		1.47	1.85	8.23
1980~1985 年	8.31	−0.05	−0.27		−0.96	1.23	8.76
1985~1999 年	7.99	1.12	0.16		2.24	1.30	4.01
1950~1999 年	13.14	1.24	0.76		1.83	1.25	8.80
1960~1999 年	11.83	1.37	0.96		1.38	1.29	7.67
1999~2002 年	4.61	0.52	0.24	3.35	−1.08	0.55	0.33
1960~2002 年	11.32	1.31	0.90	0.24	1.20	1.24	7.14
2002 年	6.20	0.66	0.04	2.42	−1.05	0.57	0.55
	各项占 6 站沙量的比例(%)						
1950~1960 年		4.1	0	0	19.8	5.9	72.4
1960~1964 年		15.9	66.7	0	−33.1	4.5	64.4
1964~1973 年		17.8	−7.8	0	25.9	6.4	62.6
1973~1980 年		−0.4	2.3	0	12.3	15.4	68.5
1980~1985 年		−0.6	−3.2	0	−11.6	14.8	105.4
1985~1999 年		14.0	2.0	0	28.0	16.3	50.2
1950~1999 年		9.5	5.8	0	14.0	9.5	67.0
1960~1999 年		11.6	8.1	0	11.7	10.9	64.8
1999~2002 年		11.2	5.1	72.6	−23.5	11.8	7.1
1960~2002 年		11.6	8.0	2.1	10.6	10.9	63.1
2002 年		10.6	0.6	39.0	−16.9	9.2	8.9

注：1. 6 站分别为龙门、华县、河津、㳇头、黑石关、武陟(小董)。

2. 数字为年均值。

一、来水来沙大量减少，输送至河口的水沙量大大减少

1986 年以来黄河流域中下游来水量在不断减少，来沙量从 20 世纪 70 年代即开始减少。1985~1999 年 6 站(龙华河㳇黑武)水、沙量分别只有 284.9 亿 m³ 和 7.99 亿 t，分别为 20 世纪 50 年代的 59%和 44%，1999~2002 年只有 196.6 亿 m³ 和 4.61 亿 t，分别为 50 年代的 41%和 25%。

同时，由于人类活动干预的增强，输送至河口地区的水沙量也在大幅度减少。1985~1999 年利津水沙量只有 154.4 亿 m³ 和 4.01 亿 t，仅为 20 世纪 50 年代的 33%和 30%；1999~

2002 年水沙量 47.3 亿 m³ 和 0.33 亿 t，仅为 50 年代的 10% 和 2%。

二、水库及河道淤积量分布发生变化

三门峡、小浪底两水库的运用，造成黄河中下游河道淤积分布与 20 世纪 50 年代截然不同，中下游河道冲淤特性变化受来水来沙和水库运用方式的共同影响。1950~1960 年基本为自然状况，泥沙淤积主要集中在下游，年均淤积泥沙 3.61 亿 t，同期潼关以上河道淤积量有 0.74 亿 t(主要是小北干流淤积 0.65 亿 t)。1960 年三门峡水库投入运用后，泥沙淤积分配发生重大变化，1960 ~ 1999 年潼关以上(北干流、渭河、北洛河)、潼关—三门峡(三门峡库区)、下游河道各河段均发生淤积，年均共淤积泥沙 3.71 亿 t，各河段分配为 1.37 亿 t、0.96 亿 t、1.38 亿 t，各占总淤积量的 37%、26%、37%。小浪底水库 1999 年投入运用后，中下游河道淤积分布又一次发生大的改变，泥沙主要淤积在小浪底水库内，而下游河道发生冲刷。1999 ~ 2002 年中下游河道年均共淤积泥沙 3.03 亿 t，小浪底库区淤积 3.35 亿 t，下游冲刷 1.08 亿 t。

如果以水沙条件及水库运用方式的不同来分析，实际上是泥沙在水库上下游的不同分配。在三门峡水库"蓄水运用"的 1960~1964 年，由于受回水的影响，水库上游均发生严重淤积，集中淤积在潼关—三门峡河段，但下游河道冲刷；"滞洪排沙"期潼关以上继续淤积，潼关—三门峡发生冲刷，而下游河道严重淤积；1973 年"蓄清排浑"运用后，水库运用水位降低，同时遇较为有利的水沙条件，各河段淤积均不大；1986 年后水沙条件发生重大变化，各河段均发生淤积，由于流量较小，大部泥沙集中淤积在中水河槽(或主槽)内，防洪形势日趋紧张；1999 年后小浪底水库拦沙运用，下游河道发生了一定量的冲刷，但由于水量少、流量小，冲刷有限，下游防洪形势依然严峻，同时流域遭遇持续枯水系列，中游河道仍然发生淤积。

三、下游引水量大大增加，引沙量随水沙条件变化

下游自 1958 年开始大规模引水以来，虽经历了 1962 ~ 1965 年的停灌期，但总的发展趋势是越来越大。20 世纪 50 年代年均引水 27.8 亿 m³；1985 ~ 1999 年发展到最高峰，年均达 100.7 亿 m³，是 50 年代 3.6 倍；1999 年后由于来水量减少等各种原因，引水量有所下降，但仍保持在年均 80 亿 m³ 左右；2002 年为 87.3 亿 m³。

引沙量基本上是随引水量变化，也呈现增加的趋势。20 世纪 50 年代年均引沙 1.07 亿 t；1985 ~ 1999 年达到最大，为年均 1.3 亿 t。但由于来水含沙量不同，各时期变化较大。在三门峡水库和小浪底水库拦沙的 1960 ~ 1964 年和 1999 ~ 2002 年引沙量都比较小；1980 ~ 1985 年下游来水含沙量低，引沙量也有所下降。

四、引水比例高，引沙比例低，水少沙多加剧

引水比例与引沙比例相差较大，其变化幅度也不一致。从各时期下游引水量占 6 站总水量的比例来看，引水比例是不断提高的。20 世纪 50 年代只有 5.8% 的水被引走，经过不断增加，1985 ~ 1999 年达到 35.4%，到 2002 年高达 42.7%。虽然引沙的比例也在增加，但变化幅度远低于引水。20 世纪 50 年代引沙量占 6 站的比例约为 5.9%，1985 ~ 1999

年达到最大也仅有 16.3%，2002 年又降低到 9.2%。因此，对黄河下游水资源的利用要大大高于对沙量的利用，更加剧了水少沙多的矛盾。

五、径流泥沙配置的整体变化

总体上来看，20 世纪 50 年代流域年均径流和泥沙(6 站)分别为 480.9 亿 m^3 和 18.24 亿 t，人类活动对水沙条件的干预作用较小，只有 6%的水沙量在下游被引走。径流在中游输移过程中的耗损(渗漏、蒸发等)约为 0.3%，泥沙在中下游河道内的淤积为 24%，通过中下游河道输送到河口(利津水文站)的水量和沙量分别为 6 站之和的 97%和 72%(见表 6-1、表 6-2)。

20 世纪 60 年代以后，黄河治理开发程度不断提高，部分径流、泥沙被拦蓄在干支流水库里；同时，由于沿黄引水引沙量明显增加，进入河口地区的水沙比例逐渐减小。干支流骨干水库汛期蓄水，非汛期泄水，明显改变了水沙量的年内分配；同时，由于水资源的利用程度增高，也使得干流年径流量有所减少。特别是 20 世纪 80 年代以后，这种变化趋势更加明显。

1985～1999 年，流域年均径流、泥沙(6 站之和)分别为 284.9 亿 m^3 和 7.99 亿 t，下游引水引沙量分别占 35%和 16%，较 20 世纪 50 年代分别提高了 29%和 10%；中游河道径流量损耗占 6%，中下游河道淤积泥沙量占 44%，较 50 年代增加了 20%，入海径流和泥沙只有 6 站之和的 54%和 50%，较 50 年代分别减少了 43%和 22%。

1999～2002 年，流域年均径流、泥沙(6 站之和)分别为 196.6 亿 m^3 和 4.61 亿 t，下游引水引沙量分别占 38%和 12%，较 20 世纪 50 年代分别提高了 32%和 6%；中游河道径流量损耗占 18%，中下游河道淤积泥沙量占 65%，较 50 年代增加了 41%，入海径流和泥沙只有 6 站之和的 24%和 7%，较 50 年代分别减少了 73%和 65%。

2002 年流域水沙的分布总体上仍然延续这种基本趋势。由于小浪底水库的拦蓄作用，下游引水量进一步增加到占 6 站之和的 43%；由于水流含沙量低，引沙量的比例减小为 9%。中下游河道淤积泥沙量占 6 站沙量之和的 33%，较 20 世纪 50 年代增加了 9%。只有 22%的水量和 9%的沙量输送至河口，比例明显降低。

六、2002 年水沙配置计算中反映出的问题

在水沙配置计算中存在一些问题，造成计算不能闭合。

(一)河道冲淤量不同计算方法的问题

从表 6-2 中 2002 年泥沙配置计算可见，各项合计仅为 51.5%，有 48.5%即 3.01 亿 t 沙量没有平衡。经分析认为，主要问题存在于河道冲淤量计算上。冲淤量的计算方法现有河道断面法和沙量平衡法两种。在 2002 年水沙配置计算中河道及水库冲淤量采用的是断面法成果，与沙量平衡法相差甚大。以三门峡水库为例，2002 年三门峡水库断面法计算冲淤量为 0.04 亿 t，库区基本保持冲淤平衡，而沙量平衡法计算的冲淤量为 0.65 亿 t，库区淤积量较大，两种方法所计算的冲淤结果在定性上都不一致。由表 6-3 可见，龙门到利津断面法计算冲淤量为 2.01 亿 t，沙量平衡法为 4.50 亿 t，相差约 2.5 亿 t，与 3.01 亿 t 比较接近。

表 6-3　河道冲淤量不同计算方法对比　　　　　　　　（单位：亿 t）

计算方法	龙门—潼关	潼关—三门峡	三门峡—小浪底	小浪底—利津	合计
断面法	0.60	0.04	2.42	−1.05	2.01
沙量法	1.14	0.65	3.68	−0.97	4.50

(二)水量不平衡的问题

从前述的引水量分析中可以看出，2002 年龙门以下不平衡水量高达 83.2 亿 m^3，水量不平衡直接影响到沙量平衡法河道及水库冲淤量的计算。下游不平衡水量为 69.3 亿 m^3，若按各河段来水含沙量计算引沙量应为 1.05 亿 t，比上报引沙量 0.57 亿 t 多 0.48 亿 t。

第七章 认识和建议

一、主要认识

(1)2002 年流域降雨偏少，尤其是兰州以上主要清水来源区降雨偏少 42%，对干流水量产生较大影响。因此，流域仍延续 1997 年以来的特枯水少沙特征，龙华河湫年水沙量仅为 195.2 亿 m³ 和 6.197 亿 t，分别较长系列均值减少 51% 和 57%。

(2)6 月流域降雨普遍偏多，中游多次发生小洪水，含沙量较高。

(3)干流汛期几乎没有 3 000 m³/s 以上大流量，中游 1 000~3 000 m³/s 中等流量仅出现 4~5 d，89% 的时间都是 1 000 m³/s 以下的小流量；下游 500 m³/s 以下的小流量成为汛期的主要流量。汛期大流量级持续时间及相应径流量的显著减少，给河道输沙和河道自身的造床作用带来了极为不利的影响。

(4)干流无大洪水发生，仅在 7 月中游清涧河流域出现较大洪水，子长站洪峰流量 4 670 m³/s，为历史最大洪水。干支流洪水汇合成为龙门站洪峰流量 4 600 m³/s、最大含沙量 1 050 kg/m³ 的洪水，龙门局部河段出现"揭河底"现象。

该场洪水发生时小浪底水库进行调水调沙试验，下游出现一场洪水过程，花园口最大流量 3 170 m³/s。洪水在下游演进中，在夹河滩—孙口河段表现出水位高、洪水演进慢、洪峰变形大的特点，洪水传播约 260 h，在 1 800 m³/s 即出现漫滩。

(5)小浪底水库在 9 月 5~13 日进行排沙，出库流量大致在 492~522 m³/s 之间，而相应出库日均含沙量却达到 70~176 kg/m³，且出现了本年度的最大日均含沙量 176.14 kg/m³。

(6)流域主要水库 2002 年蓄水量减少 71.14 亿 m³，龙羊峡水库自运用以来首次汛期泄水。

(7)干流全河引水量为 239.3 亿 m³。各区间水量不平衡问题都十分突出，统计引水量与区间水量差相差较大，仅中下游不平衡水量达 83.2 亿 m³，严重影响到水库及河道冲淤量计算及流域水沙配置的计算。

(8)流域水沙配置发生较大变化，2002 年只有 22% 的水量和 9% 的沙量输送至河口地区。泥沙在河道内的分配由 20 世纪 50 年代的主要淤积在下游变为淤积在水库内。下游对水资源的利用远高于对沙量的利用，加剧了水少沙多的局面。

二、建 议

(1)2002 年 6 月流域降雨偏多，结合以往的研究，认为渭河 6 月降雨有增多的趋势。降雨增多造成高含沙量小洪水的增多，对水库运用和河道冲淤产生影响。应进一步对流域 6 月降雨和水沙变化深入研究，以发现是否存在趋势性变化。

(2)3 000 m³/s 以上水流输沙能力较大，是维持河道生命需要的流量过程。汛期近90% 的小流量是造成河道萎缩的主要原因。2002 年主要水库都是泄水运用，但如何在枯水条件下科学运用多年调节大水库调节水流过程，以保障河道的排洪输沙能力是迫切需要研究的课题。

(3)由于存在小浪底水库的影响,2002年输送至河口地区的水沙量只占龙华河洑黑武的22%和9%。但在无小浪底水库影响的1985~1999年该比例也仅有54%和50%,都与20世纪50年代的97%和72%相差较大。在黄河水沙资源化的前提下,应加强研究如何更合理地对黄河水沙进行配置。

(4)河道冲淤量断面法和沙量平衡法两种计算方法相差较大,哪种方法更可靠争论已久,现在倾向于使用断面法。但断面法也存在许多问题,尤其在沙量平衡计算中引起的误差较大。对黄河这种来沙多、冲淤演变剧烈的河流来说,对其河道冲淤基本资料的准确掌握是开展一切工作的前提和最重要的基础。建议设立专项,就河道冲淤量计算方法开展深入研究,提出一套对测验成果的修正方法,以及在何种条件下使用何种计算方法的研究成果。

(5)干流水量不平衡是存在已久的问题,2002年仍十分突出,不仅造成水量调度的不准确,更严重影响了沙量平衡法冲淤量的计算。加强引水观测和水文测量精度的提高是解决问题的主要途径。

第二专题 清涧河"2002·7"暴雨水沙调查研究

　　2002年7月4~5日，清涧河流域发生了一次突发性高强度特大暴雨(简称"2002·7"暴雨)，降雨中心在子长县城附近。据观测资料，7月4日3时15分~9时，子长降雨量达195.3 mm；4日18时~5日8时，子长再次降强暴雨，降雨量达111.8 mm。两次降雨总量为307.1 mm，超过1999年全年降雨量(237 mm)70.1 mm，致使洪水暴发，水位急剧上升。4日5时子长站最大洪峰流量为4 670 m³/s，是防洪保证流量2 000 m³/s的2倍多。在2个多小时的时间内，水位上升近8 m，洪水涌入子长县城，继而沿河而下，致使清涧、延川两县城进水，造成流域内人民生命财产的重大损失，水利水保措施也受到了不同程度的破坏。据统计，此次洪水直接经济损失达3.42亿元，其中，子长县直接经济损失为2.3亿元，清涧县直接经济损失为1.04亿元，延川县直接经济损失为0.08亿元。为弄清情况、研究问题、分析原因、提出对策，专题组于2003年3月6~13日对此次暴雨的水沙变化状况进行了跟踪调查研究，先后走访了黄河上中游管理局、陕西省水保局、延安市水利水保局，重点调查了子长县、清涧县和延川县洪水情况和水利水保措施的作用和问题，并到黄委中游水文水资源局收集了有关水文泥沙资料，进行了整理分析。

第一章　流域及水沙概况

一、流域概况

清涧河流域位于黄河中游河龙区间下段右岸，发源于陕西省安塞县，流经子长县、清涧县和延川县，于延川县苏亚河汇入黄河，河长 167.8 km，平均比降 4.8‰，流域总面积为 4 080 km^2，水土流失面积为 4 006 km^2。流域位于黄土丘陵沟壑区第一副区，延川以上为梁峁丘陵区，属强度侵蚀类型区，大部分地区为荒山秃岭，植被稀少，水土流失严重，沟壑密度为 4~7 km / km^2，其中子长县境内多年平均侵蚀模数 15 000 t / km^2；延川以下为宽梁残塬沟壑区，属中度侵蚀类型区，其特点是沟间地较前类增大，沟壑密度为 4~5 km / km^2，其中延川县境内多年平均侵蚀模数为 7 000~11 000 t / km^2。流域内清涧县以上称秀延河，中山川及李家川于子长县附近汇入秀延河。清涧县以下至延川河段汇入的较大支流有永坪川、关庄河及文安驿河，延川县以下有拓家川汇入。清涧河干流上游设有子长水文站(1958 年 7 月设立)，控制流域面积 913 km^2，子长水文站下游 72 km 处设有延川水文站(1953 年 7 月设立)，控制流域面积 3 468 km^2，距黄河口 38 km(见图 1-1)。据延川水文站 1954~1969 年实测资料统计，流域多年平均年降水量为 497 mm，平均年径流量为 15 495 万 m^3，平均年输沙 4 767 万 t，年平均含沙量达 308 kg / m^3，年径流中地表径流约占 60%。降水、产流、产沙主要发生在 6~9 月，其中，6~9 月降水占年降水量的 73%，径流占 69%，地表径流则占到 90% 以上。输沙量的变化与地表径流相对应，6~9 月约占年输沙量的 98%。

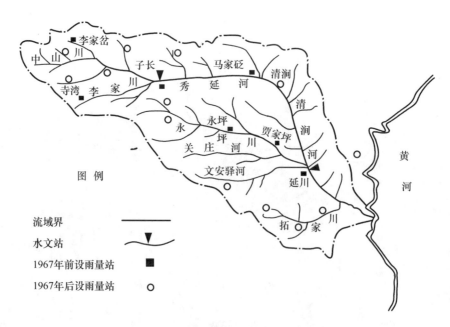

图 1-1　清涧河流域水系、测站分布示意

清涧河流域地理位置处于延河与无定河支流大理河之间，其南为延安市所属地区，其北为榆林市所属地区，其气候(特别是降雨)、土壤、植被、地形等自然条件具有过渡性特征，总体上生态环境极其脆弱。但流域经过几十年的综合治理，已取得了较大成绩。截止到 1999 年底，流域内初步完成水土流失治理面积 1 199.4 km²，治理程度为 29.9%。其中梯田、水土保持林、人工种草的面积分别占治理面积的 14.98%、57.09%、9.34%，共修建中小型水库 4 座、治沟骨干工程 38 座、淤地坝 3 091 座、谷坊 159 道、水窖 5 163 眼、涝池 18 座。

二、水沙概况

(一)降水

据流域各雨量站已有资料统计，年降水量一般为 350~550 mm，降水的分布为由北向南逐渐增加，年内分配主要在 6~9 月，尤其集中在 7、8 两月。6~9 月降水约占年降水量的 73%，7、8 两月的降水则分别占年降水量的 22%和 23%。暴雨多发生在 7、8 两月，暴雨中心大多在子长、永坪、贾家坪、延川一带，尤以子长附近雨峰较多。如 1959 年 8 月流域面平均降水为 241.9 mm，子长站的月降水已高达 308.7 mm；1964 年 7 月流域面平均降水 231 mm，而延川站的降水量为 295.3 mm。

降水的时空分布变化较大。据统计，1997 年以前，最大年降水量为 827.9 mm(延川站 1964 年)，最小年降水量为 209.4 mm(李家岔 1974 年)，丰枯差达 618 mm。各站出现的最大月降水量一般为 200~300 mm，子长站和延川站降水较丰。年内最大一日降水量的变化范围也较大，小的甚至不超过 25 mm，大的一日降水可达 139.3 mm(延川站 1960 年 7 月 4 日)。

据 1954~1997 年资料统计，延川站流域面平均的年降水量为 275~753 mm。若按 1954~1969 年、1970~1979 年、1980~1989 年、1990~1997 年四个时段进行对比，则各时段的多年平均年降水量分别为 497 mm、463 mm、462 mm、451 mm，各时段 6~9 月的平均降水量分别为 362 mm、348 mm、341 mm、317 mm，各时段年降水量大于 500 mm 出现的年数分别为 8 年、5 年、3 年、3 年，各时段月降水量超过 150 mm 出现的次数分别为 9 个月、6 个月、3 个月、4 个月，各时段月降水量超过 200 mm 出现的次数分别为 2 次、1 次、0 次、1 次。从各时段年降水量和汛期降水量的对比看，后面时段比前面时段有所减少；从各时段较大降水出现的次数比例看，1980~1989 年大降水年和大降水月出现的次数都少；月降水量超过 200 mm 出现的比率各时段分别为 0.125、0.1、0、0.14，1990~1997 年的比率略大些。从各雨量站年内最大一日降雨量超过 100 mm 的对比看，1954~1969 年间雨量站日降水量超过 100 mm 的有 4 年，1970~1979 年有 1 年，1980~1989 年和 20 世纪 90 年代均未出现。

1954~1969 年间，雨量站日降雨量大于 100 mm 的虽有 4 年，但时空较分散，1970~1979 年的 1977 年 7 月 5 日降雨范围较大，寺湾、子长、马家砭、曹家坪的日降水量均在 100 mm 以上，延川站日均流量达 719 m³/s，日均输沙率为 489 t/s。2002 年 7 月 4 日的 24 小时降雨量已达 274.4 mm，比已有实测资料中最大的日降雨量 139.3 mm 多出了 135 mm。

(二)径流输沙

延川站年径流量一般为 1 亿~2 亿 m³，最大为 3.11 亿 m³ (1964 年)，最小为 0.68 亿 m³(1997 年)，径流大小相差 2.43 亿 m³。年输沙量一般为 0.1 亿~0.8 亿 t，最大的是 1959 年的 1.23 亿 t，最小的是 1984 年的 0.053 亿 t，大小相差 22 倍之多。延川站 1954~2002 年降水、径流、输沙年际变化见图 1-2。

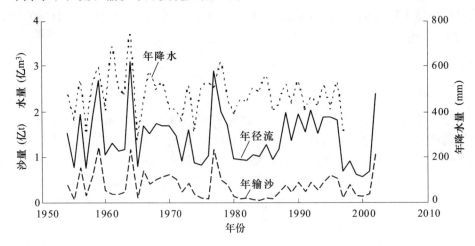

图 1-2　延川站年降水、径流、输沙过程

注：1998~2001 年为汛期量

若按 1954~1974 年、1974~1979 年、1980~1989 年、1990~1997 年四个时段进行划分对比，则延川站不同时段年平均要素变化见表 1-1。

从表 1-1 可看出，1980~1989 年径流、输沙量都是最少的，水沙量的变化与降雨有关，尤其是与大暴雨的出现和分布有关。正如前面对降雨的对比分析，1990~1997 年的年均降水量虽然不大，但降水量的时空分布相对集中，径流量有所增加，但输沙量并没有加大。

表 1-1　延川站不同时段年平均要素变化

时段	降水量(mm)			年径流(万 m³)			年输沙(万 t)		
	6~9 月	非汛期	年	6~9 月	非汛期	年	6~9 月	非汛期	年
1954~1969 年	362	135	497	10 694	4 801	15 495	4 648	119	4 767
1970~1979 年	348	115	463	10 519	4 511	15 030	4 230	43	4 273
1980~1989 年	341	121	462	6 552	5 113	11 665	1 432	16	1 448
1990~1997 年	317	134	451	11 072	5 578	16 650	3 831	47	3 878
2002 年	—	—	—	20 682	3 229	23 911	10 656	151	10 807

洪水的变化特点基本与水沙特征一致(见图 1-3)。1969 年以前较大洪水发生场次多，洪峰流量大；1959 年延川站出现历史上最大洪水 6 090 m³／s；20 世纪 70 年代洪水开始减少，但还有两场 3 000 m³／s 以上的大洪水；80 年代洪水最少，洪峰流量也小，最大

仅为 1 540 m³ / s(1989 年)；90 年代洪水明显增多，1994～1996 年连续三年洪峰流量超过 2 000 m³ / s。

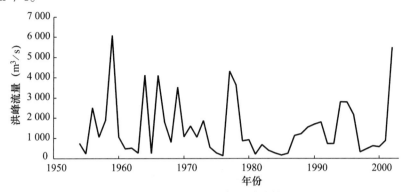

图 1-3　清涧河延川站历年洪峰流量过程

(三)2002 年水沙及其对比

2002 年延川站径流量达 23 911 万 m³，输沙量为 10 807 万 t，在历史上也是个大水大沙年。2002 年及各年的径流量与输沙量关系如图 1-4 所示。

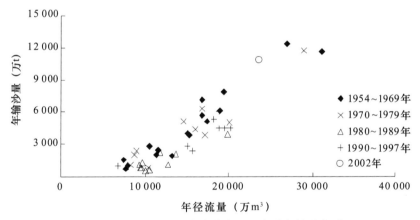

图 1-4　延川站 2002 年与各年平均径流与输沙关系

2002 年的径流输沙主要来自汛期的 6~9 月，尤其是 7 月。6~9 月的径流量和输沙量分别为 20 682 万 m³ 和 10 656 万 t，分别占年径流量和输沙量的 86% 和 98.6%；7 月的径流量、输沙量为 13 554 万 m³ 和 8 033 万 t，分别占年径流量和输沙量的 56.7% 和 74.3%。延川站 2002 年 6~9 月径流量、输沙量见表 1-2。

表 1-2　延川站 2002 年 6~9 月径流量、输沙量

时间	6 月	7 月	8 月	9 月	年
径流量(万 m³)	4 424	13 554	2 005	699	23 911
输沙量(万 t)	2 103	8 033	492	28	10 807

经过对 1954 年以来实测资料的统计，汛期 6~9 月径流量超过 2 亿 m³ 的有 1959 年、1964 年、1977 年，各年汛期的降水、径流、输沙对比见表 1-3。

表 1-3　延川站大水年 6～9 月降水、径流、输沙对比

时间(年-月)	降水量(mm)	径流量(万 m³)	输沙量(万 t)
1959-06~09	514.7	23 746	12 306
1964-06~09	504.7	23 459	11 496
1977-06~09	394.1	24 496	11 730
2002-06~09	—	20 682	10 656

2002 年 7 月径流量为 13 554 万 m³，1954 年以来月径流量超过 1 亿 m³ 的有 4 个月，各要素的对比见表 1-4。

表 1-4　延川站大洪水月的降水、径流、输沙对比

时间(年-月)	降水量(mm)	径流量(万 m³)	输沙量(万 t)
1959-08	241.9	19 018	10 649
1964-07	230.7	14 308	8 695
1977-07	223.8	10 009	5 204
1977-08	92.6	12 031	6 136
2002-07	—	13 554	8 033

2002 年汛期各月与各时段汛期逐月的降水、径流、输沙关系见图 1-5。

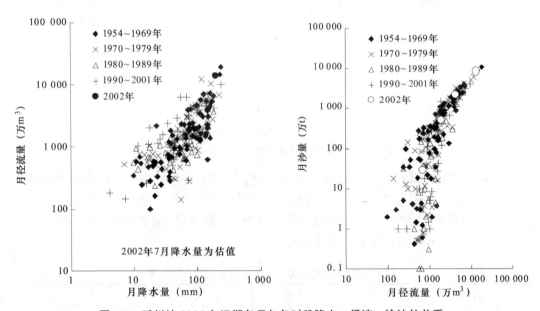

图 1-5　延川站 2002 年汛期各月与各时段降水、径流、输沙的关系

从延川站洪峰 1 日平均最大流量的统计看，日均流量超过 500 m³／s 的有 1959 年、1964 年、1977 年、2002 年，各洪峰的日要素对比见表 1-5。2002 年 7 月 4～5 日两次降雨合计 463 mm，最大 24 小时降水 274.4 mm。

表 1-5　延川站洪峰最大 1 日平均要素对比

时间 (年-月-日)	日均流量(m³/s)	日均输沙率 (t/s)	站点最大降水 (mm)	流域面平均 1 日降水 (mm)
1959-08-20	940	584	62.4	43.4
1964-07-06	808	571	100.9	48.4
1977-07-06	719	489	126.1	94.6
2002-07-04	875	595	—	—

通过对延川站大于 300 m³/s 洪峰日均流量的统计，各洪峰的降水、日均流量、日均输沙率关系见图 1-6、图 1-7。

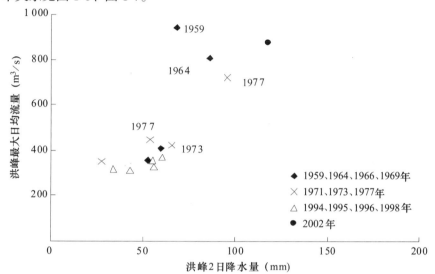

图 1-6　清涧河延川站洪峰降水量与最大日均流量的关系

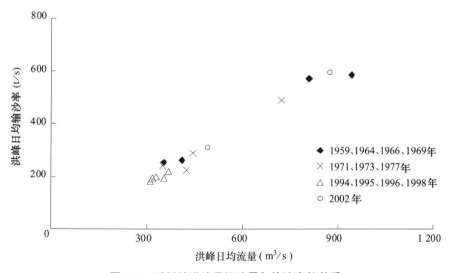

图 1-7　延川站洪峰日均流量与输沙率的关系

利用目前已有的实测资料，通过上述不同时段的年、汛期、月、洪峰日的统计对比可以看出，2002 年的暴雨是罕见的，强度大、暴雨集中，由此而产生的径流泥沙量也是少有的。从年量、汛期量与月量的对比看，2002 年的水沙量并非最大，但 2002 年 7 月 4 日的大强度暴雨却使其日均输沙率达到最大。从不同时段延川站径流与输沙关系看，仍符合径流输沙的水流挟沙规律。通过不同年代水沙关系还可看出，水利水保措施对于小规模的洪水是可以起到一定拦减作用的，但对于大强度暴雨其拦减作用则较弱。因此，当出现高强度的暴雨时，灾情的出现也就在所难免。

第二章 "2002·7"暴雨水沙特点及原因分析

一、水沙特点

(一)暴雨大，强度高

1. 暴雨量大

据黄委中游水文水资源局调查,7月4~5日,子长站最大24小时降水量为274.4 mm,较同时段历史实测最大的1977年165.7 mm多108.7 mm;暴雨中心瓷窑总降雨量高达463 mm,较多年平均降雨量450.2 mm(1955~1969年)多出12.8 mm,属500年一遇的特大暴雨(见图2-1、图2-2)。

2. 降雨强度高

据子长站观测,7月4日6时15分~7时15分最大1 h降雨78 mm,7月4日20时05分~21时05分最大1 h降雨量85 mm。

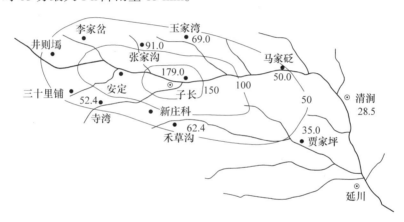

图2-1 2002年7月4日洪水次降雨量等值线

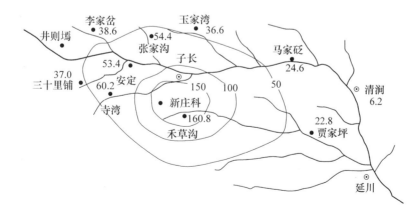

图2-2 2002年7月5日洪水次降雨量等值线

(二)洪水大，水位高

据水文站观测，7月4日子长站洪峰流量为4 670 m³/s，是自1958年7月建站以来的实测最大值；延川站7月4日洪峰流量为5 500 m³/s，是该站自1953年7月建站以来的实测第二大洪水。这次洪水使子长站、延川站水位急剧上升。据观测，子长站从7月4日4时12分起涨至6时42分到达峰顶，水位从3.61 m上涨到11.56 m，涨幅为7.95 m；延川站从7月4日9时12分起涨至11时到达峰顶，水位从82.58 m上升到92.55 m，涨幅为9.97 m，为历史第一高水位。洪水流量过程如图2-3所示。

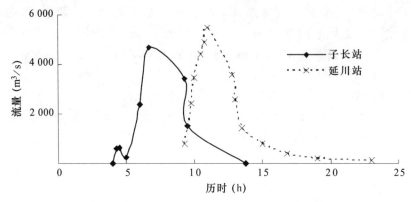

图2-3　子长站、延川站7月4日洪水流量过程

(三)输沙量大，侵蚀模数高

据观测资料，7月4日子长站洪水输沙量为4 090万t，致使子长站以上913 km²流域范围内侵蚀模数高达44 800 t/km²，这样高的侵蚀模数在黄河中游地区是罕见的；同期延川站输沙量达5 600万t，致使延川站以上3 468 km²流域范围内侵蚀模数达16 100 t/km²，均为两站历年次洪水侵蚀模数最大记录。图2-4、图2-5为子长站与延川站"2002·7"暴雨产流、产沙与以前几次暴雨产流、产沙的洪水径流量与洪水输沙量的关系，可以看出，延川站2002年7月4日洪水泥沙点据表现出在相同径流量情况下有增沙的情况，但从总趋势来看，水沙关系并未发生显著变化，这说明"2002·7"暴雨条件下产流、产沙又恢复到了治理前的状况。

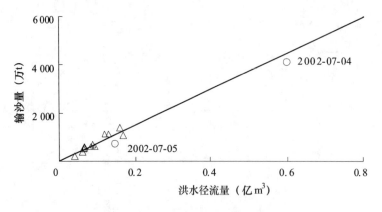

图2-4　子长站洪水径流量与输沙量的关系

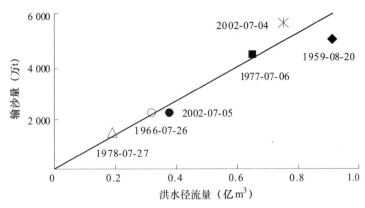

图 2-5　延川站洪水径流量与输沙量的关系

二、本次暴雨水沙变化的原因分析

水沙变化主要受气候(特别是降雨)和人类活动的影响,暴雨洪水是产流、产沙的主要动力,人类不合理活动则是造成泥沙增多的主要原因。

(一)暴雨产流分析

暴雨产流关系可用径流系数(洪水径流量／面平均降雨量)表示,其大小除反映暴雨产流状况外,在一定程度上也反映了水利水保措施的有效拦蓄能力。清涧河洪水皆由暴雨形成,本次暴雨是造成洪水较大的根本原因,同时水利水保措施拦蓄作用的衰减加剧了洪水的形成。统计清涧河子长站洪峰流量大于 1 000 m³／s 的较大暴雨径流系数(见表 2-1)可知,1954~1969 年的 4 次暴雨平均径流系数为 0.33,1970~1979 年的 3 次暴雨径流系数为 0.14,20 世纪 90 年代的 4 次暴雨平均径流系数为 0.25,2002 年的 2 次暴雨平均径流系数为 0.46。可以看出,20 世纪 70 年代暴雨径流系数有所减小,特别是 1977 年 7 月 6 日面平均雨量为 140.4 mm,较"2002·7"面雨量 105.4 mm 还大,但由于当时有较

表 2-1　子长站洪峰流量大于 1 000 m³／s 的较大暴雨产流统计

序号	洪水时间	洪峰流量 (m³／s)	前 2 日面平均雨量(mm)	本次面平均雨量(mm)	径流量 (亿 m³)	径流深 (mm)	径流系数
1	1959-08-24	1 660	19.6	16.8	0.066 3	4.8	0.29
2	1966-08-15	1 460	49.5	72.6	0.124 1	13.5	0.19
3	1969-07-26	1 180	23.8	21.0	0.066 5	7.3	0.35
4	1969-08-09	3 150	33.4	37.7	0.168 0	18.3	0.49
5	1971-07-06	1 130	13.0	58.0	0.089 0	9.7	0.17
6	1971-07-24	1 440	30.9	51.7	0.072 6	8.0	0.15
7	1977-07-06	1 440	90.7	140.4	0.132 1	14.5	0.10
8	1990-08-27	1 320	16.2	33.0	0.091 7	10.0	0.30
9	1994-08-31	1 920	25.5	53.5	0.174 3	19.1	0.36
10	1995-09-01	1 250	35.1	45.8	0.056 5	6.2	0.14
11	1996-08-01	1 250	23.7	46.7	0.084 6	9.3	0.20
12	2000-08-29	1 190	8.9	17.5	0.042 9	4.7	0.27
13	2002-07-04	4 670	21.0	105.4	0.602 3	66.0	0.63
14	2002-07-05	1 690	105.4	57.9	0.154 4	16.9	0.29

大的拦蓄库容，尽管也发生了水毁，而径流系数只有 0.1，说明水利水保措施仍有较大的拦蓄作用。至 1990~1999 年径流系数虽有增大，但仍小于天然状态下的径流系数，而 2002 年的暴雨径流系数明显增大，特别是 2002 年 7 月 4 日的暴雨径流系数达 0.63，为子长站历次暴雨径流系数的最大值，说明了对如此大的暴雨，现有的水利水保措施拦蓄作用是很有限的。为对比说明子长站径流系数的变化，统计河龙区间其他支流面平均雨量大于 100 mm 暴雨的产流产沙情况见表 2-2。

表 2-2 "2002·7"暴雨与其他支流大于 100 mm 暴雨的产流、产沙比较

河名	站名	洪水时段 (年-月-日)	洪峰流量 (m³/s)	洪水径流模数 (万 m³/km²)	洪水输沙模数 (万 t/km²)	相应面 平均雨量 (mm)	径流 系数
黄甫川	黄甫	1959-07-29~31	2 500	1.88	1.31	105	0.18
黄甫川	黄甫	1959-08-03~06	2 900	3.77	1.68	121	0.31
孤山川	高石崖	1959-08-03~06	2 730	3.91	1.37	123	0.32
牛栏沟	新民村	1967-08-29~09-01	1 490	6.80	5.17	103	0.66
勃牛川	新庙	1976-08-02~04	4 290	4.95	1.59	104	0.48
孤山川	高石崖	1977-08-02~03	10 300	8.78	5.43	141	0.62
勃牛川	新庙	1989-07-21~23	8 150	6.88	1.35	138	0.50
黄甫川	黄甫	1989-07-21~24	11 600	4.33	1.97	102	0.42
清涧河	子长	2002-07-04	4 670	6.60	4.48	105	0.63

从表 2-2 可以看出，暴雨径流系数在 0.6 以上的共有 3 次，其中窟野河牛栏沟最大，达 0.66，主要是该流域治理较差，而清涧河子长站以上治理远较牛栏沟流域为好，但径流系数达到了 0.63，说明了在特大暴雨条件下治理较好流域的拦蓄作用已与治理较差流域处于同一产流水平。

(二)暴雨产沙分析

黄河中游河龙区间主要支流的暴雨产沙量一般随暴雨产流量的高次方递增，清涧河"2002·7"暴雨产流量大，产沙量也较大。从表 2-2 可以看出，清涧河子长站"2002·7·4"暴雨产沙模数达 4.48 万 t/km²，仅次于窟野河牛栏沟"1967·8"和孤山川"1977·8"暴雨产沙模数。为什么经过几十年的治理还产生如此高的产沙模数？结合实际调查，对其原因进行以下分析。

1. 淤地坝水毁增沙分析

据子长县水利水保局调查，"2002·7"暴雨洪水共冲毁淤地坝 85 座，其中有 2002 年新建坝 11 座(以工代赈项目 4 座，扶贫开发 7 座)，以前年度所建淤地坝 74 座。在冲毁的 85 座坝中，有骨干坝 2 座、大型坝 24 座、中小型坝 59 座；冲毁土坝和放水设施两大件的有 6 座，冲毁土坝的有 70 座，冲毁放水设施的有 6 座，冲毁溢洪道的有 3 座，共冲毁土方 136.39 万 m³、石方 7 394 m³，坝地减少 112.10 hm²，水毁增沙约 0.11 亿 t。淤地坝(系)是水土保持综合治理措施系统中的最后一道防线，可将其他措施拦蓄不到或拦蓄不了的泥沙拦蓄下来，在整个水保减沙措施中起着主导作用。大量调查研究资料和成果表明，在一般降雨情况下，沟道坝系的拦泥减沙作用是十分显著的，而且是枯水期蓄水拦沙作用大，大洪水期作用较小，甚至有负作用。现在的情况是，随着时间的推移，坝

库的蓄水拦沙作用正在衰减。根据陕西省水保局淤地坝普查资料，截止到 1993 年，陕北地区共建淤地坝 31 924 座，其中 95% 以上是 1979 年以前修建的，1980 以后修建数量很少。这些淤地坝经过长期运行，库容淤损率达 77%，且病险坝占总数的 75.5%。这些淤地坝遭遇超标准暴雨洪水时，常造成局部水毁，即使在防御标准内的暴雨洪水，也常因工程质量差、疏于管理等原因出现一定程度的水毁现象。不少地区原有坝库数量减少，质量下降，据子长县水利水保局提供的调查资料，截止到 1976 年该县修建各类淤地坝 2 164 座，经过建坝、水毁、再建坝等过程，到 2002 年 6 月保存淤地坝 1 279 座，而"2002 · 7"暴雨又破坏 85 座，现存淤地坝占 1976 年总坝数的 55.2%，即减少了 44.8% 的淤地坝；据资料分析，截止到 1999 年，清涧河流域淤地坝总库容为 5.3 亿 m³，已淤库容 4.0 亿 m³，占总库容 75.0%。可见，淤地坝减少和失效的速度是惊人的。随着淤地坝数量的减少和淤平，流域整体蓄水拦沙作用显著下降，从表 2-3 计算结果来看，各种水保措施面积都是逐渐增加的，但 20 世纪 80 ~ 90 年代增长幅度都小于 70 ~ 80 年代，其中又以坝地增加最小，70 ~ 80 年代增加 1 773 hm²，80 ~ 90 年代仅增加 744 hm²。20 世纪 70 年

表 2-3　清涧河控制区 20 世纪各年代水利水保措施减洪减沙量计算结果

项目	措施	70 年代	80 年代	90 年代	70~80 年代变化	80~90 年代变化
措施面积 (hm²)	梯田	6 740	11 927	15 360	5 187	3 433
	造林	7 887	35 370	62 470	27 483	27 100
	种草	447	1 590	2 647	1 143	1 057
	坝地	2 137	3 910	4 654	1 773	744
	合计	17 211	52 797	85 131	35 586	32 334
减洪量 (万 m³ / a)	梯田	171.0	205.5	237.0	34.5	31.5
	造林	147.0	522.0	859.5	375.0	337.5
	种草	4.5	10.5	15.0	6.0	4.5
	坝地	2 740	1 944.6	59.9	−795.4	−1 884.7
	水库	78.8	157.6	162.4	78.8	4.8
	合计	3 141.3	2 840.2	1 333.8	−301.1	−1 506.4
各措施占 总量的比 例(%)	梯田	5.4	7.2	17.8		
	造林	4.7	18.4	64.4		
	种草	0.1	0.4	1.1		
	坝地	87.2	68.5	4.5		
	水库	2.5	5.5	12.2		
减沙量 (万 t / a)	梯田	102.0	93.0	149.3	−9	56.3
	造林	86.3	243.0	540.8	156.7	297.8
	种草	4.5	9.0	19.5	4.5	10.5
	坝地	1 210.3	872.5	120.5	−337.8	−752
	水库	55.5	183.6	120.0	128.1	−63.6
	合计	1 458.6	1401.1	950.1	−57.5	−451
各措施占 总量的比 例(%)	梯田	7.0	6.6	15.7		
	造林	5.9	17.3	56.9		
	种草	0.3	0.6	2.1		
	坝地	83.0	62.3	12.7		
	水库	3.8	13.1	12.6		

注: 90 年代为 1990~1996 年。

代淤地坝在各种措施中起着主要作用，年均减洪量和减沙量分别达 2 740 万 m³ 和 1 210 万 t，分别占总量的 87.2% 和 83%；80 年代以后，随着坝地面积的增加，淤地坝所起的作用减弱，70～80 年代年均减洪量和减沙量减少达 795.4 万 m³ 和 337.8 万 t，90 年代减少更多达 1 884.7 万 m³ 和 752 万 t，90 年代的减洪量和减沙量仅有 59.9 万 m³ 和 120.5 万 t，只有 70 年代的 2.2% 和 10%。因此，淤地坝在各种措施中所起的作用大大降低，只占到 4.5% 和 12.7%。由以上分析可见，90 年代后期淤地坝的减洪减沙作用几乎消失殆尽。

这些情况说明，1979 年以前修建的大量淤地坝已到了运用后期，遇暴雨水毁增沙的可能性增大。表 2-4 为清涧河流域几次淤地坝水毁调查结果，由表列数据可以看出，虽然此次暴雨洪水淤地坝水毁率较前有所减小，但冲失坝地面积占水毁坝内坝地面积的比例均较前几次水毁有明显增加，水毁增沙作用仍较大。

表 2-4　清涧河流域淤地坝水毁调查

调查地区	延川县	子长县	子长县
时间	1973 年 8 月 25 日	1975 年 8 月 5 日	2002 年 7 月 4~5 日
降雨量(mm)	112.5	167.0	283.0
总坝数(座)	7 570	403	1 279
水毁座数(座)	3 300	121	85
水毁率(%)	43.6	30.0	6.6
冲失坝地占水毁坝内坝地面积(%)	13.3	26.0	30.0
冲失坝地占全县坝地面积(%)	5.8	5.2	3.8

2. 人类活动增沙分析

清涧河流域内石油、天然气等矿产资源丰富，沿途山涧谷底油井林立，钻井平台与施工便道以及运油道路的修建，移动大量岩石土体，破坏原有植被，造成新的水土流失；西气东输管道沿秀延河而下，由于地形破碎，过沟建筑物较多，弃土、弃渣任意堆放；新修(或扩宽)公路，一般沿河靠沟，有些弃土、弃渣直接排入河(沟)道；随着人民生活水平的提高，群众建房(窑)较多，不注意水土保持；城镇建设迅速崛起，弃土、弃渣堆放河(沟)岸边，或直接推入河道，暴雨洪水期也成为产沙的重要源地。总之，暴雨洪水前流域内隐蔽着大量泥沙来源，在暴雨洪水作用下，"水土流失慢性病急性发作"，增加了大量洪水泥沙。现以中山川水库淤积变化为例，说明人类活动增沙的情况。中山川水库位于子长县秀延河支流白庙岔河上白石畔村，1972 年开工建设，1976 年竣工，控制面积 143 km²，总库容 4 430 万 m³；到 2000 年累计淤积 2 280 万 m³，占总库容的 51.5%；在正常高水位 1 250.41 m 以下，累计淤积 2 206 万 m³，占蓄水库容的 68.8%。据观测资料，水库各时段淤积量列入表 2-5。

表 2-5　中山川水库各时段淤积量变化

时　段	各时段淤积量(万 m³)	年均淤积量(万 m³ / a)
1975~1989 年	800	53.3
1990~2000 年	1 480	134.5
1975~2000 年	2 280	87.7

由表 2-5 可以看出，1990~2000 年水库淤积量为 1975~1989 年的 1.5 倍，由于一直采取拦洪蓄水运用，所以可以认为淤积的增加与人类活动有关。

3. 坡面措施在暴雨作用下水毁增沙分析

坡面措施主要指梯田、林草。梯田是一项面积较大的水土保持措施，但由于有些梯田在规划、设计、施工、管理等技术环节上有缺陷，致使暴雨中常出现损坏，拦蓄效益大为降低。梯田的损坏除与暴雨有关外，还与年久老化失修有关。该流域梯田多为 1970~1979 年修建，目前梯田的质量大为降低。据初步调查，梯田较多的坡面仍发生较大洪水，产沙也较多，说明梯田的拦蓄作用越来越小，在暴雨作用下因冲毁而增沙。林草的防冲蚀作用在一般降雨情况下是较大的，但在较大暴雨情况下则有很大不同。近年来，随着"退耕还林(草)"工作的深入，一些陡坡地的植被有所恢复，但远未达到"土不下山，泥不出沟"的程度；加之近年来气候干旱，林草成活率较低，一遇大雨，坡面水土流失仍十分严重。调查所见，此次暴雨洪水将很多大树冲走，有的坡面林草连同泥土一起滑下，甚至形成滑坡、崩塌等，被洪水冲走，增加了河流泥沙。

4. 坝库运用方式"由拦转排"增沙

如前所述，目前清涧河流域坝库已到了运用后期，无论是水库，还是淤地坝，其运用方式均"由拦转排"，特别是大型淤地坝，为保护和高效利用坝地，都开挖了排洪渠，洪水泥沙"穿堂过"现象突出，增加了入黄泥沙。

第三章　认识和建议

一、水利水保措施对减洪减沙的作用是不可否认的

清涧河流域"2002·7"暴雨条件下,水利水保措施暴露出了不少问题,但是其减洪减沙作用是不可否认的。

1970 年以来,清涧河流域应用水坠筑坝技术大规模建坝,截止到 1984 年,修建淤地坝达 5 809 座,总库容 5.3 亿 m³,可淤面积 1.06 万 hm²;修建库容在百万立方米以上的水库 7 座,总库容达 7 323 万 m³;初步完成水土保持治理面积约占水土流失面积的 20%。这些水利水保措施不仅能拦沙也能蓄水,将暴雨发生时所产生的很大一部分洪水、泥沙拦蓄,在一定程度上起到了调水调沙的作用,从而导致洪峰流量减小、输沙量减少。以淤地坝为例,在淤地坝库容较大时的 1984 年 7 月 10~11 日,清涧河流域发生了一场暴雨,平均降雨量为 93.8 mm,历时 26 h,降雨中心在王家湾(雨量 110.6 mm);与之相似,建坝前的 1966 年 7 月 26~29 日,该流域也有一场暴雨,平均雨量为 69.9 mm,历时 24.9 h,降雨中心在马家砭(雨量 100.2 mm)。两次暴雨产流产沙情况列于表 3-1。

表 3-1　清涧河流域治理前后两次暴雨、径流、泥沙要素统计

时段 (年-月)	降雨量 (mm)	降雨历时 (h)	暴雨 中心	中心点雨量 (mm)	洪峰流量 (m³ / s)	洪量 (万 m³)	沙量 (万 t)	含沙量 (kg / m³)
1984-07	93.8	26.0	王家湾	110.6	120	212	91	429
1966-07	69.6	24.9	马家砭	100.2	4 110	4 464	2 521	565

由表 3-1 可以看出,"1984·7"暴雨较"1966·7"暴雨多 24.2 mm,偏大 34.8%,而洪峰流量、洪量、输沙量则分别偏小 97.1%、95.3%和 96.4%。从一般规律来看,"1984·7"洪水较"1966·7"洪水降雨量和平均雨强均较大,其所形成的洪峰、洪量及输沙量均应偏大,然而却恰恰相反,在暴雨量偏大的情况下,洪峰流量、洪量和输沙量均偏小。究其原因,主要是治理后该流域淤地坝建设较快,有较大的拦蓄库容,且没有发生水毁现象。这虽然是一个典型实例,但也可看出淤地坝的蓄洪减沙作用是比较显著的。

根据冉大川等完成的《黄河中游河口镇至龙门区间水土保持与水沙变化》,清涧河流域控制区 1970~1996 年水利水保措施年均减洪和减沙效益为 24.91%和 29.15%,其中,1970~1979 年、1980~1989 年、1990~1996 年各时段水利水保措施年均减洪和减沙效益分别为 27.3%和 25.83% 、42.41%和 49.35% 、10.03%和 18.47%。由此可见,水利水保措施的减洪减沙作用在较长系列内总的趋势是十分明显的。

通过对"2002·7"暴雨与不同年代水沙资料的对比分析可以看出,"2002·7"暴雨存在增沙的现象,其主要是由于水保措施防御暴雨的标准是有限度的,当超标准暴雨发生时,便会受到不同程度的破坏,并且暴雨的量级越大,其遭受的损失程度越大。按照《水土保持综合治理技术规范》,梯田、林草整地工程防御暴雨标准一般采用 10~20 年一遇 3~6 h 最大降雨设计,淤地坝按照小型、中型、大(二)型和大(一)型确定设计洪水标准分

别为 10~20 年、20~30 年、30~50 年和 50~100 年一遇，而清涧河流域现有水利水保措施防御暴雨洪水标准普遍较低，大部分均未达到上述要求。因此，其灾害的发生也就不可避免。

尽管"2002·7"暴雨造成了较为严重的经济损失，但总体来看，水利水保措施仍发挥了较大作用。据子长县淤地坝的调查资料，该县虽然有 85 座淤地坝受损，但仍有 1 194 座淤地坝发挥了减洪减沙的功能。如 2000 年建成的李家岔镇徐家砭淤地坝，在本次洪水中一次性拦泥近 20 万 m³，淤积最大高度 18 m，其减沙作用是显著的。

二、随着淤地坝蓄水拦沙作用的逐步衰减，需及时加高加固

淤地坝的蓄水拦沙过程与林草措施不同，林草措施随着时间的推移减沙作用越来越大，而淤地坝随着时间的推移减沙作用越来越小。新修的淤地坝，拦沙作用是很大的，只要有足够的库容，来多少泥沙就可以拦多少泥沙；但随着坝地的淤积，如果不能继续保持或增加库容，减沙效益将大为降低，甚至出现水毁垮坝，增加泥沙，给当地造成严重的洪水灾害。以子长县为例。该县的地理位置和自然条件具有打坝的优势，1959 年前，在黄委勘测设计部门的指导下，先后建成任家畔、石畔、红石峁、强家坪、赵家焉、强家沟等 7 座大型淤地坝。1970 年北方地区农业会议后，出现了打坝高潮，到 1976 年底统计，全县共建淤地坝 2 164 座。然而，1977 年 7 月 6 日的一场特大暴雨冲毁大小淤地坝 912 座，使群众的打坝积极性严重受挫，此后基本上未修淤地坝。到 1986 年该县被列为黄河上中游治沟骨干工程试点县后，新建治沟骨干坝 18 座；列为全国生态环境治理重点县后，又新建淤地坝 15 座。到 1999 年底，全县保存淤地坝 1 244 座，总库容 28 240 万 m³，已淤库容 20 536 万 m³，占总库容的 72.7%，可淤地面积 0.32 万 hm²，已淤坝地 0.3 万 hm²，占可淤地面积 94.3%，几乎淤平或淤满。在 1 244 座淤地坝中，按类型分有骨干坝 18 座、大型坝 66 座、中型坝 352 座、小型坝 808 座；按库容分，有 100 万 m³ 以上的 59 座，10 万~100 万 m³ 的 382 座，10 万 m³ 以下的 803 座；按其设施分，有三大件齐全的 62 座、两大件的 170 座、一大件的 1 012 座；按其运行情况分，有病坝 111 座、险坝 644 座、病险坝 170 座、完好坝 319 座。可见，病坝、险坝、病险坝合计占总坝数的 74.4%，这些淤地坝都到了运用后期，经不起暴雨洪水的袭击，遇暴雨就可能出现水毁。

在本次暴雨洪水中，子长县水毁淤地坝仅占现有淤地坝数量的 6.6%，但水毁均较严重，通过对刘胡家沟和张家渠等水毁淤地坝调查发现，淤地坝内冲失坝地多在 30% 以上，可见，随着时间的推移，淤地坝的库容愈来愈小，病险坝越来越多，如不及时加高加固，不仅不能发挥拦泥滞洪效益，还将水毁坝地，造成严重损失。

三、建 议

开展黄土高原淤地坝建设，既是开发利用当地水沙资源、控制水土流失、发展当地经济的必由之路，又是治黄的根本措施之一。建议在当前加大淤地坝建设投资力度的形势下，要加强淤地坝建设的规划设计等前期工作，坚持以多沙粗沙区为重点，以修建"小多成群有骨干"的坝系为目标，避免出现盲目和分散投资，提高专项资金的使用效益。针

对目前大量淤地坝的拦泥作用已愈来愈小、存在垮坝隐患的突出问题，建议在淤地坝规划设计中将现有淤地坝的配套、加高、加固列为一项重要内容，不要一味追求新建淤地坝。对小流域中已有库坝布局不合理的，应通过坝系规划进行调整，根据洪水、泥沙等分布情况，在对已有的淤地坝进行改建、加高的同时，还应在适当位置新修治沟骨干工程或淤地坝，以便提高防洪能力，做到遇洪水能拦、遇旱能灌、淤地能种、来沙能淤、种植安全，充分合理利用水土资源，减少和避免水毁带来的损失。

建议在重视淤地坝建设的同时，不要忽视坡面治理。如果流域坡面水土保持措施跟不上，则淤地坝将很快失去滞洪、拦泥的主要作用，从而失去其特有的保护下游和为黄河流域减沙的功能，并有可能很快成为病险坝，在遭遇较大暴雨洪水时造成"连锁垮坝"，给国家和群众带来不应有的巨大损失。

面临黄土高原地区淤地坝建设高潮的到来，建议把水土保持研究的重点向淤地坝建设方面转移，加强淤地坝方面的研究工作。针对如何防御突发性暴雨洪水造成的淤地坝水毁，如何解决淤地坝拦沙作用的"马鞍型"变化，如何解决在修建了数以万计的淤地坝之后，是否最终能解决黄河泥沙，如何利用黄土高原地区有限的水资源，如何解决生态用水，如何快速修建淤地坝以及淤地坝防洪标准、枢纽结构、坝体结构以及坝体加高，如何预见性地提出淤地坝大规模建设后的水沙变化及对黄河下游减淤的影响等系列问题，多搞一些调查研究和论证，提出一些符合自然规律和经济规律的对策，正确指导淤地坝建设，减少和避免人力、物力、财力的损失和浪费。

第三专题 2002年三门峡水库库区冲淤特性及潼关高程变化

　　三门峡水库建成以来，在初期运用阶段，由于对泥沙问题认识不够，造成水库库区严重淤积，并带来一系列问题。经过两次工程改建和三次运用方式的调整，三门峡水库在防洪、防凌、灌溉、减淤、发电等方面发挥了重要作用。在1974～1986年的水沙情况下，库区冲淤基本平衡。1986年以后，黄河流域水沙发生了显著变化，三门峡库区失去了实现冲淤平衡的基本条件，潼关高程持续上升，且居高不下，成为三门峡水库运用的重要制约因素之一。

　　潼关位于渭河与黄河汇流处下游附近，是渭河下游和小北干流的侵蚀基准面。潼关河床的冲淤变化主要受水沙条件和水库运用水位等因素的影响，其升降对渭河下游和小北干流至关重要。2002年在不利的高含沙小洪水的条件下，潼关高程一度升到329.14 m，引起水利界人士的极大关注。分析2002年水沙特点、水库运用水位过程、库区的冲淤变化及潼关高程变化成因等，不仅可以了解和掌握当年的变化特点，同时可为下年度的防洪和水库调度运用提供科学依据。

第一章 2002 年基本情况

一、来水来沙特点

(一)年水沙量及分配

2002 运用年(2001 年 11 月～2002 年 10 月)潼关水文站年径流量为 180.9 亿 m³，其中汛期 57.9 亿 m³，非汛期 123.0 亿 m³，分别占全年总量的 32%和 68%；年输沙量 5.07 亿 t，汛期为 3.12 亿 t，非汛期 1.95 亿 t，分别占全年的 62%和 38%；年平均含沙量为 28.0 kg／m³，汛期为 53.9 kg／m³，非汛期为 15.9 kg／m³。

潼关水沙量主要来自干流龙门站和渭河华县站以上。2002 年华县站水、沙量分别为 28.40 亿 m³ 和 2.33 亿 t，分别为潼关站的 16%和 46%；龙门站水、沙量分别为 160.4 亿 m³ 和 3.43 亿 t，分别为潼关站的 89%和 68%。特征值见表 1-1。

表 1-1　2002 年龙门、华县、潼关站水沙特征值

站名	项目	全年	非汛期		汛　期	
			量值	占年(%)	量值	占年(%)
潼关	水量(亿 m³)	180.9	123.0	68.0	57.9	32.0
	沙量(亿 t)	5.07	1.95	38.5	3.12	61.5
	含沙量(kg／m³)	28.0	15.9		53.9	
龙门	水量(亿 m³)	160.4	108.2	67.5	52.2	32.5
	水量占潼关(%)	89	88		90	
	沙量(亿 t)	3.43	1.07	31.2	2.36	68.8
	沙量占潼关(%)	68	55		76	
华县	水量(亿 m³)	28.4	17.6	62.0	10.8	38.0
	水量占潼关(%)	16	14		19	
	沙量(亿 t)	2.33	0.72	30.9	1.61	69.1
	沙量占潼关(%)	46	37		52	

从各月水沙量分配来看，潼关站水量以 1 月份最少，为 9.4 亿 m³；6 月份最多，为 21.1 亿 m³，比多年平均偏大 51%；其他月份多在 11.5 亿～18.2 亿 m³ 之间，月平均 15 亿 m³。全年来看，各月水量分配相对均衡，汛期和非汛期水量相差已不明显。潼关站沙量相对集中，6～8 月份沙量为 3.67 亿 t，占全年 72%，其他月份均比较小。龙门和华县各月水沙分布特点与潼关站基本相同，见表 1-2。

(二)洪水特点

2002 年潼关站洪峰流量大于 2 000 m³／s 的洪水出现 2 次，最大为 2 450 m³／s(7 月 6 日)；渭河华县最大洪峰流量为 1 200 m³／s，共出现 5 次高含沙小洪水过程，最大含沙量为 787 kg／m³，相应洪峰流量为 890 m³／s。总体上看，三门峡入库水沙过程具有洪水场次少、峰值低、含沙量高的特点。另外，6 月份洪水次数多是其又一特点，见图 1-1。洪峰和沙峰的特征值见表 1-3。

表 1-2　2002 年龙门、华县、潼关站年水沙量分配

时间 (年-月)	龙门			华县			潼关		
	水量 (亿 m³)	沙量 (亿 t)	平均含沙量 (kg / m³)	水量 (亿 m³)	沙量 (亿 t)	平均含沙量 (kg / m³)	水量 (亿 m³)	沙量 (亿 t)	平均含沙量 (kg / m³)
2001-11	14.2	0.07	4.56	2.5	0.01	2.34	16.0	0.16	10.10
2001-12	11.1	0.06	5.45	1.1	0	0.49	11.5	0.12	10.10
2002-01	9.2	0.03	3.01	0.7	0	0.02	9.4	0.08	8.75
2002-02	13.5	0.03	2.36	1.2	0	0	15.4	0.16	10.50
2002-03	18.4	0.07	4.05	1.1	0	0	18.2	0.17	9.59
2002-04	15.2	0.04	2.48	1.3	0.01	8.28	16.0	0.10	6.25
2002-05	10.8	0.04	3.48	3.3	0.03	8.06	15.4	0.12	7.82
2002-06	15.7	0.73	46.60	6.5	0.67	104.00	21.1	1.03	48.90
2002-07	14.3	1.58	110.00	2.9	0.52	182.00	16.2	1.38	84.90
2002-08	10.7	0.50	47.10	4.2	1.06	253.00	13.2	1.26	95.50
2002-09	14.5	0.22	15.30	2.3	0.03	15.10	15.3	0.32	20.80
2002-10	12.7	0.06	4.44	1.5	0.01	3.47	13.2	0.16	11.90
非汛期	108.2	1.07	9.88	17.6	0.72	40.60	123.0	1.95	15.90
汛期	52.2	2.36	45.20	10.8	1.61	150.00	57.9	3.12	53.90
运用年	160.4	3.43	21.40	28.4	2.33	82.20	180.9	5.07	28.00

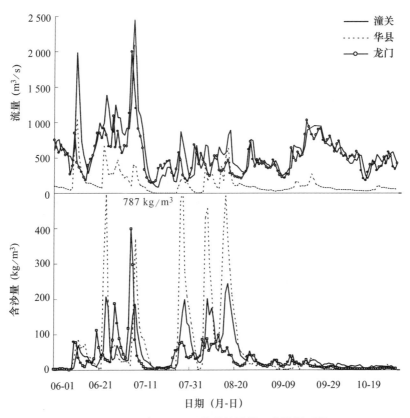

图 1-1　2002 年 6~10 月份日均流量、含沙量过程

表 1-3 2002 年洪峰和沙峰特征值

时段 (月-日)	站名	洪峰流量 (m^3/s)	最大含沙量 (kg/m^3)	水量 (亿 m^3)	沙量 (亿 t)	平均流量 (m^3/s)	平均含沙量 (kg/m^3)
06-09~06-16	龙门	1 560	136.0	2.71	0.117	392	43.2
	华县	1 200	109.0	2.70	0.161	391	59.6
	潼关	2 180	73.5	5.58	0.238	807	42.7
06-22~06-26	龙门	1 200	54.4	3.30	0.107	764	32.4
	华县	890	787.0	1.51	0.437	349	289.0
	潼关	1 510	312.0	4.65	0.550	1 076	118.0
06-27~07-01	龙门	2 430	299.0	3.30	0.365	764	111.0
	华县	520	73.6	1.45	0.068	336	46.9
	潼关	1 430	76.5	4.41	0.201	1 021	45.6
07-03~07-11	龙门	4 580	1 050.0	8.02	1.384	1 031	173.0
	华县	525	595.0	1.53	0.231	197	151.0
	潼关	2 450	263.0	9.47	0.968	1 218	102.0
07-26~08-03	龙门	1 230	79.4	3.04	0.152	391	50.0
	华县	325	698.0	0.87	0.284	112	326.0
	潼关	1 020	223.0	3.60	0.387	463	108.0
08-06~08-12	龙门	1 090	113.0	2.45	0.183	405	33.9
	华县	600	731.0	1.16	0.348	192	300.0
	潼关	920	271.0	3.07	0.377	508	123
08-13~08-22	龙门	693	130.0	2.66	0.134	308	50.4
	华县	675	666.0	2.23	0.682	258	306.0
	潼关	1 070	351.0	4.85	0.694	561	143.0

6 月 9~16 日，潼关站出现了洪峰流量为 2 180 m^3/s、最大含沙量为 73.5 kg/m^3 的洪水过程，洪量为 5.58 亿 m^3，相应沙量为 0.238 亿 t。本场洪水由黄河干流和渭河来水共同组成。

6 月 22~26 日，潼关站出现洪峰流量 1 510 m^3/s、最大含沙量为 312 kg/m^3 的高含沙量小洪水过程，洪量为 4.65 亿 m^3，相应沙量为 0.55 亿 t。洪水期间，渭河和北洛河为高含沙小流量过程，其中华县站洪峰流量为 890 m^3/s，最大含沙量达 787 kg/m^3，华县沙量占潼关的 79%，水量占 32%；北洛河洑头站最大含沙量达 453 kg/m^3，洪峰流量仅为 344 m^3/s。

7 月 3~11 日，黄河晋陕区间及泾河、北洛河局部地区降大到暴雨，暴雨中心主要分布在清涧河、延水、泾河及北洛河的上中游地区。受上述地区降雨影响，黄河龙门站出现洪峰流量为 4 580 m^3/s(4 日 23 时 30 分)、最大含沙量为 1 050 kg/m^3(5 日 0 时 36 分)的洪水过程；渭河、北洛河相继发生高含沙洪水。受干支流来水影响，黄河潼关站出现洪峰流量为 2 450 m^3/s(6 日 12 时)、最大含沙量为 263 kg/m^3(7 日 20 时)的洪水过程，洪水总量 9.5 亿 m^3，沙量 0.97 亿 t，华县水、沙量仅占潼关的 16.2% 和 24%，该场洪水主要来自龙门以上。

此外，在 7 月下旬和 8 月份，渭河还出现了三次小流量高含沙洪水过程。洪水期华县平均含沙量在 300 kg/m^3 以上，平均流量为 112~258 m^3/s；潼关站洪峰在 1 000 m^3/s 左右，平均流量 500 m^3/s，平均含沙量为 108~143 kg/m^3。

2002 年 3 月 13~22 日为潼关站桃汛洪水过程，最大洪峰流量为 1 340 m^3/s，最大日均流量 1 260 m^3/s，水量比 1986~2001 年均值偏少 43%，是三门峡建库以来洪量最小、峰值最低的一次桃峰，其特征值见表 1-4。

表 1-4 2002 年桃汛潼关水沙量特征

时间 (月-日)	天数(d)	流量(m³/s)		水量 (亿 m³)	沙量 (亿 t)
		最大	平均		
03-13~03-22	10	1 340	914	7.90	0.083
1986~2001 年	11.4	2 950	1 411	13.94	0.235

(三)枯水少沙，年内分配发生变化

2002 年是 1986 年以来枯水系列的延续，是枯水系列中的枯水年。年水、沙量比 1986~2001 年枯水系列平均值分别偏少 28%、30%。其中：非汛期水量 123.0 亿 m³，较枯水系列平均值减少 11%；沙量 1.95 亿 t，比枯水系列平均值增加 6%。汛期水量 57.9 亿 m³，比枯水系列平均减少 49%，仅次于 1997 年(55.6 亿 m³)；汛期来沙量 3.12 亿 t，比枯水系列平均减少 42%。水量偏枯的多，沙量偏枯的少，平均含沙量增加(见表 1-5)。

表 1-5 2002 年潼关站水沙量与系列年比较

项目	运用年	11~6 月	占年(%)	7~10 月	占年(%)
1986~2001 年平均水量(亿 m³)	252.5	138.7	55.0	113.7	45.0
2002 年水量距平(%)	−28	−11		−49	
1986~2001 年平均沙量(亿 t)	7.26	1.84	25.3	5.42	74.7
2002 年沙量距平(%)	−30	6		−42	
1986~2001 年平均含沙量(kg/m³)	28.7	13.3		47.6	
2002 年含沙量距平(%)	−2	20		13	

2002 年汛期水量和沙量占全年的百分数分别为 32% 和 62%，而 1986~2001 年多年平均值分别为 45% 和 74.5%，汛期水沙所占比例进一步减少。由图 1-2 和图 1-3 可见，与系列平均相比，2002 年年内水量减少最多的为 8、9 月份，较 1986~2001 年减少 66% 和 50%，其次为 7 月份和桃汛期的 3、4 月份，而 5、6 月份有所增加；沙量减少最多的为 8 月份，其次为 7 月和 9 月，只有 6 月份沙量增加，为系列均值的 2.8 倍。

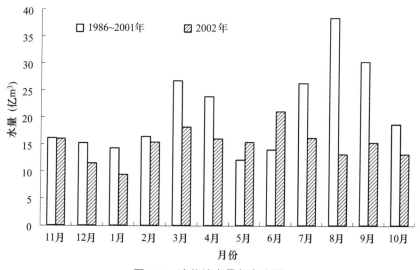

图 1-2 潼关站水量年内分配

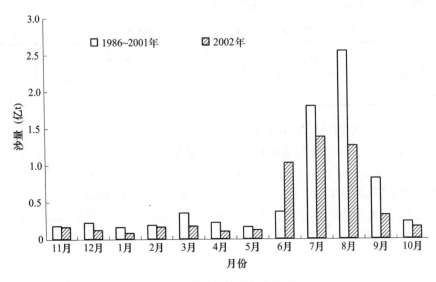

图 1-3　潼关站沙量年内分配

从不同流量级历时来看，2002 年汛期潼关站日均流量大于 2 000 m³/s 的只有 1 d，流量在 1 000 m³/s 以上的只有 5 d，是多年来出现天数最少的年份，汛期 96% 的时间为 1 000 m³/s 以下的平水或小流量过程。而 1986~2001 年枯水系列仍有 43% 的时间流量大于 1 000 m³/s，流量在 2 000 m³/s 以上每年有 14 d，不同时段汛期各级流量出现天数对比情况见表 1-6。由上述分析可见，2002 年为严重枯水年份，特别是汛期出现的枯水过程，类似往年非汛期水量分配，对降低潼关高程十分不利。

表 1-6　汛期各流量级出现天数　(单位：d)

时间	$Q \leq 500$	$500 < Q \leq 1\,000$	$1\,000 < Q \leq 1\,500$	$1\,500 < Q \leq 2\,000$	$2\,000 < Q \leq 2\,500$	$Q > 2\,500$
1974~1985 年	2	17	23	21	18	42
1986~2001 年	26	44	26	13	6	8
2002 年	67	51	3	1	1	0

注：流量单位为 m³/s。

二、三门峡水库运用

(一)近年来水库运用概况

从 1973 年底以来，三门峡水库采取蓄清排浑的运用方式，即非汛期入库泥沙较少，水库蓄水运用，进行防凌、春灌和发电，汛期降低水位进行防洪排沙运用，平水时控制水位为 305~300 m，当入库流量大于 3 000 m³/s 时敞泄排沙。非汛期运用的关键是限制运用水位以控制淤积部位和控制潼关高程上升；汛期除承担防御下游大洪水的任务外，还要排走非汛期淤积在水库的泥沙，以长期保持有效库容，发挥水库的综合利用效益。

为了保持水库长期使用库容，使库区达到年内冲淤平衡，控制潼关高程上升，运用水位不断调整。从水库运用和来水来沙等因素考虑，水库运用情况可以分为四个时段，见表 1-7。

表 1-7 三门峡水库运用水位与潼关站水量

时间	非汛期史家滩水位及相应年均天数				
	平均水位(m)	最高水位(m)	水位高于 324 m 天数(d)	水位高于 322 m 天数(d)	水位高于 320 m 天数(d)
1974~1979 年	316.97	325.95	28	74	104
1980~1985 年	316.55	324.90	5	58	87
1986~1992 年	315.97	324.06	1	39	64
1993~2001 年	315.59	323.71	0	3.6	42

时间	潼关站年均水量(亿 m³)	潼关站汛期大于某流量(m³/s)级天数(d)			汛期史家滩平均水位(m)
		3 000	2 000	1 500	
1974~1979 年	387	26	56	77	305.18
1980~1985 年	415	34	65	86	303.83
1986~1992 年	291	6.6	20	35	302.63
1993~2001 年	223	1.7	8.3	20	304.59

1. 1974～1979 年

非汛期最高运用水位为 325.95 m。高于 324 m 的天数为 0～78 d，年均 28 d；高于 320 m 的天数年均为 104 d，占非汛期天数的 43%。汛期控制水位为 305 m 左右，滞洪最高水位为 317.17 m(1977 年 7 月 8 日)。这一时段潼关以下共淤积 1.45 亿 m³。

2. 1980～1985 年

从 1980 年起，汛期 7～9 月停止发电，控制水位为 300～305 m；非汛期运用水位有所降低，特别是防凌蓄水后，库水位降至 320 m 以下，以利于桃汛冲刷潼关河床。这一时段，非汛期最高运用水位控制在 324 m 左右，最高为 324.90 m，高于 324 m 水位的天数年均只有 5 d；高于 320 m 的天数为 49～101 d，年均为 87 d。这一时段内大部分年份来水偏丰，来沙偏少，由于水沙条件有利和运用方式的调整，全库区略有冲刷，潼关以下冲刷 0.85 亿 m³。

3. 1986～1992 年

非汛期高水位运用天数进一步减少，只有 1988 年、1989 年超过 324 m，最高为 324.06 m，高于 320 m 水位的天数年均只有 64 d，汛期平均运用水位也有所降低。这一时段的来水量少，特别是 1986 年 10 月龙羊峡水库的投入运用，改变了汛期和非汛期的水量分配，汛期来水更少，仅占年水量的 46%，流量大于 3 000 m³/s 的时间显著减少。虽然这时段的高水位运用天数进一步减少，但由于不利的水沙条件，冲刷能力减弱，潼关以下库区仍淤积 1.08 亿 m³。

4. 1993～2001 年

从 1993 年开始，除个别年份(1994 年和 1998 年)外，非汛期最高运用水位基本控制在 322 m 以下。1994～1999 年为汛期浑水发电运用试验，水库运用基本原则为"洪水排沙、平水发电"，当入库流量大于 2 500 m³/s 时降低水位到 300～298 m 排沙，平水期提高坝前水位到 305 m 发电，并以北村水位作为控制坝前淤积的指标。这一时段多数年份为枯水，潼关以下库区淤积 1.22 亿 m³。

(二)2002 年非汛期

为了减少潼关河段的淤积，非汛期控制运用水位进一步降低，直接回水影响范围基本不超过坫埝(坝前水位为 320 m 时，回水直接影响到坫埝附近)。2002 年非汛期三门峡水库最高运用水位为 320.25 m(4 月 21 日)，是水库控制运用以来非汛期最高运用水位的最低值，见图 1-4。非汛期平均库水位为 316.71 m，较 1993～2001 年非汛期平均库水位高 0.97 m。与 1993～2001 年平均相比，2002 年非汛期运用水位比较平稳，没有明显的防凌、春灌蓄水过程。

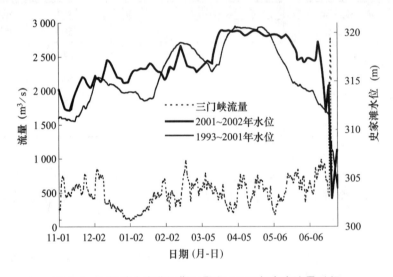

图 1-4　三门峡水库非汛期运用和 2002 年出库流量过程

以桃汛为界，大体可分为两个阶段。第一阶段为桃汛到来之前，库水位多在 315～317 m 之间，平均为 316.06 m。第二阶段为桃汛之后，3 月 13～22 日为桃汛蓄水过程，起调水位 316.84 m，3 月 21 日蓄水位为 320.19 m，3 月 20 日～5 月 17 日库水位在 319.5～320.25 m 之间，平均为 319.91 m；5 月 17 日以后库水位缓慢降低，在 6 月 24 日高含沙小洪水期，水库降低水位排沙运用，库水位降到 302.85 m(6 月 25 日)。

从各级水位天数看(见表 1-8)，2002 年库水位在 320～322 m 之间的天数为 27 d，在 318～320 m 之间有 54 d，在 315～318 m 之间有 116 d，在 310～315 m 之间有 39 d。与 1993～2001 年平均相比，2002 年库水位在 315～318 m 之间的历时增长，在 320 m 以上的高水位天数减少，回水直接影响范围基本控制在坫埝以下。

从非汛期各月平均水位来看，除 2、3 月水位较 1993～2001 年多年平均值降低外，其余各月平均水位均超过多年平均值(见表 1-9)，特别是 6 月份的平均水位超过同期多年平均值 2.10 m。

表 1-8　非汛期史家滩各级水位历时统计　　　　　　　　　　（单位：d）

时间	$H \geqslant 310$ m	310 m$\leqslant H$ <315 m	315 m$\leqslant H$ <318 m	318 m$\leqslant H$ <320 m	320 m$\leqslant H$ <322 m	322 m$\leqslant H$ <324 m	$H \geqslant 324$ m
1993～2001 年	219	79	57	41	38	4	0
2002 年	236	39	116	54	27	0	0

表 1-9　史家滩月平均水位统计表　　　　　　　　　　（单位：m）

时间	月份							
	11	12	1	2	3	4	5	6
1993～2001 年平均水位	312.68	314.95	314.67	318.32	318.40	319.63	317.10	311.85
2002 年水位	313.87	315.64	316.14	316.78	318.22	319.97	319.04	313.95
2002 年水位升降	1.19	0.69	1.47	−1.54	−0.18	0.34	1.94	2.10

(三)2002 年汛期

2002 年汛期三门峡水库运用水位仍按 305 m 控制,平均库水位为 304.51 m,与 1993～2001 年汛期平均水位 304.60 m 基本相同。2002 年汛期有 3 次集中排沙过程,最低库水位为 300.24 m(7 月 6 日第一场洪水期)。汛期三门峡水库运用及出库流量过程见图 1-5。

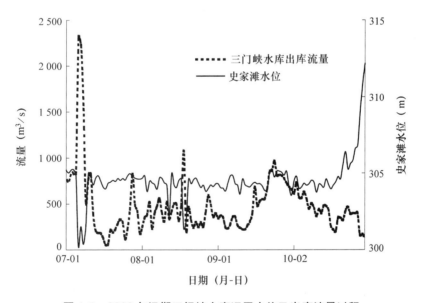

图 1-5　2002 年汛期三门峡水库运用水位及出库流量过程

(四)水库排沙分析

水库排沙决定于洪水过程和水库运用水位。当有较大流量入库且库水位降低时,出库含沙量增加,如图 1-6 所示。2002 年三门峡水库集中排沙 4 次,其中 6 月份 1 次、汛期 3 次。

4 次集中排沙量为 3.48 亿 t,排沙比为 134%;洪水和沙峰期的排沙量为 3.88 亿 t,排沙比为 114%;汛期 7～10 月排沙量为 3.36 亿 t,排沙比为 108%;全年的排沙比为 86%,

见表 1-10。洪水和沙峰期的排沙量占全年的 88.5%，降低水位排沙运用期的排沙量占全年的 79.3%。由此可见，水库排沙集中在洪水期和排沙运用期。

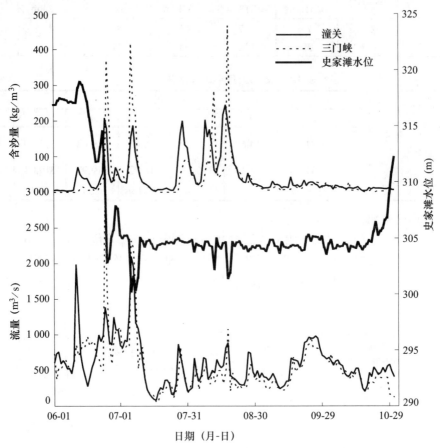

图 1-6　2002 年进出库水沙过程

表 1-10　2002 年排沙统计

时段 （月-日）	库水位(m)		沙量(亿 m³)		排沙比(%)	备注
	平均	最低	入库	出库		
06-09 ~ 06-16	317.84	317.06	0.238	0.033	13.9	
06-22 ~ 06-26	308.90	302.85	0.550	0.812	147.6	排沙运用
06-27 ~ 07-01	306.31	305.14	0.201	0.210	104.5	
07-03 ~ 07-11	303.18	300.24	0.968	1.774	183.3	排沙运用
07-26 ~ 08-03	304.64	303.79	0.387	0.161	41.6	
08-06 ~ 08-12	304.06	302.21	0.377	0.246	65.3	排沙运用
08-13 ~ 08-22	303.92	301.40	0.694	0.643	92.7	排沙运用
累计			3.415	3.879	113.6	
排沙期			2.589	3.475	134.2	
汛期			3.120	3.360	107.7	
全年			5.070	4.383	86.4	

第二章 库区冲淤演变特点

一、潼关以下库区冲淤变化及分布

三门峡水库蓄清排浑运用以来，潼关以下河段具有汛期冲刷、非汛期淤积的特点，沿程冲淤量分布为两端小中间大，主要集中在坩垮至北村河段。由于非汛期运用方式的改善，最高运用水位下调，不同时段的淤积重心不同。1974～1979 年非汛期运用水位较高，淤积重心在黄淤 30 断面—黄淤 38 断面间；1980～1985 年最高运用水位下调，高水位持续时间缩短，淤积重心下移到黄淤 22 断面—黄淤 35 断面之间；1986 年以后最高运用水位控制在 324 m 以下，特别是 1993 年以后基本不超过 322 m，淤积重心在黄淤 20 断面—黄淤 33 断面之间。1986 年以后淤积重心明显下移，汛期的冲刷重心也相应下移，非汛期淤积集中的河段具有大冲大淤的特点。

由于来水来沙条件的差异，不同时段库区的冲淤量不同。1974～1985 年来水偏丰，除 1977 年出现高含沙洪水外，来沙量偏少，时段内潼关以下累计淤积 0.59 亿 m³，冲淤基本平衡。1986 年以来为枯水少沙系列，除 1992 年和 1996 年有较大冲刷外，多数年份为淤积，至 2001 年累计淤积 2.3 亿 m³，各年冲淤分布及累计冲淤过程见图 2-1。

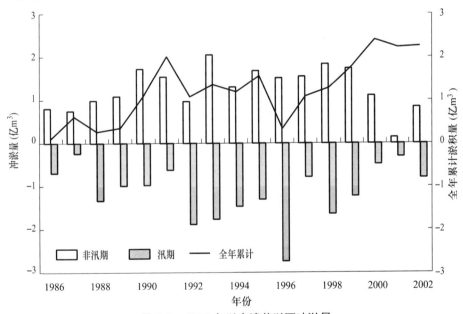

图 2-1　1986 年以来潼关以下冲淤量

2002 年统测大断面资料表明，潼关以下库区非汛期淤积 0.835 亿 m³，汛期冲刷 0.802 亿 m³，全年淤积 0.033 亿 m³，年内基本冲淤平衡。

由 2002 年潼关以下库区冲淤量分布可知，非汛期淤积主要集中在黄淤 14 断面—黄淤 32 断面之间，淤积三角洲顶点在黄淤 22 断面(即北村)附近，黄淤 35 断面以上为冲刷。汛期黄淤 34 断面以下为冲刷，即溯源冲刷发展到黄淤 34 断面，而该断面以上河段为淤积，各河段的冲淤分布见图2-2和表2-1。潼关至坫埝河段表现为非汛期冲刷、汛期淤积，冲淤特点与其上游河段一致，说明该河段基本不受水库的影响，其冲淤演变主要是不利水沙条件作用的结果。

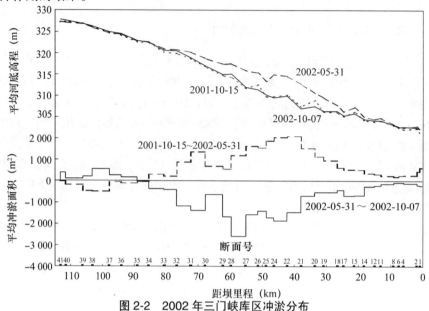

图 2-2 2002 年三门峡库区冲淤分布

表 2-1 2002 年三门峡库区冲淤量 （单位：亿 m³）

河段	非汛期	汛期	年
黄淤 1—黄淤 12	0.049	−0.024	0.025
黄淤 12—黄淤 22	0.292	−0.196	0.096
黄淤 22—黄淤 30	0.418	−0.491	−0.073
黄淤 30—黄淤 36	0.134	−0.159	−0.025
黄淤 36—黄淤 41	−0.058	0.068	0.010
黄淤 1—黄淤 41	0.835	−0.802	0.033

二、小北干流河道冲淤变化

小北干流河段河道具有非汛期冲刷、汛期淤积的特点。1986 年以来，小北干流河道的冲淤演变具有沿程变化的特点，即冲刷或淤积强度上段大、下段小，至 2001 年累计淤积量 6.56 亿 m³。2002 年黄河小北干流河道非汛期冲刷 0.60 亿 m³，汛期淤积 0.89 亿 m³，全年淤积 0.29 亿 m³，冲淤量分布见表 2-2 和图 2-3。

表 2-2 2002 年黄河小北干流冲淤量 （单位：亿 m³）

河 段	非汛期	汛期	年
黄淤 41—黄淤 45	−0.036	0.123	0.087
黄淤 45—黄淤 50	−0.119	0.154	0.035
黄淤 50—黄淤 59	−0.204	0.291	0.087
黄淤 59—黄淤 68	−0.241	0.322	0.081
黄淤 41—黄淤 68	−0.600	0.890	0.290

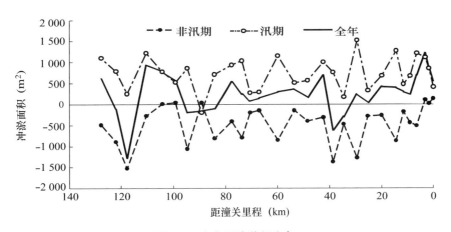

图 2-3　小北干流淤积分布

2002 年 7 月 4～6 日洪水期间,小北干流河段发生了"揭河底"冲刷。该场洪水龙门最大洪峰流量为 4 580 m³ / s(4 日 23 时 30 分),最大含沙量为 1 050 kg / m³(5 日 0 时 36 分,相应流量为 2 700 m³ / s),沙峰期间龙门河床淤积抬高。7 月 5 日 2 时 36 分(相应流量为 1 710 m³ / s)河床开始发生"揭河底"冲刷,经过约 8.5 h,至 9 时 12 分(相应流量为 1 400 m³ / s)水位下降 2.15 m,见图 2-4。冲刷期间,龙门最大流量为 2 110 m³ / s,含沙量在 527～700 kg / m³ 之间;"揭河底"冲刷前后水面宽由 274 m 缩窄到 180 m 左右,7 月 5 日 14 时之后开始展宽,至 8 日同流量水位已有明显抬高。10 月份同流量水位基本恢复到洪水之前的高程。

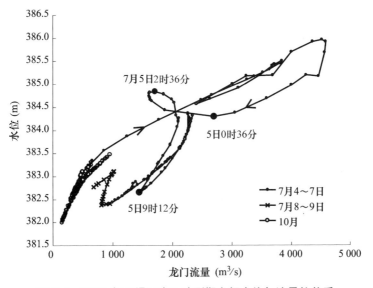

图 2-4　2002 年"揭河底"冲刷期龙门水位与流量的关系

由于本次洪水过程流量小,持续时间短,含沙量在 400 kg / m³ 以上持续约 10 h,只是在局部河段发生"揭河底"冲刷,揭底厚度为 2 m 左右,之后回淤,特别是禹门口以下回淤迅速,对汛期河床并没有造成冲刷,没有改变小北干流河段汛期淤积的特性。

三、渭河下游冲淤变化

2002 年渭河下游(渭淤 37 断面—渭拦 4 断面)淤积量 0.216 亿 t，其中：非汛期淤积 (2001 年 10 月～2002 年 5 月 22 日)0.023 4 亿 t；汛期(5 月 22 日～9 月 27 日)淤积 0.193 1 亿 t，占全年的 89%。沿程分布具有上段冲刷、下段淤积的特点。渭河交口(渭淤 21 断面) 以上河床比降陡，非汛期有冲有淤，汛期多为冲刷；交口以下河床平缓，输沙能力降低，泥沙开始落淤。尤其是赤水河口以下河床比降只有 2‰～1‰，淤积集中在渭淤 6 断面—渭淤 11 断面之间，水流含沙量调整之后，渭淤 6 断面以下河段淤积量减少。图 2-5 为冲淤面积的沿程变化，反映了渭河下游的冲淤量分布和冲淤强度的沿程变化。吊桥附近受河势的影响，断面变化较大。不同河段的淤积量见表 2-3。

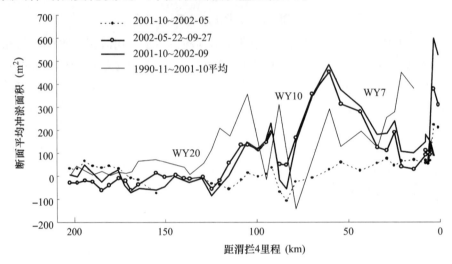

图 2-5　渭河下游冲淤量分布

表 2-3　渭河下游各河段冲淤量　　　　　　　　　　　　　　　(单位：亿 m³)

河段		渭拦	渭淤 1—渭淤 10	渭淤 10—渭淤 26	渭淤 26—渭淤 37	渭淤 1—渭淤 37
2002 年	非汛期	0.009 5	0.026 8	−0.019 6	0.006 7	0.013 0
	汛　期	0.015 4	0.144 7	0.048 5	−0.015 5	0.176 2
	全　年	0.024 9	0.171 5	0.028 9	−0.008 8	0.189 2
1990-11~2001-10		0.073 3	1.483 0	0.877 1	0.126 2	2.486 2

1990～2001 年渭河下游(渭淤 1 断面—渭淤 37 断面)淤积量为 2.486 2 亿 m³，交口(渭淤 21)以下淤积量占 82%，沿程分布呈上段小、下段大的特点，淤积分布见图 2-5 和表 2-3。

有关研究表明[1]，进入渭河下游的流量和含沙量对河道的冲淤具有很大影响。含沙量在 200 kg／m³ 以上的高含沙量洪水及 100 kg／m³ 以下的低含沙量洪水，在平均流量为 500 m³／s 时，渭河下游的排沙比(临潼与华阴站输沙率之比)可达 100%，这种来沙情况对河道排沙有利；含沙量在 100～200 kg／m³ 之间的洪水，平均流量达到 800～1 000 m³／s

---

[1] 赵文林，茹玉英. 渭河下游河槽调整及输沙特性.黄河水利科学研究院，1993

时，排沙比才能到 100%；遇高含沙量和较高含沙量的小洪水时，主槽淤积严重。

2002 年华县 7 次小洪水平均流量在 112～391 m^3/s 之间，其中 4 次平均含沙量在 200 kg/m^3 以上，洪水期的输沙量占全年的 95%。由此可见，高含沙量小洪水是造成渭河下游淤积的根本原因。

从渭河下游华县水文站的同流量(200 m^3/s)水位变化来看，2001 年汛后为 337.30 m，2002 年汛前为 337.05 m，汛后约为 337.46 m，即非汛期下降 0.25 m，汛期上升 0.41 m，年上升 0.16 m。

2002 年渭河最大洪峰流量(1 200 m^3/s)发生在 6 月份，洪水基本没有漫滩，之后在高含沙量洪水过程期间，洪峰流量均在 900 m^3/s 以下。因此，渭河下游的淤积绝大部分在主槽内。由于华县河段淤积严重，汛后的平滩流量有所减小。

第三章　潼关高程变化分析

一、近期变化特点

潼关断面位于三门峡大坝上游 125.6 km 处，紧靠黄河与渭河汇流区下游，对渭河下游和小北干流部分河段起局部侵蚀基准面的作用。1960 年 9 月三门峡水库蓄水运用后，库区严重淤积，潼关高程(潼关(六)断面 1 000 m^3／s 水位)急剧抬升，至 1962 年 3 月达到 328.07 m，较建库前抬高 4.67 m。经过运用方式的调整和二次改建，扩大泄流规模，库区发生冲刷，1973 年汛后为 326.64 m。

1973 年底，三门峡水库开始蓄清排浑调水调沙运用。1974 ~ 1985 年水沙条件较为有利，尽管非汛期运用水位较高，潼关高程基本变化在 327 m 上下。1986 年以后，由于龙羊峡水库投入运用、沿黄工农业用水不断增加、降雨量偏少以及水土保持工程的作用，三门峡入库水沙条件发生了很大变化，汛期来水量大幅度减少，洪水发生频率降低，小流量历时增加。在此期间，虽然三门峡水库最高运用水位继续下调，非汛期潼关高程的上升值减小，但汛期冲刷下降值更小，年内冲淤达不到平衡，潼关高程持续抬升(见图 3-1 和表 3-1)，1995 年汛后达 328.28 m，累计上升 1.64 m。潼关高程是三门峡水库运用的制约因素，其居高不下的局面严重影响三门峡水库综合效益的发挥。从 1996 年实施清淤工程至 2001 年，潼关高程变化在 328.0 ~ 328.4 m 之间，2001 年 10 月底潼关高程为 328.23 m。

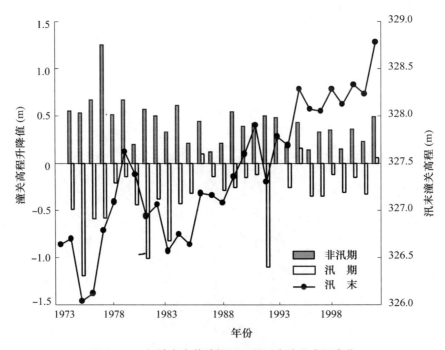

图 3-1　三门峡水库蓄清排浑运用以来潼关高程变化

表 3-1 不同时段潼关高程变化

运用年份	汛期水量 (亿 m³)	非汛期坝前水位 大于 322 m 的天数(d)	潼关高程年均变化(m)		
			非汛期	汛期	年
1974～1979 年	225	74	0.70	− 0.53	0.17
1980～1985 年	248	57	0.40	− 0.57	− 0.17
1986～1995 年	132	28	0.37	− 0.21	0.16
1996～2001 年	84	4	0.26	− 0.27	− 0.01

二、2002 年潼关高程变化过程

2001 年 10 月底潼关高程为 328.23 m,汛后开始抬升。2001 年 12 月初上升到 328.50 m,直到 2002 年桃汛清淤开始前基本保持在 328.50 m 左右,桃汛洪水前潼关高程为 328.35 m,洪水后为 328.38 m。到 4 月 20 日清淤结束,潼关高程基本保持在 328.38 m 左右。

2002 年 6 月 9～16 日潼关站出现洪水过程,洪峰流量为 2 180 m³/s,相应三门峡水库蓄水位在 318 m 左右,潼关高程由 6 月 10 日的 328.20 m 上升到 6 月 13 日的 328.40 m 左右。6 月 22～26 日的高含沙小洪水前后,潼关高程由 328.42 m 上升到 329.14 m,达到历史最高值;经过 6 月 27 日～7 月 1 日洪水的作用,潼关高程下降到 328.72 m,较最高值下降 0.42 m。7 月 3～11 日洪水前后,潼关高程基本维持在 328.72 m 左右,到 7 月 27 日为 328.62 m。

7 月下旬到 8 月,渭河出现 3 场高含沙小流量过程,潼关站最大日均流量小于 1 000 m³/s,涨水过程同流量水位升高,出现沙峰时潼关水位均处于该过程的最高值,沙峰过后同流量水位下降(见潼关水位与流量关系图 3-2)。在 8 月 13～22 日的洪水过程中,8 月 17 日潼关流量 818 m³/s 时潼关(六)水位达到 329.03 m,按此趋势潼关高程达到 329.12 m,但持续时间很短。9 月 26 日潼关高程降至 328.78 m,直至汛末基本维持在 328.78 m 左右。

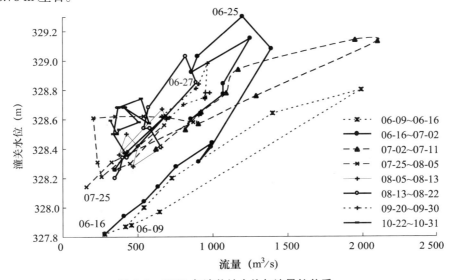

图 3-2 2002 年潼关站水位与流量的关系

总体来看,2002 年 5 月份以前潼关高程变化不大,6 月份曾一度达到 329.14 m,对潼关高程的相对稳定产生严重后果。虽然经过了汛期的冲刷调整，汛后潼关高程仍然比较高，较 2001 年汛后抬升 0.55 m(见图 3-3)。

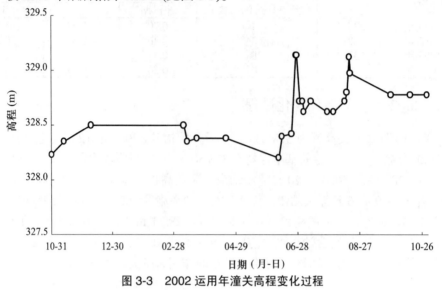

图 3-3　2002 运用年潼关高程变化过程

三、2002 年潼关高程变化成因

潼关高程的变化一般具有非汛期抬升、汛期下降的规律，而 2002 年潼关高程 6 月 22～26 日上升 0.72 m，汛期并没有显著下降，这与水沙条件具有密切的关系。

(一)汛期流量小是造成潼关高程上升的主要原因

一般情况下，汛期洪水较多，水量较大，水流输沙能力强，潼关高程下降幅度也较大。汛期潼关高程的变化与来水量的关系(见图 3-4)表明，随着汛期水量的增加，潼关高程的下降幅度增大，但由于影响因素的复杂性，单因子点据关系较为散乱。如果建立汛期潼关高程变化与水流能量 γWJ(γ 为水的容重，W 为汛期水量，J 为水面比降)的关系，同样有明显的趋势，但关系也较散乱。

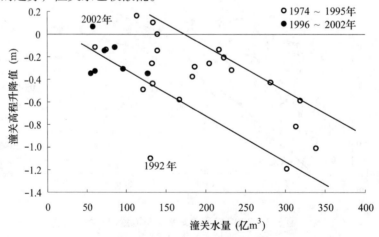

图 3-4　1974 年以来汛期潼关高程变化与水量的关系

水流输沙能力与流量的高次方成正比,而小流量能够挟带的泥沙量极其有限。通过汛期潼关高程变化与不同流量级水量的相关分析表明,潼关高程下降值与流量大于 2 000 m³/s 的水量具有线性正相关趋势,而与小于 1 000 m³/s 水量有线性负相关趋势。汛期流量在 1 000 m³/s 以下,对潼关河床的冲刷是十分不利的。

从表 3-2 枯水年的统计看,2002 年的水量与 2001 年、1997 年和 1991 年十分接近,但洪峰流量小,大于 1 000 m³/s 的历时也少;洪峰流量与 2 000 年的接近,但 2000 年沙量少且流量大于 1 000 m³/s 时间长;从潼关高程来看,在统计的枯水年份,也只有 2002 年没有冲刷。此外,在 2002 年 7 月下旬到 8 月,渭河的高含沙小洪水汇入后,潼关站含沙量在 100 ~ 250 kg/m³ 之间,而流量在 400 ~ 900 m³/s 之间,这样的水沙条件是造成河床淤积的主要原因(见图 3-2)。因此,2002 年汛期潼关高程的抬升与长时间的流量小、含沙量大的作用是分不开的。

表 3-2　潼关站枯水年汛期水沙特征及潼关高程变化

年份	汛期水量 (亿 m³)	汛期沙量 (亿 t)	Q>1 000 m³/s 特征值		最大流量 (m³/s)	潼关高程 变化值(m)
			天数(d)	水量(亿 m³)		
2002 年	58.1	3.12	5	6.7	2 450	0.06
2001 年	61.1	2.91	14	16.4	2 780	−0.33
2000 年	73.1	2.08	21	23.3	2 270	−0.15
1997 年	55.6	4.11	16	18.6	4 700	−0.35
1991 年	61.1	1.99	11	13.7	3 310	−0.12
1987 年	75.4	2.08	22	26.9	5 450	−0.14

从小北干流与潼关高程演变规律来看,非汛期龙门含沙量低,小北干流河段发生沿程冲刷,潼关段河床淤积;汛期龙门流量、含沙量增大,小北干流河段淤积,潼关高程冲刷下降。近年来,潼关河段(黄淤 36 断面—黄淤 41 断面)表现为非汛期冲刷、汛期淤积,与小北干流河段变化规律一致,这说明潼关高程的变化是上游河道冲淤调整的延续,是水沙条件和河床相互适应的结果。由于汛期流量大幅度减小,小流量时小北干流河道的冲淤特点更接近于非汛期,这对潼关高程的冲刷十分不利。从沙量平衡分析,2002 年汛期小水期(扣除 4 场洪水),龙门沙量为 0.51 亿 t,华县为 0.08 亿 t,潼关为 0.69 亿 t,初步估算小北干流冲刷 0.1 亿 t,上段的冲刷造成潼关站含沙量增大,也是影响潼关高程的一个重要因素。

(二)6 月 22~26 日潼关高程抬升成因

1. 水库运用的影响

2002 年 6 月 9~16 日潼关出现第一场洪水,入库水量为 5.58 亿 m³,沙量为 0.238 亿 t,在此期间,坝前水位为 317.06 ~ 318.94 m,平均为 317.84 m,回水末端在大禹渡和坩堉之间,入库泥沙绝大部分在此淤积,潼关高程上升 0.2 m。

6 月 22~26 日洪水过程中,23 日 16 时流量上涨到 1 000 m³/s 以上,含沙量大于 100 kg/m³,洪峰出现在 24 日 20 时前后,而坝前水位 24 日 2 时开始降低,从 315 m 左右降到 23 时的 306 m,最低运用水位为 302 m。在 6 月份出现洪水特别是含沙量高的情况下,这种运用方式对库区的冲刷排沙和潼关高程降低是不利的。

2. 水沙条件作用

对汛初历次小洪水(潼关洪峰流量小于 3 000 m³/s,渭河出现洪水或沙峰)资料分析结果表明，潼关高程的变化与潼关站平均含沙量有一定关系。随着含沙量增大，潼关高程变化趋势存在一转折点，见图 3-5。当洪水平均含沙量大于 150 kg／m³，同时渭河华县洪峰流量在 800 m³／s 以上时，潼关高程明显下降，随着含沙量的增加，潼关高程的下降值增大，且存在较好的相关关系。当含沙量小于 80 kg／m³ 时，潼关高程冲淤变幅在 0.1～−0.2 m 之间；当含沙量在 80～150 kg／m³ 时，潼关高程多呈现淤积抬升。

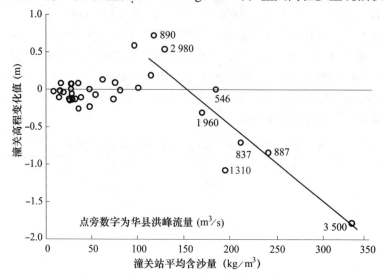

图 3-5　潼关高程变化与平均含沙量的关系

为了进一步分析小洪水期潼关高程的变化规律，同时考虑华县洪水的影响，点绘关系如图 3-6 所示。总体上看，在同样含沙量的条件下，华县洪峰流量大时，潼关高程下

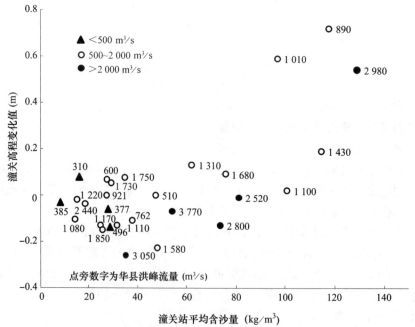

图 3-6　潼关高程变化与潼关站平均含沙量(＜150 kg／m³)的关系

降值大。当华县洪峰流量在 3 000 m³/s 左右时，点群位于下方；当洪峰流量小于 1 000 m³/s 时，点群位于左上方。

在图 3-5 和图 3-6 中，2002 年 6 月 22～26 日洪水期的变化也符合这种关系，说明潼关高程明显升高是水沙条件组合不利的必然结果。

需要说明的是，以上所建立的关系是以洪水为前提，含沙量大于 150 kg/m³ 的均为渭河的高含沙洪水。当含沙量较低时，水流属牛顿流体，符合一般挟沙力关系；随着含沙量的增加，水流黏性增加，当含沙量达到一定值时，粒径小于 0.01 mm 的含沙量大于 70 kg/m³，这时水流属宾汉流体，其输沙能力取决于河床泥沙的组成条件。因此，含沙量对潼关高程的影响，实际上反映了流体的性质对输沙能力和河床冲淤的影响。

3. 河床形态的影响

潼关高程的变化是多种因素综合作用的结果，除流量和含沙量大小之外，河床形态、水沙峰过程也会对冲淤产生影响。

如 1998 年 5 月 22～28 日，入库水沙条件与 2002 年 6 月 22～26 日十分相似，坝前水位平均为 321.42 m，最高为 322.78 m，回水影响到坩埚以上，但潼关高程并没有明显抬升；而 2002 年在平均运用水位为 308.94 m 的情况下，潼关高程上升 0.72 m，见表 3-3。造成这种差异的原因，可以从洪水过程和河床形态考虑。

表 3-3　典型洪水水沙条件与潼关高程变化

时间 (年-月-日)	潼关				华县			史家滩平均水位 (m)	潼关高程升降值 (m)
	Q_m (m³/s)	Q (m³/s)	S (kg/m³)	W_s (亿 t)	Q_m (m³/s)	Q (m³/s)	S_m (kg/m³)		
2002-06-22～26	1 510	1 076	118.0	0.55	890	349	787	308.94	0.72
1998-05-21～28	1 750	1 088	105.5	0.69	1 100	539	426	321.42	0.02

(1)1998 年洪峰流量为 1 100 m³/s，平均流量为 539 m³/s，洪峰和沙峰在时间上基本对应；而 2002 年洪峰流量为 890 m³/s，减少了 210 m³/s，沙峰滞后于洪峰 8 h，洪水平均流量 349 m³/s，见图 3-7。

(2)1998 年洪水前，潼关断面呈两个主槽，渭河高含沙洪水在右岸入汇后，沿右岸主槽行洪，这股水流可以基本保持其高含沙的流动特性；2002 年洪水前断面宽浅，渭河口上提，渭河高含沙小洪水与干流水流充分混合，降低了高含沙洪水的冲刷能力，主流位置冲刷形成窄深的小河槽，主流两边淤积抬高，见图 3-8。因此，与 2002 年相比，尽管 1998 年的坝前水位高，但由于华县流量偏大，洪峰和沙峰基本对应，对潼关断面形态有利，所以潼关高程变幅很小。

4. 潼关高程抬升与渭河淤积下延的关系

2002 年 6～8 月渭河共来了 5 场最大含沙量超过 500 kg/m³ 的小洪水，洪水平均流量小于 400 m³/s，造成渭河下游主槽淤积，特别是 6 月 22~26 日的小洪水，渭河华县站最大含沙量高达 787 kg/m³，平均流量仅为 349 m³/s，渭河下游发生沿程淤积，华县、华阴站 500 m³/s 流量水位分别约上升 1.4 m 和 1.2 m。水流出渭河口到汇流区，

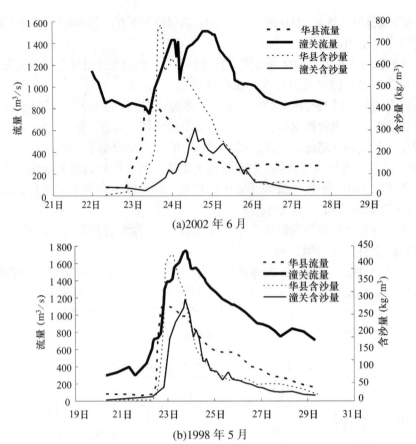

(a)2002 年 6 月

(b)1998 年 5 月

图 3-7　2002 年 6 月 22～26 日和 1998 年 5 月 21～28 日洪水过程

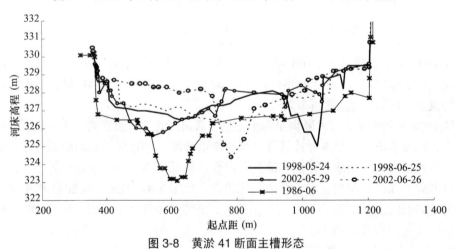

图 3-8　黄淤 41 断面主槽形态

过流断面突然扩大，水流流速迅速降低，汇流区及其以下河道发生淤积，潼关至黄淤 33 断面间 1 000 m³／s 流量时水位升幅呈现沿程减小的趋势(见表 3-4)，说明该场洪水造成的淤积是从上向下发展的，其中潼关(六)水位抬升最高，幅度达 0.72 m，坩埡抬升 0.11 m。高含沙洪水的沿程淤积是导致潼关高程迅速抬升的主要原因。

表 3-4　2002 年 6 月 22~26 日洪水前后各站同流量水位升降值

站或断面	华县 500 m³/s		潼关流量 1 000 m³/s							
	华县	华阴	潼关(六)	黄淤 39+4	黄淤 37+8	黄淤 37	坫垮	黄淤 35	黄淤 33	大禹渡
水位升降 (m)	1.4	1.2	0.72	0.69	0.16	0.16	0.11	0.11	0.22	−0.01

(三)桃汛洪水对潼关高程的冲刷作用减弱

根据三门峡水库长期实践经验,桃汛洪水对潼关高程的冲刷降低具有一定作用,是非汛期潼关河床冲刷的惟一机会,可将非汛期淤积的泥沙搬移到下段,有利于汛期排沙。1974 年以来,由于入库水沙条件和水库控制水位的不同,非汛期潼关高程抬升值也不同。

由表 3-5 和图 3-9 可知,1974 ~ 1998 年潼关站桃汛洪峰一般在 2000 ~ 2 800 m³/s 之间,平均流量为 2 360 m³/s,平均 11 d 洪量约为 13 亿 m³,水库起调水位一般在 315 ~ 322 m 之间,潼关高程平均下降 0.12 m。其中,1974 ~ 1979 年桃汛期潼关高程平均下降 0.01 m,加上非汛期水库运用水位较高,潼关高程平均每年升高 0.70 m;1980 年以后三门峡水库非汛期最高运用水位和桃汛起调水位降低,桃汛洪水对潼关高程的冲刷作用增大,桃汛期潼关高程平均下降约 0.10 m,非汛期平均升高 0.40 m;1993 年后吸取了水库的运用经验,非汛期最高运用水位和桃汛起调水位进一步降低,1993 ~ 1998 年桃汛期潼关高程年均下降 0.26 m,较前一阶段明显增大。

表 3-5　非汛期潼关高程变化值　　　　　　　　　　　　(单位:m)

时段	非汛期	桃汛期	水库起调水位
1974 ~ 1979 年	0.70	−0.01	321.43
1980 ~ 1985 年	0.40	−0.10	318.57
1986 ~ 1992 年	0.37	−0.11	319.58
1993 ~ 1998 年	0.32	−0.26	315.31
1999 ~ 2002 年	0.31	0.02	316.53

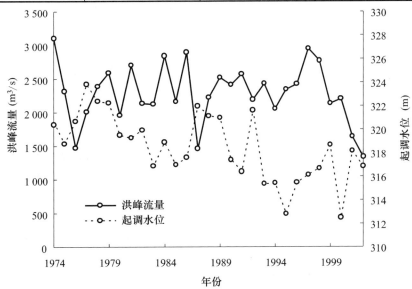

图 3-9　1974 年以来桃汛洪峰流量和起调水位

1998 年 10 月万家寨水库投入运用后，改变了桃汛洪水过程，洪峰流量削减，洪水量减少。典型年进出库流量过程如图 3-10 所示，在桃汛到来之前泄水，桃峰入库后拦蓄洪峰期水量，使其出库流量形成两个小洪峰，桃汛洪峰值降低。桃汛期万家寨年均蓄水量为 3 亿~4 亿 m³，削峰比为 30%~40%。万家寨水库运用以来，在供水、发电和防凌方面发挥了显著作用，但是对降低潼关高程产生了不利影响，1999~2002 年桃汛期平均洪峰流量为 1 827 m³/s，潼关高程年平均抬升 0.02 m。

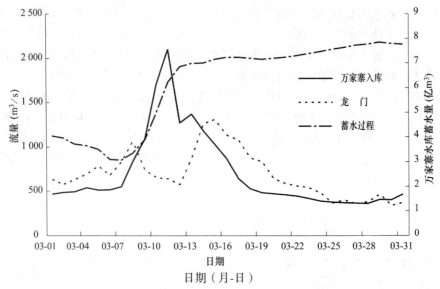

图 3-10 2002 年万家寨水库运用过程❶

多年来对三门峡水库及潼关高程的研究表明，桃汛期潼关高程的冲刷下降值与洪峰流量、洪量和水库起调水位关系密切。桃峰流量大、洪量多，潼关高程的下降幅度也大，起调水位高则潼关高程下降少，特别是当起调水位过高，回水影响到潼关时，桃汛期潼关高程不但不下降，反而还升高。如 1977 年桃汛期洪峰流量为 2 010 m³/s、起调水位为 323.82 m、平均蓄水位为 324.18 m，相应潼关高程抬升了 0.19 m，如图 3-11 所示。从图 3-11 中可以看出，当洪峰流量相同时，起调水位越低，潼关高程的冲刷降低值越大；如果起调水位相同，随着洪峰流量的增加，潼关高程下降值增大。当洪峰流量小到某一值，即使起调水位降低，潼关高程还是升高。

三门峡水库非汛期库水位为 315 m 时，回水末端一般在大禹渡附近；库水位低于315 m 时，大禹渡以上属于自然河道，其演变主要受来水来沙的影响，水库运用不产生直接影响。2002 年桃汛洪峰只有 1 340 m³/s，起调水位为 316.84 m，潼关高程上升 0.03 m，使非汛期潼关高程失去了惟一的冲刷机会。

(四)坝前水位对潼关高程的影响

三门峡水库坝前蓄水位的变化对潼关高程具有较大的影响。其中，蓄水位在 322 m以上时，对潼关高程有着直接的影响；蓄水位在 322 m 以下时，则主要是由于淤积部位

---

❶ 系根据月报资料。

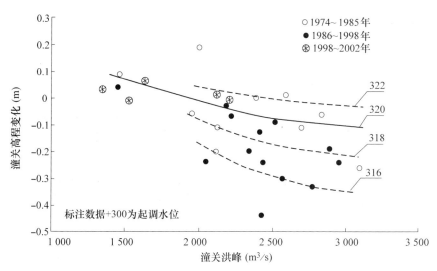

图 3-11　桃汛期潼关高程变化与洪峰和起调水位的关系

的不同,对潼关高程产生间接影响。蓄水位高,库区淤积部位靠上,对潼关高程的间接影响增大。同时,在水沙条件不能维持年内冲淤平衡的条件下,淤积的累计会使得这种间接影响得到持续性积累;反之,间接影响则相对较小。

　　为了分析 2002 年坝前水位对潼关高程变化的影响,假定桃汛期(3 月 11～18 日)控制库水位 310 m、6 月 10～24 日控制库水位 305 m 运用,不同运用方案相应史家滩水位见表 3-6,按实测水沙过程用梁国亭数学模型进行计算,计算成果见表 3-7 和表 3-8。

表 3-6　各方案史家滩水位时段平均值比较　　　　　　　　　　　(单位:m)

方案编号	2002-03-11~18	2002-06-10~24	说明
方案 1	316.60	315.42	实测过程
方案 2	310.00	315.42	其他时段同实测过程
方案 3	316.60	305.00	其他时段同实测过程

表 3-7　各方案计算淤积量成果　　　　　　　　　　　　(单位:亿 m³)

方案	时段	黄淤 1—黄淤 22	黄淤 22—黄淤 30	黄淤 30—黄淤 36	黄淤 36—黄淤 41	黄淤 1—黄淤 41
实测值	非汛期	0.341	0.418	0.134	−0.058	0.835
	汛期	−0.220	−0.491	−0.159	0.068	−0.802
	年	0.121	−0.073	−0.025	0.010	0.033
方案 1	非汛期	0.335	0.470	0.130	−0.060	0.875
	汛期	−0.242	−0.514	−0.154	0.072	−0.838
	年	0.093	−0.044	−0.024	0.012	0.037
方案 2	非汛期	0.392	0.413	0.117	−0.067	0.855
	汛期	−0.324	−0.465	−0.163	0.065	−0.887
	年	0.068	−0.052	−0.046	−0.006	−0.036
方案 3	非汛期	0.261	0.345	0.108	−0.071	0.643
	汛期	−0.192	−0.428	−0.165	0.058	−0.727
	年	0.069	−0.083	−0.057	−0.013	−0.084

表 3-8　各方案计算的潼关高程 （单位：m）

时间 (年-月-日)	实测值	方案 1	方案 2	方案 3
2001-11-01	328.23	328.21	328.21	328.21
2002-06-30	328.72	328.83	328.80	328.78
2002-10-31	328.78	328.87	328.85	328.81

方案 1 对实际过程的验证表明，模型比较好地模拟了三门峡水库潼关以下河段汛期、非汛期冲淤特性，汛期、非汛期和运用年的实测值与计算值较接近。

方案 2 在桃汛期间降低了坝前运用水位，计算结果表明，黄淤 1 断面—黄淤 22 断面非汛期淤积量较方案 1 大，而黄淤 22 断面—黄淤 30 断面和黄淤 30 断面—黄淤 36 断面非汛期淤积量较方案 1 小，说明水库采用方案 2 运用时，黄淤 36 断面以下的淤积分布较方案 1 偏下，即淤积重心下移。从汛期的冲刷量来看，黄淤 1 断面—黄淤 22 断面冲刷量较方案 1 大，黄淤 22 断面—黄淤 30 断面的冲刷量较方案 1 小，这也反映了黄淤 30 断面以下"非汛期多淤、汛期多冲，非汛期少淤、汛期少冲"的特点。从黄淤 36—黄淤 41 河段看，非汛期和汛期两者差别较小，但是方案 2 非汛期冲刷量较大，汛期淤积量较小，方案 2 计算的潼关高程较方案 1 低。由此可见，方案 2 较方案 1 有利于汛期水库排沙，对库区各河段的冲刷有利，运用年略有冲刷。

方案 3 在 6 月洪水期三门峡水库降低运用水位至 305 m，计算各河段非汛期淤积量较方案 1 小，特别是黄淤 30 断面以下淤积量减少明显，非汛期末的潼关高程较方案 1 低 0.05 m。因此，方案 3 与方案 1 比较，对各河段的冲刷作用非常明显，对潼关高程下降也具有一定作用。

结果表明，三门峡水库在桃汛期间适当降低坝前水位，对非汛期淤积重心向坝前移动是有利的，6 月份小洪水期三门峡降低坝前水位至 305 m 对减少非汛期淤积是非常有利的，但对降低潼关高程的作用非常有限。

第四章　2002年清淤效果

影响潼关高程的主要因素有来水来沙条件、水库运用、前期河床条件等，特别是潼关河段的淤积是导致河床抬升的直接原因。为了改善潼关河床条件，解决潼关高程居高不下的问题，潼关河段于1996年开始射流清淤试验。实践表明，通过清淤作业，潼关河段河势可得到明显改善，由宽、浅、散、乱的河道转变为水流集中、规顺的河道，对增加该河段河道输沙能力、抑制潼关高程上升起到了一定作用。清淤以来，黄淤36—黄淤41河段汛期的冲淤变化与来水量呈明显的线性关系(见图4-1)，而且相应点据大多位于点群的下方。这说明，清淤后河势规顺，增强了水流的冲刷作用，同水量条件下冲刷量增加或淤积量减少。

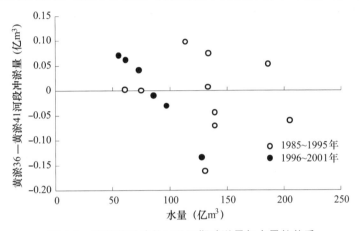

图4-1　清淤前后潼关河段汛期冲淤量与水量的关系

2002年潼关河段继续实施射流清淤工程，共投入清淤作业射流船9艘、测量船1艘、交通快艇3艘。作业时间分别在桃汛期3月10日~4月20日和主汛期6月24日~10月15日，除因水、沙条件限制停工外，累计作业时间131天。作业河段在黄淤36断面—黄淤41断面之间，桃汛期重点清淤河段在黄淤37断面—黄淤39+4断面之间，汛期清淤重点在黄淤36+2断面—黄淤39+7断面之间。清淤效果主要从以下几方面考虑。

一、泥沙冲起量

根据2000年试验分析[1]，以及各射流船的功率、射流量、喷嘴数、出口流速，确定各船的单位时间(小时)冲起量，由2002年各船作业时间分别计算河床泥沙冲起量[2]。2002年桃汛期累计作业时间3 062 h，冲起泥沙121.8万 m³；汛期作业时间6 688 h，冲起泥沙265.8万 m³。全年共冲起泥沙387.6万 m³。

二、理顺河势

射流清淤对潼关河段的河势变化影响极为显著。在水沙量平稳的桃汛期，清淤作业

---

[1] 2000年黄河潼关河段清淤效果初步分析. 黄河水利科学研究院, 2001
[2] 2002年黄河潼关河段清淤效果初步分析. 黄河水利科学研究院, 2003

促使水流由分散变为集中，由多弯变为顺直。尤其是汛期清淤期间，根据河道的演变情况和来水情况，利用河道老滩上已有的串沟，通过射流清淤船及时疏通流路，扩展进水口门宽度，增加过流量，实现了裁弯取直，消除潼关河段形成的"S"形河湾，理顺了潼关河段的河势。这对于改善潼关高程和潼关河段的冲淤变化，起到了积极作用。

三、断面形态变得窄深

2002 年汛期，虽然清淤河段发生了淤积，但从断面形态的变化看，淤积部位多分布在滩上，主槽的过流面积并未受到太大的影响；相反，有些河段的主槽过流面积有明显的增加。

如黄淤 38+2 断面经过桃汛期的持续射流作业，深泓点不断下降，形成明显的主槽。7 月 29 日~8 月 25 日期间，虽然受到前期高含沙小洪水不利水沙条件的作用，河道强烈淤积，但受清淤作业的影响，逐渐形成窄深的主槽，河道过流单一集中(见图 4-2)。

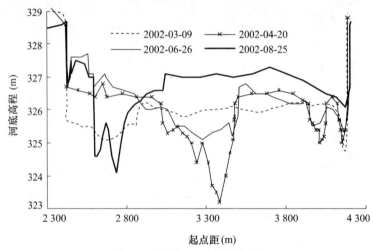

图 4-2 黄淤 38+2 断面套绘

四、河床组成粗化

在入库泥沙组成变化不大的情况下，床沙组成的变化可以反映某个阶段河道的冲淤特性。一般来说，河道冲刷时床沙粗化，淤积时则细化。根据观测，桃汛清淤前后，黄淤 37、38 断面中值粒径 D_{50} 由 0.04~0.05 mm 增至 0.05~0.06 mm，4~6 月休工期间，床沙呈现明显的细化。特别是 6、7 月黄河潼关洪水中泥沙以渭河来沙为主，泥沙较细，河道淤积之后，床沙细化现象明显，如黄淤 40 断面，D_{50} 由 0.06 mm 减小至 0.03 mm。而重点清淤的黄淤 37、38 断面的床沙组成明显粗化，两断面的床沙 D_{50} 近 0.1 mm。

从床沙组成的变化看，说明清淤可造成一定程度的床沙粗化，即清淤对河床泥沙具有一定的冲刷作用。

五、减缓高含沙小洪水的淤积

对相似水沙条件的对比分析表明，清淤对桃汛洪水冲刷有促进作用，清淤可以减少高含沙小洪水的淤积，增加潼关河段主槽冲刷量。从典型洪水类比分析以及历年汛期潼关高程变化和汛期水量的关系趋势情况来看，射流清淤对抑制潼关高程的抬升是有作用的。

第五章　认识和建议

(1)2002 年水沙条件及其过程是历年来最为不利的一年，水少沙也少，但含沙量大，水沙分配极不合理，黄河干流来水极枯，而渭河又连续来高含沙小洪水，这是潼关高程大幅度抬升的主要原因；前期潼关高程居高不下也是 2002 年一度达历史新高的重要因素。汛期水量枯，没有足够的能量冲刷前期淤积物，致使汛后的潼关高程仍然高于汛前。

(2)潼关高程问题已成为黄河治理的重要问题之一。为了解决潼关高程和三门峡运用的有关问题，水利部和黄委已组织力量，加强研究潼关高程演变的成因和降低的对策。为了缓解潼关高程上升的局面，改善非汛期库区淤积部位，黄委积极采取措施，调整三门峡水库非汛期运用水位。为将非汛期水库运用所造成的淤积控制在坩垆以下，根据近年来三门峡库水位直接影响范围和初步论证，定于 2002 年 11 月～2003 年 6 月，非汛期最高运用水位按 318 m 控制，并开展了相应的测验和研究工作。

潼关高程的抬升，既有前期的淤积基础，也有不利的水沙条件造成的淤积叠加。在连续小流量的情况下，溯源冲刷和沿程冲刷均受到很大限制，必须依靠综合的措施，才能达到降低潼关高程的目的。近期的治理措施应包括河道整治、裁弯取直，甚至包括挖沙，以及三门峡运用方式的调整。经过近年的清淤，其效果是肯定的，但是清淤的河段和方式还需要研究，从而取得最佳效果和长远效益。

(3)潼关水位是渭河下游的出口控制边界，潼关水位的高低直接影响到渭河下游的沿程洪水水位。近几年来，渭河下游淤积严重，平滩流量只有 1 200 m³/s 左右，渭河下游的防洪形势十分严峻。因此，降低潼关高程是解决渭河下游防洪问题的措施之一。同时，也要加强渭河本身的防洪工程建设。

(4)研究表明，龙门站 700 m³/s 的水位超过 378 m，在龙门站流量大于 5 000 m³/s 持续历时在 8 h 以上，含沙量大于 400 kg/m³ 持续 16 h 以上，同时具备高含沙水流条件，就会发生"揭河底"冲刷。2002 年流量 2 000 m³/s 左右则发生了"揭河底"冲刷。目前龙门站 700 m³/s 的水位在 383 m 以上，仍具备"揭河底"冲刷的河床条件。"揭河底"冲刷后，河槽过洪能力增大，对稳定河势、减缓河道淤积作用显著，但对河道整治工程安全十分不利，对潼关高程产生不利影响，应加强研究以减轻冲刷带来的负面影响。

(5)为充分发挥桃汛洪水对潼关高程的作用，希望万家寨水库在今后的运用中，根据上游桃汛来水情况，合理调度运用，使潼关形成具有较大峰值的单峰流量过程，洪峰流量不小于 1 900 m³/s，最好能达到多年平均值，保持桃汛对潼关高程一定的冲刷作用。洪量应尽量恢复到 10 亿 m³ 左右。

三门峡水库桃汛起调水位降到 313 m，加强洪水冲刷降低潼关高程的同时，改善库区淤积分布。洪峰过后再逐渐抬高水位到 318 m，以供春灌期库周工农业用水。采取这种运用方式，估计非汛期水库淤积泥沙将主要分布在大禹渡以下。根据三门峡水库运用经验，可以通过汛期降低库水位形成溯源冲刷，把非汛期淤积的泥沙冲出库外。这样，有利于水库年内达到冲淤平衡。

第四专题 2002年小浪底水库运用及库区水沙运动特性分析

  2002年是小浪底水库正式投入运用的第3年。至2002年汛前，库区淤积量为7.38亿m³，远小于起始运用水位以下库容。因此，2002年汛期水库仍以蓄水拦沙运用为主。为满足调水调沙的需要，水库运用水位最高达240.81 m。从水库调度对库区影响的角度而言，本年度水库运用突出三个主题：一是7月上中旬进行了黄河调水调沙试验，在试验期间及其之前黄河中游发生了3次高含沙洪水，为满足下泄流量及含沙量的要求，三门峡及小浪底水库泄水建筑物频繁调度，小浪底库区水沙运行及库区淤积特性随着水库的调度而具有特有的表现；二是调水调沙试验结束之后水库补水下泄，水位大幅度下降，库区淤积形态发生了较大变化；三是9月上旬水库进行了历时7 d的小水排沙过程，平均下泄流量约为500 m³/s，水流含沙量平均约为150 kg/m³，排沙量为0.339亿t。

  最引人注目的是黄河首次调水调沙试验。调水调沙试验是检验小浪底水库调水调沙效果的一次大规模科学实践和初次尝试，将直接为黄河下游防洪减淤和小浪底水库运用方式提供重要的依据和参数，为今后实施调水调沙工作奠定基础。基于这种目的，本报告初步分析了2002年(指水库运用年，即2001年11月~2002年10月，本专题下同)，特别是黄河调水调沙试验、洪水期小浪底水库运用情况以及库区水沙运动、泥沙淤积分布特点，并在此基础上提出初步的认识与建议。

第一章 概 述

一、水库自然状况及初始地形

小浪底水利枢纽上距三门峡大坝 130 km,下距花园口 128 km。三门峡至小浪底区间集水面积为 5 734 km²。库区流域属土石山区，沿黄河干流两岸山势陡峭，沟壑较多。

库区支流库容大于 1 亿 m³ 的有 11 条，其中较大的支流有大峪河、煤窑沟、畛水、石井河、东洋河、西阳河、芮村河、沇西河、亳清河等。库区内黄河干流河段上窄下宽，自坝址至水库中部的板涧河河口长 61.59 km，除八里胡同河段外，河谷底宽一般在 500 ~ 1 000 m 之间。坝址以上 26 ~ 30 km 之间为 200 ~ 300 m 宽的八里胡同峡谷库段，该段山势陡峻、河槽窄深，是全库区最狭窄的河段。板涧河河口至三门峡水文站河道长度为 62 km，河谷底宽为 200 ~ 300 m，亦属窄深河段。小浪底水库建库前三门峡—小浪底河段河床稳定。

小浪底水库蓄水至 275 m 时，形成东西长近 130 km、南北宽 300 ~ 3 000 m 的狭长水域，沿程河谷宽度变化示意图见图 1-1。小浪底水库总库容为 126.9 亿 m³(1997 年断面法实测)。其中 HH39 断面(距坝 67 km)以下库容为 119.5 亿 m³，占总库容的 93.6%，支流库容占总库容的 41.3%。

小浪底水库 2000 年正式投入运用，至 2001 年 9 月库区淤积泥沙 6.17 亿 m³，库区纵剖面淤积形态为三角洲。三角洲顶点在距坝约 55 km 处的 HH33 断面。三角洲顶点以下至坝前段横断面基本上为水平抬升。

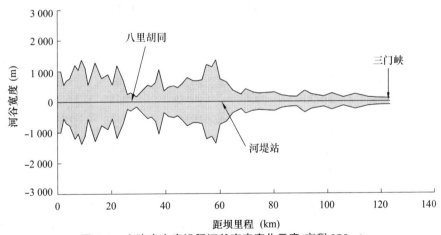

图 1-1 小浪底水库沿程河谷宽度变化示意(高程 275 m)

二、水文观测

(一)异重流测验

2002 年 6 月下旬及 7 月上旬进入小浪底水库的 3 次洪水过程，均产生了异重流。调水调沙试验之前，河堤站与桐树岭站完整地观测了 2 次异重流过程。调水调沙试验期间，在潜入点附近断面至桐树岭断面 80 km 范围内，沿程观测了 8 个断面。其中异重流观测基本断面 4 个，自下而上依次为桐树岭、HH9、HH21、河堤，进行固定断面测验；辅助断面 4 个，自下而上依次为 HH5、HH17、HH29、潜入点。每天对主流线进行一次测验，对异重流的发生、演进、消失进行了全过程监测。

(二)库区水沙因子测验

库区布设桐树岭和河堤两个水沙因子站，调水调沙试验期间加密测次。观测内容包括水位、含沙量及输沙率等。

(三)库区水位观测

7 月 4~15 日调水调沙试验期间，库区尖坪、白浪、五福涧、河堤、麻峪、陈家岭、西庄(畛水)、桐树岭等 8 处水位站进行了加密观测。

(四)进出库水沙测验

调水调沙试验期间，三门峡、小浪底两站观测了完整的水位变化过程。两站加强流量和单沙测验及输沙率测验，控制含沙量变化过程。此外，在输沙率测验的同时采取河床质进行分析。

(五)库区淤积测验断面

小浪底库区共布设断面 174 个。其中干流布设断面 56 个，平均断面间距为 2.20 km，见表 1-1；左岸 21 条支流共布设断面 65 个，右岸 11 条支流(畛水除外)共布设断面 28 个，库区最大支流畛水共布设断面 25 个。

表 1-1　小浪底水库库区干流测站及大断面位置统计

测站或断面号	距坝里程(km)	测站或断面号	距坝里程(km)	测站或断面号	距坝里程(km)	测站或断面号	距坝里程(km)
HH1	1.32	HH15	24.43	HH30	50.19	HH44	80.23
桐树岭*	1.51	HH16	26.01	HH31	51.78	HH45	82.95
HH2	2.37	HH17	27.19	HH32	53.44	HH46	85.76
HH3	3.34	HH18	29.35	HH33	55.02	HH47	88.54
HH4	4.55	HH19	31.85	HH34	57.00	HH48	91.51
HH5	6.54	HH20	33.48	HH35	58.51	白浪△	93.20
HH6	7.74	HH21	34.80	HH36	60.13	HH49	93.96
HH7	8.96	HH22	36.33	HH37	62.49	HH50	98.43
HH8	10.32	HH23	37.55	河堤*	63.82	HH51	101.61
HH9	11.42	HH24	39.49	HH38	64.83	HH52	105.85
HH10	13.99	HH25	41.10	HH39	67.99	HH53	110.27
HH11	16.39	HH26	42.96	HH40	69.39	尖坪△	111.02
HH12	18.75	麻峪△	44.10	HH41	72.06	HH54	115.13
HH13	20.39	HH27	44.53	HH42	74.38	HH55	118.84
HH14	22.10	HH28	46.20	HH43	77.28	HH56	123.41
陈家岭△	22.43	HH29	48.00	五福涧△	77.28	三门峡**	123.41

注：**为水文站，*为水沙因子站，△为水位站，其余为大断面。

2001 年 9 月~2002 年 10 月，小浪底库区共进行了 5 次大断面观测，其中：2001 年 2 次，观测时间大致在 9 月 4 日、12 月 8 日；2002 年 3 次，观测时间大致在 6 月 20 日、7 月 15 日及 10 月 15 日。

第二章　水沙条件

一、入库水沙概况

小浪底入库干流水沙控制站为三门峡水文站。2002 年小浪底库区支流入汇水沙量极少，主要为干流来水来沙量。本年度三门峡水文站水量、沙量分别为 159.25 亿 m³、4.37 亿 t。从图 2-1 所示的三门峡水文站枯水少沙时段 1987 ~ 2002 年实测水沙量统计结果看，2002 年水沙量仅相当于该时段多年平均水沙量的 67.7% 和 61.7%，属严重枯水少沙年。

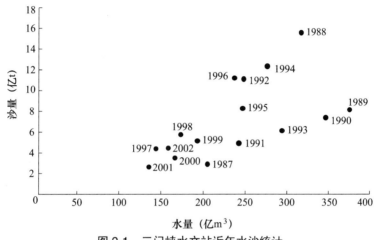

图 2-1　三门峡水文站近年水沙统计

小浪底水库入库水沙过程除取决于黄河上中游来水来沙条件外，还受三门峡水库调度的制约。水沙过程从年内分配看，除 1 月份水量 8.08 亿 m³ 较少，6 月份水量 21.04 亿 m³ 较多外，其余 10 个月份的水量均接近月均值 13.27 亿 m³，水量分布较为均匀。汛期 7 ~ 10 月来水 50.86 亿 m³，占全年水量的 31.9%；入库沙量全部来自 6 ~ 10 月，其中 6 ~ 8 月来沙量 4.06 亿 t，占全年沙量的 92.9%。小浪底入库水、沙量年内分配情况见表 2-1 及图 2-2。

2002 年黄河中游地区除清涧河流域在 7 月 4 ~ 5 日发生一次高强度特大暴雨之外，基本未发生大范围降雨过程，只有局部地区降雨，发生了 3 次较高含沙量洪水，入库日均流量大于 2 000 m³ / s 的洪水出现了两次。首次洪水发生在调水调沙试验之前的 6 月下旬，主要为渭河洪水和三门峡水库相机降低水位排沙而形成的。入库最大日均流量为 2 670 m³ / s(6 月 24 日)，洪峰流量为 4 390 m³ / s(6 月 24 日 5 时 30 分)，最大日均含沙量为 359 kg / m³(6 月 25 日)，最大含沙量为 468 kg / m³(6 月 25 日 8 时)。第三次洪水发生在调水调沙试验期间的 7 月 4 ~ 6 日，黄河晋陕区间、泾河及北洛河局部地区降大到暴雨。三门峡站最大日均流量为 2 320 m³ / s(7 月 6 日)，洪峰流量为 3 750 m³ / s(7 月 7 日 21 时 48 分)，最大日均含沙量为 419 kg / m³(7 月 6 日)，最大含沙量为 507 kg / m³(7 月 6 日 14 时)。洪水期各站水沙特征见表 2-2。

表 2-1 三门峡站 2002 年水沙量年内分配统计

时段(年-月-日)	水量(亿 m³)	沙量(亿 t)
2001-11	13.90	0
2001-12	10.58	0
2002-01	8.08	0
2002-2	13.20	0
2002-03	13.27	0
2002-04	13.94	0
2002-05	14.38	0
2002-06-01 ~ 20	12.06	0.06
2002-06-21 ~ 30	8.98	0.91
2002-07-01 ~ 14	11.53	1.93
2002-07-15 ~ 31	4.03	0.11
2002-08	10.92	1.05
2002-09	13.17	0.21
2002-10	11.21	0.10
非汛期(11~6月)	108.39	0.97
汛期(7~10月)	50.86	3.40
全年	159.25	4.37

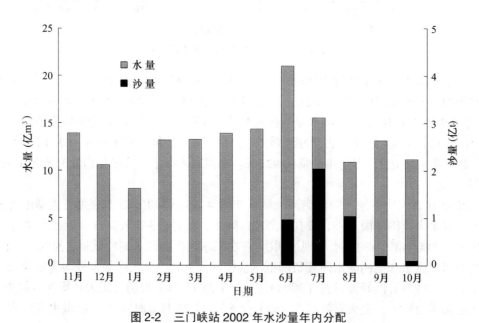

图 2-2 三门峡站 2002 年水沙量年内分配

2002 年入库日平均各级流量和含沙量的持续时间及出现频率见表 2-3 及表 2-4。表中显示流量大于 2 000 m³/s 出现天数为 3 d(6 月 24 日、7 月 6 日和 7 日),大于 1 000 m³/s 流量出现 9 d,均出现在 6~8 月,日均入库流量多数在 800 m³/s 以下,共 332 d,占 91%。

含沙量大于 200 kg／m³ 出现 7 d。图 2-3 为日平均入库流量及含沙量过程。

表 2-2　2002 年洪水期水沙特征值统计

站名	洪水	时段	水量(亿 m³)	沙量(亿 t)	最大流量(m³／s)		最大含沙量(kg／m³)	
					洪峰	日均	沙峰	日均
潼关	第一次	06-23~06-27	4.53	0.47	1 530	1 390	290.0	172.0
	第二次	06-28~07-03	5.14	0.22	1 440	1 170	73.4	69.3
	第三次	07-04~07-09	7.26	0.77	2 520	2 140	208.0	156.0
三门峡	第一次	06-23~06-27	5.35	0.79	4 390	2 670	468.0	359.0
	第二次	06-28~07-03	4.90	0.24	1 510	1 120	110.0	69.6
	第三次	07-04~07-09	7.20	1.74	3 750	2 320	507.0	419.0

表 2-3　三门峡站各级流量持续情况及出现天数

流量级 (m³／s)	>2 000		2 000～1 000		1 000～800		800～500		<500	
	持续	出现	持续	出现	持续	出现	持续	出现	持续	出现
天数(d)	2	3	3	6	6	24	11	131	43	201

注：表中持续天数为全年该级流量连续最长时间。

表 2-4　三门峡站各级含沙量持续情况及出现天数

含沙量级 (kg／m³)	>400		400～300		300～200		200～100		100～50		<50		0	
	持续	出现	持续	出现	持续	出现	持续	出现	持续	出现	持续	出现	持续	出现
天数(d)	1	2	1	1	2	4	1	2	5	21	68	101	224	234

注：表中持续天数为全年该级含沙量连续最长时间。

二、出库水沙概况

2002 年小浪底水库下泄水量为 194.3 亿 m³,其中调水调沙试验期间(7 月 4 日 9 时～7 月 15 日 9 时)下泄水量为 26.06 亿 m³,占总量的 13.4%,占汛期下泄水量的 30.2%。春灌期 3～6 月份下泄水量为 78.08 亿 m³,其中水库累计补水量为 15.46 亿 m³。全年除调水调沙试验期间出库流量较大外,其他时间出库流量较小且过程均匀,全年有 305 d 出库流量在 800 m³／s 以下。

水库排沙集中在 6 月 29 日～9 月 11 日,水库排沙量 0.697 亿 t,占同期来沙量的 21.7%。较明显的排沙过程有两次,第一次是调水调沙试验期 7 月 4～15 日的异重流(浑水水库)排沙,最大含沙量为 89.3 kg／m³(7 月 9 日 4 时);第二次是 9 月 5～11 日的小流量排沙,最大日均含沙量达到 176 kg／m³(9 月 8 日)。出库水沙过程及年内分配分别见图 2-4 及图 2-5。

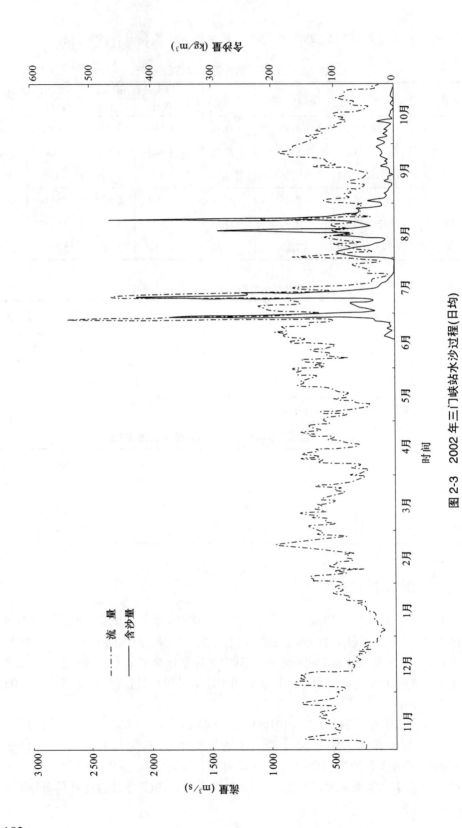

图 2-3　2002 年三门峡站水沙过程(日均)

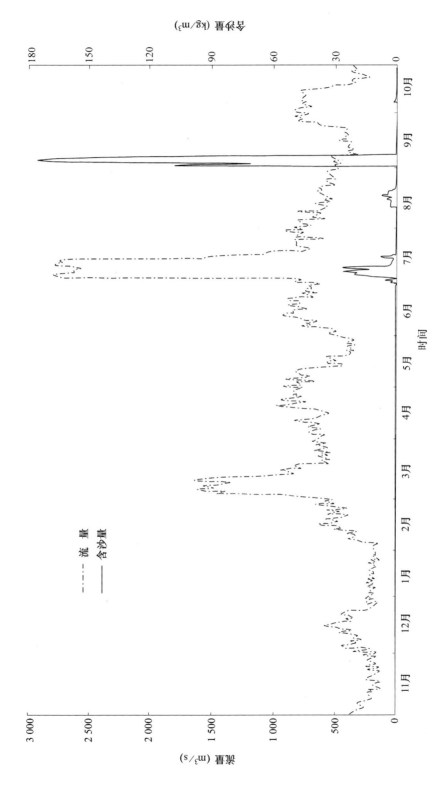

图 2-4 2002 年小浪底出库水沙过程(日均)

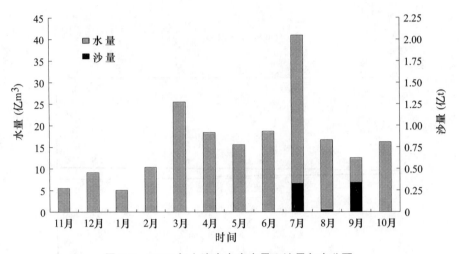

图 2-5　2002 年小浪底出库水量及沙量年内分配

第三章 水库调度

2002 年小浪底水库以满足黄河下游防凌、减淤及用水(包括城市、工农业、生态用水，以及引黄济津等)为主要目标，进行了防凌和春灌蓄水、调水调沙试验及供水等一系列调度。其中，最引人注目的是黄河首次调水调沙试验。

一、库水位变化过程

2002 年主汛期(7 月 11 日~9 月 10 日)防洪限制水位为 225 m，相应库容为 29.2 亿 m^3。2002 年库水位达到最高为 240.81 m，最低为 208.24 m，库水位及蓄水量变化过程见图 3-1。

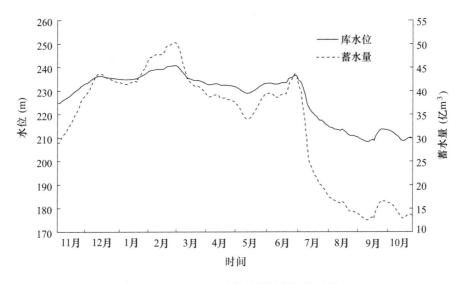

图 3-1 2002 年库水位及蓄水量变化过程

水库调度根据库水位变化可划分为四个阶段：

第一阶段为 2001 年 11 月 1 日~2002 年 3 月 1 日防凌和春灌蓄水期。该阶段库水位逐步抬高，从 224.81 m 上升至 240.81 m(3 月 1 日 18 时)，水库蓄水量由 29 亿 m^3 增至 50.4 亿 m^3。

第二阶段为 3 月 1 日~7 月 4 日。其中，3 月 1 日~5 月 14 日为保证黄河下游工农业生产、城市生活及生态用水，水库补水下泄。至 5 月 14 日库水位下降至 228.96 m，下降幅度约 12 m，水库补水 16.46 亿 m^3，相应水库蓄水量减至 33.94 亿 m^3，在来水严重偏枯的情况下保证了下游用水及河道不断流；5 月 14 日以后，为满足汛期黄河首次调水调沙试验用水，在满足下游用水的前提下，水库转入蓄水运用。

第三阶段为 7 月 4 日~7 月 15 日调水调沙试验期。7 月 4 日 9 时调水调沙试验正式开始时库水位为 236.42 m，相应蓄水量为 43.5 亿 m^3。随着试验的进行，库水位逐渐下降。试验期间除 7 月 6~8 日入库流量较大，库水位下降速度较慢外，水位日降幅度均在 1 m 以上，最大日下降幅度达 2.01 m(7 月 14 日 6 时~15 日 6 时)。7 月 15 日 9 时调水调沙试验结束，库水位下降 12.58 m，为 223.84 m，相应蓄水量减至 27.6 亿 m³。

第四阶段为 7 月 15 日~10 月 31 日补水期。由于 2002 年黄河来水量严重偏枯，7~9 月，黄河干流主要水文站径流量分别比多年平均值偏少 53%~87%。为了确保引黄济津、黄河两岸生活用水及黄河不断流，在此期间，水库运用以补水为主，累计补水 15.2 亿 m³。库水位最低时一度降至全年最低的 208.24 m(9 月 15 日 20 时)，相应的蓄水量仅为 12.4 亿 m³。至 10 月 31 日，库水位为 209.86 m，相应蓄水量为 13.5 亿 m³。

二、泄水建筑物调度

小浪底水库通常开启发电洞泄流。调水调沙试验期间，发电洞、排沙洞、明流洞均参与泄流，各泄水闸门频繁调度，以满足下泄水沙过程达到设计预案的要求。各闸门启闭状况见表 3-1。

表 3-1　7 月 4~14 日泄流建筑物启闭情况

日期 (月-日)	排沙洞			明流洞			发电机组
	1#	2#	3#	1#	2#	3#	
07-04	√	√	√	√	√	√	1#~5#
07-05	√	√	√		√		1#~5#
07-06	√		√		√		1#~5#
07-07			√	√	√	√	1#~5#
07-08			√		√	√	1#、3#、4#、6#
07-09			√	√	√	√	1#、3#、4#、6#
07-10				√	√	√	1#、3#、4#、6#
07-11				√	√	√	1#、3#、4#、6#
07-12				√	√	√	1#、3#、4#、6#
07-13				√	√	√	1#、3#、4#、6#
07-14				√	√	√	1#、3#、4#、6#

注：1. 打"√"者为开启使用。
　　2. 各泄水孔洞底坎高程：排沙洞 175 m，孔板洞 175 m，1#~4#发电洞 195 m，5#~6#发电洞 190 m，1#明流洞 195 m，2#明流洞 209 m，3#明流洞 225 m。

6 月下旬洪水在小浪底库区形成的异重流运行至坝前时，由于排沙底孔未打开而不能及时排出库外，逐渐形成浑水水库，且浑液面下降十分缓慢，至 7 月 4 日调水调沙试验开始时，浑液面高程仍为 189.07 m(以含沙量 5 kg / m³ 作为清浑水的分界面，本专题下同)，明显高于排沙洞底坎高程 175m。因此，调水调沙试验开始时，打开排沙洞闸门后，立即有浑水排泄出库。与此同时明流洞及发电洞下泄清水，出现了上清下浑的现象。

7 月 6~8 日，洪水入库后再次形成异重流，使坝前浑液面进一步抬升，最高达到 197.58 m。为控制出库含沙量，7 月 10 日排沙洞完全关闭，由明流洞及发电洞泄流。

经过小浪底水库调节后，流量及含沙量等过程发生了较大的改变。图 3-2、图 3-3 所示分别为水库调节前后流量、含沙量及过程变化情况。

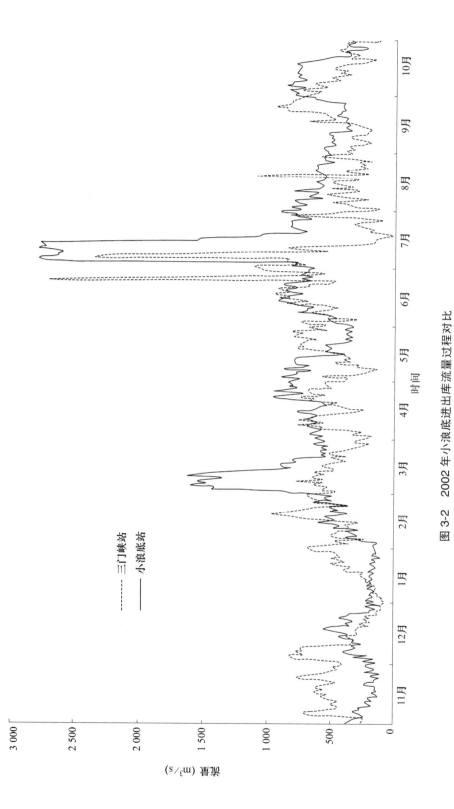

图 3-2 2002 年小浪底进出库流量过程对比

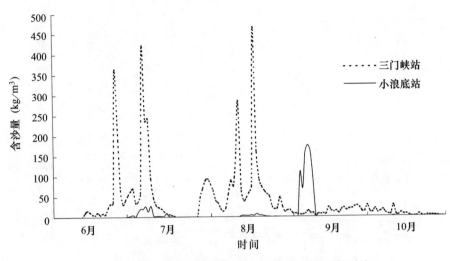

图 3-3　2002 年小浪底与三门峡进出库含沙量过程对比

第四章 库区水沙运动特性

一、2002 年小浪底水库排沙概况

小浪底水库排沙情况主要取决于来水来沙条件、库区边界条件和水库调度运用情况。2002 年小浪底水库以拦沙为主，只有少部分泥沙能够以异重流的形式排出库外，其余大部分泥沙淤积在水库里。统计表明(见表 4-1)，2002 年入库沙量为 4.37 亿 t，出库沙量为 0.697 亿 t，排沙比 15.9%。非汛期仅 6 月下旬的两场高含沙洪水形成异重流输移到坝前，在水库控制下泄的情况下，排沙比分别为 0 和 3%。

表 4-1 2002 年小浪底水库各时段排沙情况统计

时段 (月-日)	水量(亿 m³)		沙量(亿 t)		出库／入库	
	三门峡	小浪底	三门峡	小浪底	水量(亿 m³)	沙量(亿 t)
06-23 ~ 06-27	5.34	3.05	0.790	0	0.570	0
06-28 ~ 07-03	4.90	3.80	0.240	0.010	0.780	0.030
07-04 ~ 07-15	9.40	27.00	1.810	0.320	2.830	0.180
06-23 ~ 07-15	19.64	33.85	2.830	0.330	1.720	0.110
07-16 ~ 09-04	15.94	30.39	1.170	0.026	1.910	0.020
09-05 ~ 09-11	1.70	2.95	0.014	0.339	1.730	24.210
09-12 ~ 09-30	10.33	7.70	0.183	0	0.740	0
非汛期	108.39	107.98	0.970	0.001	0.996	0.001
汛期	50.86	86.29	3.400	0.696	1.697	0.205
运用年	159.25	194.27	4.370	0.697	1.220	0.159

2002 年汛期入库沙量为 3.40 亿 t，出库沙量为 0.696 亿 t，排沙比也只有 20.5%。其中，较为明显的排沙过程有 2 次。第一次是调水调沙试验期 7 月 4 ~ 15 日的异重流(浑水水库)排沙，出库沙量为 0.320 亿 t，排沙比为 18%；第二次是 9 月 5 ~ 11 日的小流量排沙，出库沙量为 0.339 亿 t。这两次排沙总量占出库总沙量的 93.3%。

二、水库排沙过程分析

库区水沙运动特性不仅与来水来沙条件有关，而且与水库运用状况密切相关。根据库区水流流态的不同，可将 2002 年库区输沙过程大致划分为非洪水期与洪水期两个阶段。

(一)非洪水期排沙过程

依据时间顺序，非洪水期又可划分为两个阶段。

第一阶段为 2001 年 11 月 1 日~2002 年 6 月 20 日。水库的运用虽然经历了蓄水—泄水—蓄水的过程，但总的来说水库运用水位较高，其变化范围为 224.81 ~ 240.81 m。水库淤积三角洲始终位于水库壅水范围内(见图 4-1)，回水末端以上库段属天然河道，且在此期间三门峡水库大部分时段下泄清水，排沙量非常少，日均流量均小于 1 000 m³／s。

因此，该阶段库区除了回水末端以上河床有少量冲刷以外，几乎没有泥沙的输移，河堤水沙因子站没有进行水沙因子测验。

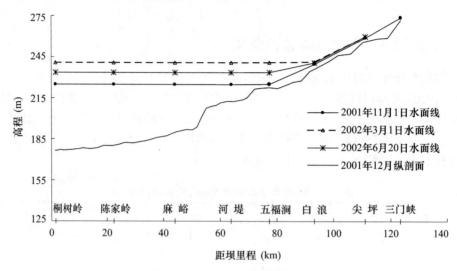

图 4-1　小浪底库区沿程水面线

第二阶段为 2002 年 7 月 15 日~10 月 31 日。该时段入库水量及沙量分别为 39.33 亿 m^3 及 1.47 亿 t。该时段库水位降低幅度较大，自 7 月 15 日 223.85 m 降至 9 月 15 日 20 时本年度最低值 208.24 m(见图 4-2)。三角洲洲面发生了强度较大的冲刷，三角洲顶点位置向下游移动了约 22 km。

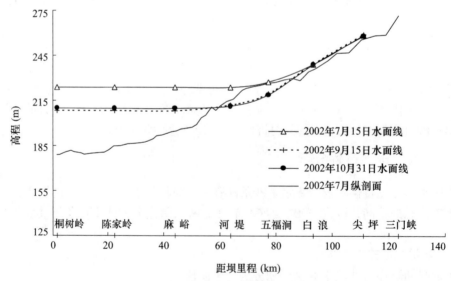

图 4-2　小浪底库区沿程水面线

该时段小浪底库区水沙因子站河堤站及桐树岭站均进行了不连续的观测。图 4-3 及图 4-4 分别给出了河堤站及桐树岭站断面流速、含沙量垂线分布随时间变化的过程。从图 4-3 可以看出，河堤站 7 月 15 日以后库水位大幅度下降，7 月 15 日及 7 月 20 日流速及含沙量垂线分布仍为异重流分布状态，7月24日以后均为明流输沙。桐树岭站距坝仅1.51 km，从图4-4可以看出受泄水的影响，在清水层水流有缓慢流动。从图4-4中还可以看出坝前浑水水库变化的过程及河底缓慢抬升的过程。

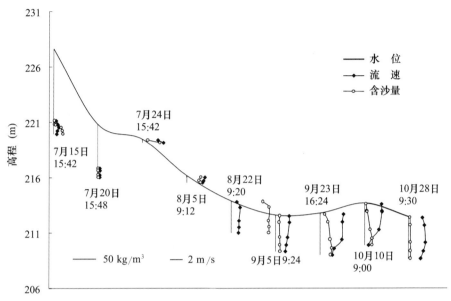

图4-3　河堤站流速、含沙量垂线分布随时间变化过程

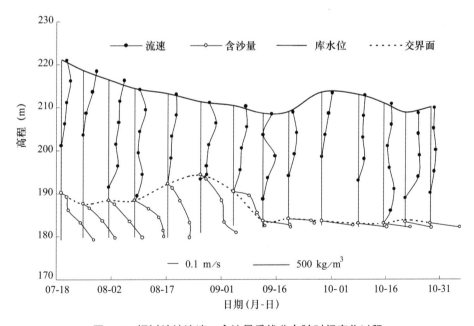

图4-4　桐树岭站流速、含沙量垂线分布随时间变化过程

(二)洪水期水库排沙过程

洪水期指2002年6月20日~7月15日,其中7月4~15日黄河进行了调水调沙试验。该时段有3次较高含沙量的洪水进入小浪底水库,洪水期小浪底库区主要为异重流运动,

异重流特征值统计见表 4-2。

表 4-2　异重流特征值统计

时间	断面	最大点流速 （m／s）	垂线平均流速 （m／s）	垂线平均含沙量（kg／m³）	异重流厚度 （m）	d_{50} （mm）
06-20～ 07-03	HH37	1.85	0.082～1.030	6.4～69.4	0.4～14.9	0.005～0.012
	HH1	0.19	0.004～0.140	42.0～82.6	8.0～18.0	0.005~0.012
07-04～ 07-15	HH37	3.36	0.082～1.860	7.0～198.0	0.5～12.0	0.005～0.014
	HH29	2.01	0.200～1.190	21.0～113.0	3.5～15.2	0.004～0.016
	HH21	1.23	0.015～0.810	11.0～111.0	1.5～18.2	0.006～0.015
	HH17	2.36	0.160～1.830	34.0～143.0	7.4～14.9	0.007～0.010
	HH9	0.77	0.070～0.350	44.3～131.0	9.4～14.9	0.006～0.010
	HH5	0.51	0.060～0.240	35.5～96.1	8.9～16.0	0.006～0.010
	HH1	0.52	0.040～0.200	18.5～86.6	3.6～17.5	0.006～0.008

1. 入库水沙过程

2002 年干流进入小浪底水库的 3 次洪水中有两次日均流量大于 2 000 m³／s。为配合黄河首次调水调沙试验，三门峡枢纽汛限水位以下敞、控结合运用，三门峡水文站洪水水沙过程呈现峰、谷相间的特点。图 4-5 为该时段三门峡及小浪底水文站流量及含沙量的变化过程。6 月 20 日～7 月 15 日期间，小浪底入库水沙量分别为 21.52 亿 m³ 与 2.86 亿 t，分别占全年水沙量的 13.5% 及 65.4%。

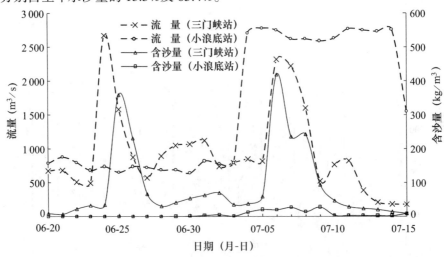

图 4-5　小浪底水库日均进出库水沙过程

2. 出库水沙过程

调水调沙试验之前，6 月 20 日～7 月 3 日，日均出库流量最大为 875 m³／s(6 月 21 日)，最小为 639 m³／s(6 月 30 日)；调水调沙试验期间日均出库流量除 7 月 4 日为 2 200 m³／s 外，其他时间都在 2 500 m³／s 以上，最大日均出库流量达 2 780 m³／s(7 月 5 日)，最大洪峰流量 3 480 m³／s(7 月 4 日 10 时 54 分)。6 月 20 日～7 月 15 日小浪底水库下泄水量

35.55 亿 m³，其中调水调沙试验期下泄水量 26.06 亿 m³，占下泄总量的 73.3%。小浪底水库调节前后进出库流量过程见图 4-5，6 月 20 日~7 月 15 日出库沙量为 0.324 亿 t，排沙比为 11.3%。

由于本次调水调沙试验要求花园口站含沙量不超过 20 kg／m³，故水库排沙量较小，仅为 0.319 亿 t，约占来沙量的 18%。日均出库最大含沙量仅为 27.6 kg／m³(7 月 9 日)。由于全部为异重流(浑水水库)排沙，故出库泥沙非常细，中径 d_{50} 一般介于 0.005~0.007 mm 之间，d_{90} 也基本都在 0.030 mm 以下(激光粒度仪量测)。

3. 异重流潜入条件

异重流潜入的现象是异重流开始形成的标志。从实际的观测资料可看出，挟沙水流进入水库的壅水段之后，由于沿程水深的不断增加，其流速及含沙量分布从正常状态逐渐变化，水流最大流速由接近水面向库底转移，当水流流速减小到一定值时，浑水开始下潜并且沿库底向前运行。在调水调沙期间，上游较高含沙量洪水进入小浪底库区后形成异重流。7 月 7 日，潜入点位于 HH43 断面上游约 100 m 处，距坝约 77.4 km，潜入点上游有大量如柴草、树枝等漂浮物，可明显看到潜入点下首水面形成一个巨大的漩涡，夹杂着枯枝、树根不停地翻腾，清、浑水波浪翻花，分界明显。在潜入点处，大量较粗泥沙落淤使床面不断抬升。随着库水位的降低、入库流量减小及河床淤积抬升，异重流潜入点于 7 月 12 日下移至 HH41 断面上游约 100 m 处，距坝约 72.2 km。

从明渠流过渡到异重流，其交界面是不连续的。从异重流潜入交界面曲线可以发现交界面处有一拐点 K，拐点的位置在潜入点的下游。在异重流突变处，交界面的 $\dfrac{\mathrm{d}h}{\mathrm{d}s}$ 变大，可以认为在 $\dfrac{\mathrm{d}h}{\mathrm{d}s} \rightarrow \infty$ 处，相当于明流中缓流转入急流的临界状态，该点处水深和流速为 h_K 和 v_K，该断面的修正弗汝德数为 $\dfrac{v_K^2}{\dfrac{\Delta\gamma}{\gamma_m}gh_K}=1$，而潜入点的水深 $h_0 \geq h_K$，所以 $\dfrac{v_0^2}{\dfrac{\Delta\gamma}{\gamma_m}gh_0}<1$(见图 4-6)。范家骅等在水槽内进行潜入条件的试验，得到异重流潜入条件关系为

$$Fr^2 = \frac{v_0^2}{\dfrac{\Delta\gamma}{\gamma_m}gh_0} = 0.6$$

或
$$\frac{v_0}{\sqrt{\dfrac{\Delta\gamma}{\gamma_m}gh_0}} = 0.78 \tag{4-1}$$

式中　h_0——异重流潜入点处水深，m；

　　　v_0——潜入点处平均流速，m／s；

γ_m——浑水容重，kN/m^3；

$\Delta\gamma$——清浑水容重差，$\Delta\gamma=\gamma_m-\gamma$。

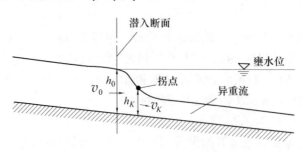

图 4-6　异重流潜入处交界面示意

从式(4-1)中可以看出，异重流潜入位置主要与该处水深、流速和含沙量因素有关。表 4-3 是调水调沙期间所观测到的异重流潜入点 Fr 值，计算结果表明 7 月 7 日 Fr 值偏小，原因之一是潜入点附近流速大，船只无法靠近，仅在异重流潜入点下游的 HH43 断面观测，由于该处水流紊动掺混作用使所观测到的水深偏大所致。此外，浑水含沙量越高，则临界弗汝德数越小，7 月 7 日水流含沙量较大亦会使弗汝德数偏小。受观测资料所限，目前还难以分析其他因素对 Fr 值的影响。水库异重流潜入条件，是对水库模拟的重要指标，今后应加强对原型资料的观测及分析。

表 4-3　Fr 值计算表

日期 (月-日 T 时:分)	潜入点位置	测验位置	水深(m)	流速(m/s)	含沙量(kg/m³)	Fr^2
07-07T11:00	HH43 上游约 100 m 处	潜入点下游100 m 处	9.50	1.48	291.00	0.39
07-07T16:20	HH43 上游约 100 m 处	潜入点下游100 m 处	10.50	1.01	132.00	0.36
07-12T14:50	HH41 上游约 100 m 处	潜入点	6.00	0.48	10.60	0.77

4. 异重流传播过程

异重流传播速度取决于入库水沙条件及库区边界条件，较大的入库流量及含沙量可使异重流有较大的能量，边界条件复杂多变将使异重流产生较大的损失。

6 月 24~26 日较大流量的高含沙水流入库，日平均入库流量为 875~2 670 m³/s，含沙量为 34.4~359 kg/m³。该时段为调水调沙试验前期，仅在河堤及桐树岭水沙因子站对异重流进行了观测。图 4-7 及图 4-8 为两站主流线流速、含沙量随时间变化图。从图中可以看出，河堤站 6 月 24 日 11 时观测到异重流，6 月 25 日 7 时以后桐树岭断面底部出现浑水层，且浑水层厚度逐渐增加，表明 6 月 24~26 日进库洪水所形成的异重流的前峰在 6 月 25 日 7 时已到坝前。由此估算异重流自河堤至桐树岭运行时间约为 20 h。该时段水库几乎没有排沙而使浑水聚集在坝前形成浑水水库，至 6 月 29 日清浑水交界面高达 189.57 m。

调水调沙试验期间进行了异重流前峰及峰顶跟踪测验。峰顶时刻异重流处于增强阶段，在各断面持续时间较长，选取各断面增强阶段的主流线组成异重流峰顶沿程传播过程，如图 4-9 所示。7 月 6 日 0 时三门峡下泄洪峰流量为 2 190 m³/s，河堤站 6 日 16 时观测到本次异重流峰顶过程，桐树岭断面 8 日 15 时异重流开始显著增强。

由于前期异重流形成了浑水水库，异重流潜入之后至 HH17 之间浑水沿底部运行，经八里胡同后逐渐抬升，图 4-9 中 HH9 以下库段最大流速不是接近库底而是位于浑水层，其运行速度明显减缓。由图 4-9 还可以看出，异重流流速大小受制于地形的变化，HH29 位于水库淤积三角洲的前坡段，库底比降较大，HH17 位于河道较窄处的八里胡同，故两断面流速较大。

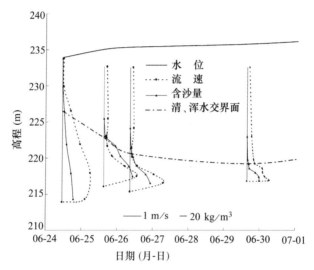

图 4-7 河堤站主流线流速、含沙量随时间变化过程

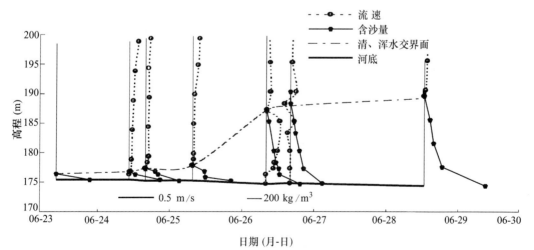

图 4-8 桐树岭站主流线流速、含沙量随时间变化过程

· 195 ·

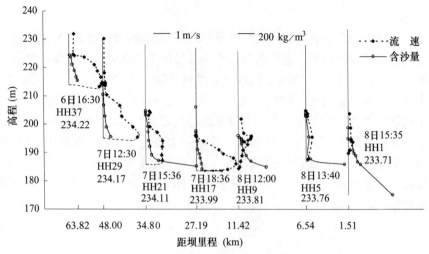

图 4-9　异重流峰顶沿程传播过程

5. 流速及含沙量分布

1)横布向分

异重流主流区垂线流速明显大于非主流区(见图 4-10 及表 4-4)。在微弯河段，异重流主流往往位于凹岸。主流区清浑水交界面略高，在同一高程上流速及含沙量均较大。

2)垂向分布

表 4-5 列出了调水调沙试验期各断面主流线水沙因子观测结果。图 4-11 所示为不同断面流速、含沙量沿垂线分布。由图 4-11 可以看出，7 月 7 日潜入点下游的 HH43 交界面附近含沙量梯度变化较小，交界面不明显，这种情况常发生在异重流潜入点的下游附近库段。主要是因为异重流形成之初流速较大，水流紊动和泥沙的扩散作用使清浑水掺混剧烈所致。

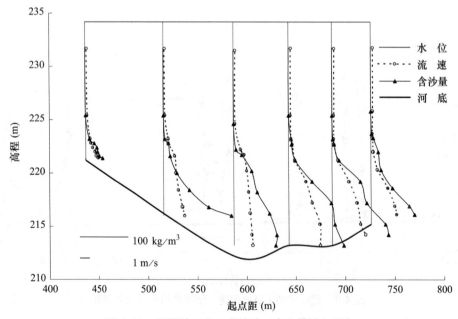

图 4-10　河堤站 7 月 7 日流速、含沙量横向分布

表 4-4　调水调沙期水沙因子垂线平均值横向变化

项目		7月8日		7月11日		7月13日	
		主流区	非主流区	主流区	非主流区	主流区	非主流区
三门峡	$Q\,(\text{m}^3/\text{s})$	1 600		822		209	
	$S\,(\text{kg}/\text{m}^3)$	243.0		28.8		20.6	
	$d_{50}\leqslant0.016\text{ mm}$	28.3%		79.2%		86.6%	
	$d_{50}>0.062\text{ mm}$	27.7%		3.0%		0.9%	
河堤	$v\,(\text{m}/\text{s})$	1.44~1.64	0.54~1.47	0.69~1.02	0.35~0.46	0.35~0.45	0.27~0.28
	$S\,(\text{kg}/\text{m}^3)$	137.0~198.0	46.1~55.5	28.5~34.9	13.6~38.2	15.1~27.9	10.0~28.5
	$d_{50}\,(\text{mm})$	0.017	0.008~0.011	0.007~0.008	0.006	0.006	0.007
HH21断面	$v\,(\text{m}/\text{s})$	0.51~0.69	0.33~0.36	0.19~0.22	0.13	0.15	0.015~0.078
	$S\,(\text{kg}/\text{m}^3)$	35.9~45.4	59.4~80.1	48.6~50.0	111.0	57.6	11.0~50.5
	$d_{50}\,(\text{mm})$	0.008~0.010	0.009~0.015	0.007~0.008	0.008	0.008	0.007~0.008

表 4-5　调水调沙试验期各断面主流线水沙因子

断面	水深 (m)	最大流速处 $v_{\max}$ (m/s)	最大流速处 相对水深 (m)	清浑水交界面 v (m/s)	清浑水交界面 相对水深 (m)	断面	水深 (m)	最大流速处 $v_{\max}$ (m/s)	最大流速处 相对水深 (m)	清浑水交界面 v (m/s)	清浑水交界面 相对水深 (m)
2002-07-07　$Q_{入}=2\,220\text{ m}^3/\text{s}$						2002-07-11　$Q_{入}=822\text{ m}^3/\text{s}$					
潜入点	9.5	2.71	0.60								
河堤	21.0	3.36	0.95	0.25	0.55	河堤					
HH29	39.0	2.01	0.99	0.19	0.62	HH29	34.0	0.47	0.85	0.33	0.78
HH21						HH21	41.8	0.33	0.74	0.11	0.73
HH17	52.4	2.22	0.94	0.19	0.71	HH17	44.1	0.72	0.82	0.23	0.44
HH9						HH9	56.0	0.22	0.61	0.21	0.62
HH5						HH5	47.8	0.13	0.77	0.06	0.74
桐树岭	56.0	0.52	0.80	0.39	0.77	桐树岭	50.7	0.23	0.004	0.15	0.65
2002-07-08　$Q_{入}=1\,600\text{ m}^3/\text{s}$						2002-07-13　$Q_{入}=209\text{ m}^3/\text{s}$					
河堤	24.0	2.59	0.95	0.39	0.41	河堤	12.5	0.57	0.83	0.45	0.78
HH29	35.7	1.98	0.91	0.17	0.63	HH29	31.0	0.47	0.90	0.39	0.89
HH21	46.2	1.23	0.89	0.18	0.63	HH21	39.1	0.25	0.92	0.10	0.82
HH17	48.7	2.19	0.92	0.15	0.71	HH17	41.0	0.49	0.83	0.15	0.82
HH9	60.0	0.34	0.67	0.32	0.62	HH9	53.5	0.16	0.71	0.15	0.61
HH5	48.3	0.24	0.84	0.14	0.70	HH5	42.6	0.14	0.15	0.10	0.78
桐树岭	56.0	0.37	0.68	0.37	0.68	桐树岭	48.2	0.23	0.004	0.10	0.69

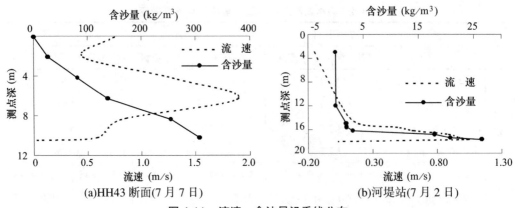

图 4-11　流速、含沙量沿垂线分布

(a)HH43 断面(7 月 7 日)　　　　(b)河堤站(7 月 2 日)

潜入点以下的异重流稳定河段,最大流速的位置沿程逐渐下移而靠近河底,见图 4-11 中河堤断面。由于横轴环流的存在,表层水流往往逆流而上,带动水面漂浮物缓缓向潜入点聚集,呈现出在清水层上部流速为负值,清、浑水交界面清晰,两种水流交界处含沙量梯度很大,异重流含沙量垂直分布较为均匀,符合异重流的一般分布规律。

在浑水水库影响的河段,垂线最大流速随开启泄水建筑物高程的不同而变化。7 月 10 日以前,排沙洞有时开启,最大流速在垂线相对水深 0.6 ~ 0.99 处;7 月 10 日后,关闭排沙洞,由明流洞和发电洞泄水,水库不是异重流排沙,而是浑水水库排沙,最大流速位置上提,相对水深为 0.92 ~ 0.004,桐树岭断面最大流速有时发生在水面附近。

3)沿程变化

异重流在运行过程中会发生能量损失,包括沿程损失及局部损失。沿程损失即床面及清浑水交界面的阻力损失。局部损失在小浪底库区较为显著,包括支流倒灌、局部地形的扩大或收缩、弯道等因素引起的损失。此外,异重流总是处于超饱和输沙状态,在运行过程中由于受阻力损失,流速逐渐变小,泥沙沿程发生淤积,交界面的掺混及清水的析出等,均可使异重流的流量逐渐减小,其动能相应减小。图 4-12 为 7 月 8 日异重流沿程表现,该时期处于洪水期,较大的入库流量使异重流在潜入时具备较大能量,进而使沿程流速相对较大。从沿程清浑水交界面高程可以看出,HH9 断面以下受浑水水库的影响流速较小。图 4-13 给出了异重流主流线平均流速沿程变化过程,可以看出,流速沿程变化受制于地形的改变,如位于八里胡同库段的 HH17 断面狭窄,异重流流速明显增大,而在坝前一定范围受浑水水库的影响,流速沿程总的趋势是逐渐减小。图 4-14 显示了主流线垂线平均含沙量沿程变化情况。由于库区形成了浑水水库,所以含沙量垂线分布沿程变化不能完全代表异重流含沙量的变化。此外,异重流同步观测资料不完整,还难以准确给出异重流沿程变化过程。HH17 断面以上入库含沙量较大时,异重流含沙量沿程递减。7 月 13 日(日平均流量为 209 m³ / s,含沙量为 20.6 kg / m³)所形成的异重流,由于清水的析出等因素的影响,含沙量有增大的现象。HH17 断面以下含沙量沿程变化既反映了异重流含沙量的沿程变化,又包含浑水水库的影响因素,总体看无趋势性变化。异重流中含沙量对流速有直接的显著影响。在异重流中流速和含沙量是两个相互影响、相互制约、相互依存的因素。水库沿程流速变小,含沙量相应地减小。实测资料表明,异重流垂线平均流速沿程减小，在异重流相对稳定的河段垂线平均含沙量沿程递减。

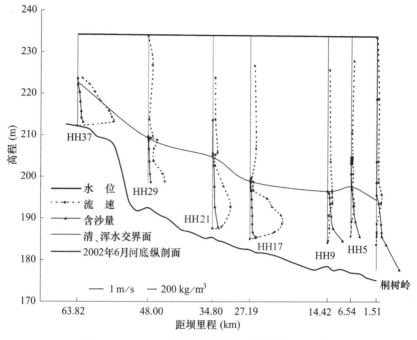

图 4-12 7 月 8 日主流线流速、含沙量沿程分布

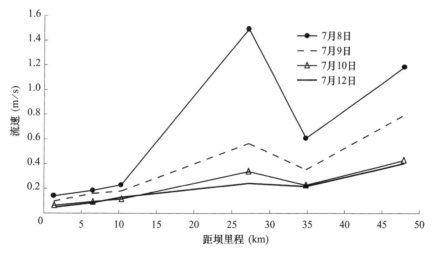

图 4-13 主流线平均流速沿程变化

4)随时间变化

(1)河堤断面变化过程。

7 月 5 ~ 15 日河堤断面观测到了完整的黄河 7 月 4 日洪水产生的异重流过程，河堤站位于潜入点下游 14.8 km 处，异重流沿河床底部运行。7 月 5 日为异重流产生阶段，7 月 6 ~ 8 日为增强阶段，底部最大流速为 1.92 ~ 2.59 m / s；9 ~ 11 日异重流能量逐渐减小，河底高程逐渐升高；12 日以后为消失阶段，异重流逐渐消失，河床保持稳定(见图 4-15)。

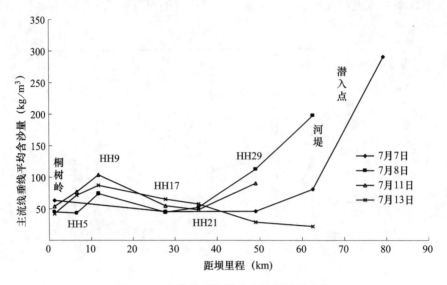

图 4-14　主流线垂线平均含沙量沿程变化

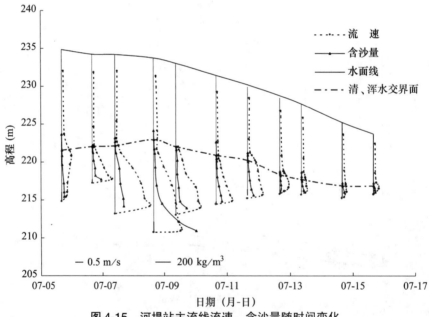

图 4-15　河堤站主流线流速、含沙量随时间变化

(2)HH17 断面变化过程。

受八里胡同河床收束的影响，异重流在各阶段强度都较 HH21 断面增大 2～3 倍。增强阶段最大流速稳定在 2.22～2.36 m/s 之间，为库区最大流速河段，异重流主要在底部运行，厚度也较大；维持阶段最大流速保持稳定在 0.9～1.22 m/s，受浑水水库的影响，异重流层逐渐上升，厚度逐渐缩减；消失阶段持续时间较长，最大流速峰顶处基本在 0.9 m/s 左右，但厚度到 13 日基本不足 2 m。见图 4-16。

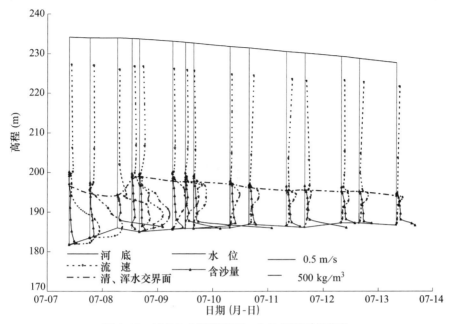

图 4-16　HH17 主流线流速、含沙量随时间变化

(3)桐树岭断面变化情况。

由于 7 月 4 日后小浪底水库进行调水调沙试验，泄水洞的启闭对坝前水流泥沙运动影响较大，从 7 月 4～15 日全过程中整个清水层流速较大，为 0.2～0.3 m／s(见图 4-17)。7 月 3～6 日浑水层中的流动为小浪底开启排沙洞所引起的，该时段清浑水交界面从 189 m 降到 184 m 以下，7 月 6 日之前浑水层最大流速基本上接近底部。7 月 7 日~9 日 6 时 30 分最大流速接近清浑水交界面。流速分布同时受上游异重流、浑水水库及小浪底水库泄流的

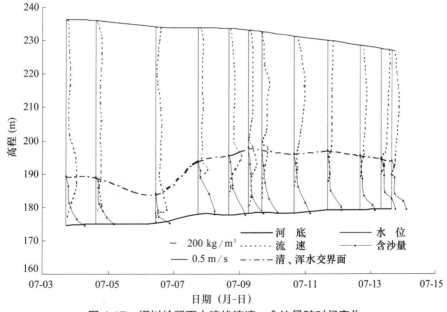

图 4-17　桐树岭断面主流线流速、含沙量随时间变化

影响。之后由于底层泄水孔关闭，水流运动大多在清水层。

6. 悬沙粒径变化及分组排沙比

1) 悬移质泥沙沿程变化

7月8日入库泥沙较细，$d<0.016$ mm 的泥沙占全沙的体积百分数为 28.3%，$d>0.062$ mm 的泥沙体积百分数为 27.7%。7月13日入库泥沙更细，$d<0.016$ mm 的泥沙体积百分数为 86.6%，$d>0.062$ mm 的泥沙体积百分数为 0.9%。各断面悬移质中值粒径垂线变化幅度见表4-6。

表 4-6　各断面悬移质中值粒径垂线变化　（单位:mm）

时间 （月-日）	河堤	HH29	HH21	HH17	HH9	HH5	桐树岭
07-08	0.090~0.048	0.007~0.034	0.006~0.018	0.007~0.019	0.007~0.015	0.009~0.010	
07-13	0.005~0.007	0.005	0.012~0.013	0.007~0.010	0.004~0.010	0.005~0.008	0.006

图4-18反映出了异重流泥沙中值粒径沿程变化状况。测验结果表明，在距坝约30 km 以上库段悬沙逐步细化，分选明显，以下库存段悬沙中值粒径沿程几乎无变化。小浪底水库模型试验表明，水库发生异重流时，在异重流潜入点附近床沙较粗，在水库淤积三角洲的前坡段床沙沿程细化，在异重流淤积段床沙组成沿程基本无变化，这与原型观测结果一致。

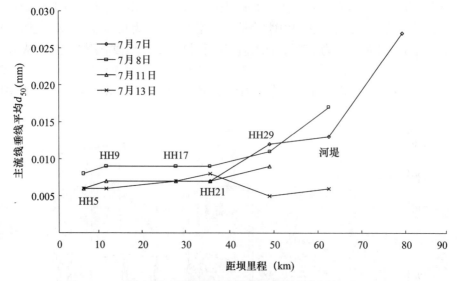

图 4-18　悬沙平均中值粒径沿程分布图

图4-19为异重流泥沙中值粒径垂线分布，呈现出上细下粗的变化规律。在运动过程中，泥沙颗粒发生分选，较粗颗粒沉降，而细颗粒泥沙悬浮于水中继续向坝前输移。

2) 水库分组排沙比

调水调沙试验期间(7月4~14日)细泥沙($d<0.025$ mm)、中泥沙(0.025 mm$<d<0.05$ mm)、粗泥沙($d>0.05$ mm)、全沙排沙比分别为 44.8%、4.7%、1.6%、17.1%。6月20日~7月15日不同时段入出库沙量、不同粒径组排沙比、淤积物组成见表4-7。

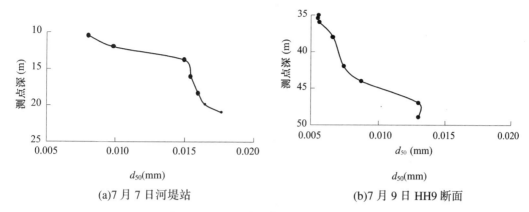

(a)7月7日河堤站   (b)7月9日 HH9 断面

图 4-19　泥沙中值粒径沿垂线分布图

表 4-7　　小浪底水库调水调沙期不同粒径组排沙情况

项目	时间(月-日)	细泥沙	中泥沙	粗泥沙	全沙
入库沙量 (亿t)	06-20～07-15	1.137	0.894	0.826	2.857
	07-04～07-09	0.553	0.586	0.601	1.740
	07-04～07-14	0.607	0.593	0.605	1.805
出库沙量 (亿t)	06-20～07-15	0.288	0.029	0.010	0.327
	07-04～07-09	0.244	0.026	0.009	0.279
	07-04～07-14	0.272	0.028	0.010	0.310
淤积量 (亿t)	06-20～07-15	0.849	0.865	0.816	2.530
	07-04～07-09	0.309	0.560	0.592	1.461
	07-04～07-14	0.335	0.565	0.595	1.495
淤积物组成 (%)	06-20～07-15	33.5	34.2	32.3	100
	07-04～07-09	21.1	38.4	40.5	100
	07-04～07-14	22.4	37.8	39.8	100
排沙比 (%)	06-20～07-15	25.4	3.3	1.2	11.5
	07-04～07-09	44.2	4.4	1.5	16.0
	07-04～07-14	44.8	4.7	1.6	17.1

7. 综合阻力

异重流运动方程和能量方程的结构和一般明渠流或管流一样,只是将重力加速度用重力修正系数 η_g 进行了修正,异重流运动研究的焦点便集中于其阻力特性上。浑水异重流是一种潜流,与一般明渠流或有压管流的根本差异是具有其特殊的边界条件。异重流的上边界是可动的清水层。一方面清水层对其下面的异重流运动有阻力作用;另一方面本身可被异重流拖动,形成回旋流动,并且在一定条件下清水和异重流交界面会出现波状起伏，类似于沙质河床在水流作用下出现的沙波运动一样。此外，清浑水还有掺混现象等。上边界会随异重流运动而发生变化，反过来必然对异重流阻力产生不同的影响，使异重流阻力问题显得非常复杂。因此，异重流运动方程和能量方程中的阻力通常用一个包括床面阻力系数 λ_0 及交界面阻力系数 λ_i 在内的综合阻力系数 λ_m 来表示。

异重流的阻力公式与一般明流相同，只是需要考虑异重流的有效重力加速度，可写为

$$V = \sqrt{\frac{8}{\lambda_m}\frac{\Delta\gamma}{\gamma_m}gRJ_0} \tag{4-2}$$

异重流平均阻力系数值 λ_m 采用范家骅的阻力公式，即：在恒定条件下，$\partial V/\partial t = 0$，从异重流不恒定运动方程

$$\frac{\Delta\gamma}{\gamma_m}\left(J_0 - \frac{\partial h}{\partial s}\right) + \frac{V^2}{gh}\frac{\partial h}{\partial s} - \frac{\lambda_m V^2}{8gR} - \frac{1}{8}\frac{\partial V}{\partial t} = 0 \tag{4-3}$$

可以得出

$$\lambda_m = 8\frac{R}{h}\frac{\dfrac{\Delta\gamma}{\gamma_m}gh}{V^2}\left[J_0 - \frac{\mathrm{d}h}{\mathrm{d}s}\left(1 - \frac{V^2}{\dfrac{\Delta\gamma}{\gamma_m}gh}\right)\right] \tag{4-4}$$

式中　　J_0——河底比降；

$\dfrac{\mathrm{d}h}{\mathrm{d}s}$——异重流厚度沿程变化，可根据上下断面求得；

R——水力半径；

其他符号的含义同前。

异重流的湿周比明渠流湿周多了一项交界面宽度 B，所以异重流水力半径的计算应考虑这一问题。

用式(4-4)计算不同测次异重流沿程综合阻力系数，计算结果见表4-8。

HH1—HH37 断面 λ_m 为 0.024~0.029(2001 年小浪底水库 HH29—HH25 断面 λ_m 为 0.022)。范家骅水槽试验 λ_m 为 0.025，官厅水库为 0.020~0.025，这说明小浪底水库异重流的综合阻力系数接近试验及其他水库的数值。

三、浑水水库形成及变化过程

2002 年小浪底库区分别于 6 月下旬和 7 月上旬形成了两次较明显的异重流输沙过程。

含沙水流入库并以异重流的形式运行至坝前后，由于控制泄流，闸门开启度较小或者关闭，排沙洞排出的浑水流量远小于异重流流量，仅小部分浑水被排泄出库，大部分被拦蓄在库内,在坝前段形成浑水水库，并随异重流不断向大坝推移，清浑水交界面不断升高，且逐渐向上游延伸。

表 4-8 综合阻力系数计算表

施测时间		水位 (m)	断面名称	异重流厚度 (m)	水力半径 R(m)	流速 (m/s)	含沙量 (kg/m³)	阻力系数	河段平均阻力系数
日期	时:分								
7月8日	12:40	233.71	HH1	8.7	8.84	0.13	57.66	0.025 9	0.024 5
	13:40	233.76	HH5	16.0	16.14	0.23	35.50	0.024 1	
	12:00	233.81	HH9	11.3	7.87	0.28	44.30	0.018 8	
	16:00	233.71	HH17	13.7	7.56	1.29	44.90	0.024 9	
	16:00	233.74	HH21	17.1	9.95	0.71	52.40	0.020 7	
	17:00	234.06	HH29	14.4	6.87	0.59	39.60	0.032 4	
7月9日	6:30	233.12	HH1	17.0	21.95	0.12	60.30	0.026 0	0.028 6
	8:30	233.03	HH5	12.8	20.85	0.12	51.10	0.035 4	
	6:18	233.12	HH9	14.0	8.93	0.23	71.00	0.029 3	
	6:30	233.14	HH17	12.5	7.04	0.65	46.90	0.020 5	
	7:18	233.12	HH21	14.3	7.58	0.50	40.20	0.036 0	
	16:48	232.62	HH29	9.3	4.42	0.81	27.90	0.024 5	
7月10日	16:00	231.35	HH1	8.6	9.21	0.06	53.80	0.034 2	0.0258
	16:00	231.37	HH5	14.2	9.35	0.13	84.40	0.020 5	
	8:06	231.77	HH9	13.9	8.67	0.15	85.60	0.028 6	
	7:30	231.79	HH17	11.0	6.77	0.32	56.30	0.032 1	
	16:00	231.42	HH21	8.5	5.21	0.27	52.60	0.026 9	
	17:12	231.37	HH29	7.0	3.68	0.66	27.70	0.012 7	
7月11日	16:00	230.17	HH1	9.4	9.53	0.05	51.80	0.019 6	0.029 6
	8:30	230.47	HH5	12.3	7.43	0.09	76.90	0.030 2	
	16:00	230.14	HH9	13.9	8.29	0.14	98.10	0.034 9	
	16:00	230.12	HH17	9.3	6.10	0.24	56.20	0.028 5	
	15:48	230.18	HH21	7.9	4.85	0.19	58.30	0.034 9	
	16:00	230.20	HH29	7.8	4.10	0.52	40.40	0.029 7	
7月12日	16:00	228.69	HH1	6.8	9.00	0.05	44.70	0.033 1	0.026 1
	16:10	228.70	HH5	11.2	7.69	0.09	60.00	0.023 5	
	8:12	229.23	HH9	13.4	8.00	0.13	95.10	0.028 2	
	15:36	228.73	HH17	7.8	5.87	0.23	50.00	0.024 0	
	15:06	228.82	HH21	6.7	4.59	0.28	43.80	0.023 1	
	8:00	229.29	HH29	4.6	2.63	0.39	26.20	0.024 3	

6 月下旬形成的异重流运行至坝前时，由于排沙底孔未打开，泄流孔口相对较高，异重流不能及时排出库外，逐渐形成浑水水库，且沉降速度极为缓慢，至 7 月 4 日调水调沙试验开始时，浑水水库浑液面高程为 189.07 m，明显高于排沙洞底坎高程 175 m，见图 4-20。调水调沙试验开始后，排沙洞闸门打开，立即有浑水排泄出库，此时明流洞

下泄清水，出现了上清下浑的现象。随着浑水下泄，浑液面逐渐降低，至7月6日降至183.91 m。7月6~8日洪水入库后再次形成异重流，浑水到达坝前后，由于控制异重流排泄出库，使坝前浑液面进一步抬升，最高达197.58 m。7月10日在排沙洞完全关闭后，1#明流洞和发电洞含沙量明显增大。7月8日以后入库流量、含沙量相对减小较多，库水位下降较快。随着时间的推移，浑液面高程也随泥沙的沉降不断降低，浑水含沙量不断增加。7月21日~8月8日期间为压缩沉降，随浑水水体中含沙量进一步增大，极限切应力τ_B加大，表现出浑液面的沉降速度进一步减小，至8月8日浑液面高程降至188.38 m。之后，浑液面高程又明显抬升，主要是由于三门峡水库排沙，同时小浪底水库为满足下游用水，调水调沙试验结束后，仍然补水运用，库水位降幅较大，三角洲洲体向下推移，部分较细颗粒的泥沙被输移至浑水水库范围内所致。8月26日浑液面高程升高至194.29 m。

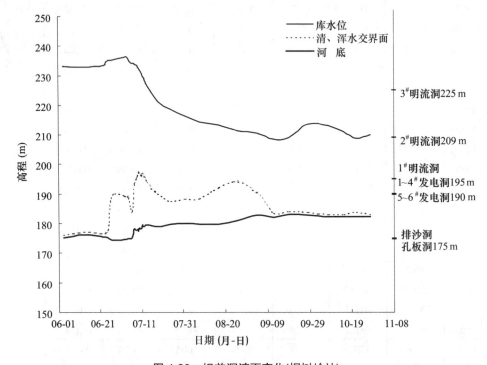

图4-20 坝前浑液面变化(桐树岭站)

由库区清、浑水交界面沿程变化可以看出(见图 4-21)，浑水水库的范围基本在距坝约30 km以内。

形成浑水水库的泥沙非常细，中值粒径d_{50}一般介于0.005~0.007 mm之间，d_{90}也基本都在0.030 mm以下，以浑液面的形式整体下沉。沉速与含沙量、泥沙级配及水温等因素有关。坝前流速很小，扰动掺混作用弱。因此，沉降极其缓慢，浑水水库维持时间很长，至9月4日桐树岭站(距坝1.51 km)实测浑液面高程仍达190.46 m。事实上，坝前浑液面高程的变化，还受进出库水流的影响，这种影响表现在浑水体积的增减，以及由于水流运动引起的对泥沙形成的网状絮体的破坏，这些影响因素使浑液面沉降特性更具有多变性和复杂性。

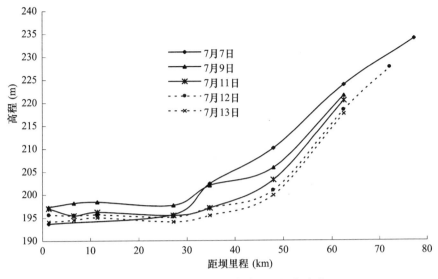

图 4-21 不同时段清浑水交界面沿程变化

2002 年 9 月 5 日排沙洞开启，日均出库含沙量立即由 0 升至 110.64 kg / m³，日均最大出库含沙量为 176.14 kg / m³(9 月 8 日)，而最大日均出库流量仅为 527 m³ / s(9 月 9 日)，是典型的小流量排沙，排沙过程持续了 7 d。由图 4-20 可知，水库排沙之前 9 月 4 日桐树岭站实测浑液面高程仍达 190.46 m，明显高于排沙洞底坎高程 175 m。水库排沙期间，实测坝前浑液面高程下降非常快，但桐树岭断面库底高程不仅未降反而有所抬升(见图 4-20)。因此，可以认为此次排沙为浑水水库排沙。对比该时段小浪底站的泥沙级配与浑水水库的泥沙级配资料(桐树岭站)(见图 4-22)，两者泥沙级配非常接近，均说明了此次排沙为浑水水库排沙。

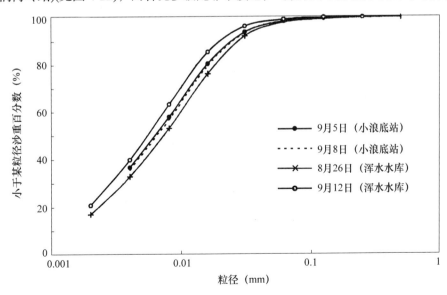

图 4-22 出库泥沙与浑水水库泥沙级配对比

为了更好地分析形成浑水水库对排沙的影响,根据桐树岭站及库区其他断面清浑水交界面高程及含沙量分布测验资料对浑水体积及沙量进行了估算。图4-23为浑水体积及沙量随时间变化过程,受资料所限,估算值与真值会有一定的误差。

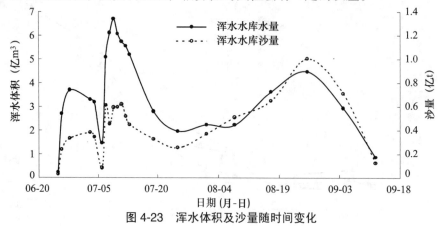

图4-23　浑水体积及沙量随时间变化

由图4-20及图4-23可以看出,浑水水库变化过程大致分为三个阶段。

第一阶段是6月25日~7月6日。6月下旬异重流运行到坝前后,排沙洞先关后开,浑水先蓄后排,浑水体积最大时达3.7亿m³(6月28日)。7月3日坝前浑水深度达14 m,悬浮沙量达到最大0.38亿t。从7月4日调水调沙试验开始至6日,出库泥沙主要是前期浑水水库补给,浑水体积及悬浮沙量迅速减少,浑水水库几乎消失。该时段计算出库沙量为0.126亿t。

第二阶段是7月6日~8月8日。7月上旬异重流运行到坝前后,大部分浑水被拦蓄在库内,浑水体积及沙量再一次增加。清浑水交界面最高达197.58 m(7月9日),相应浑水深度为19.46 m,浑水容积为6.69亿m³,悬浮沙量达到0.59亿t。7月9日以后,由于上游没有足够后续浑水加入,浑水水库开始自然沉降,且随着浑水含沙量的逐渐增大,沉速有减小的趋势。

第三阶段是8月8日以后,伴随着浑水体积的进一步缩小,由上游输送下来的较细泥沙逐步补充至浑水水库,使浑水体积及沙量总体上又经历了一个缓慢抬升的过程,浑液面最高至194.29 m。9月上旬的排沙过程使聚积在坝区的泥沙基本消失。

2002年小浪底水库调水调沙试验,以黄河全下游河道的不淤或冲刷为目标,同时作为试验旨在检验清水冲刷的调控指标。因此,控制出库含沙量不大于20 kg/m³。当洪水产生的异重流运行至坝前后,大部分被拦在水库中。初步估算,在调水调沙期浑水水库中悬浮的泥沙最多时可达0.59亿t,见图4-23。若不对异重流的排泄进行控制,可以说该部分泥沙中大部分是可以排出库外的。若以减少水库的淤积,且不对下游河道产生较大影响为目标,则可在异重流到达坝前后加大下泄流量,将获得较好的排沙效果。

水库形成浑水水库会对异重流输移产生一定影响。从图4-16可以看出,至7月8日以前,异重流均沿库底向前运行,为底部异重流。7月9日以后,逐步受浑水水库的影响,最大流速在垂线上逐渐上移,表明异重流的浑水比重大于其上部水体,而又小于下部水体,异重流选择了与自身比重接近的水层运行成为中层异重流。当库区形成浑水水库并出现中层异重流后，异重流交界面的阻力与底部异重流相比会发生改变，浑水水库泥沙沉降过程亦会对异重流的输移产生影响。迄今为止，尚无完善的数值模拟方法，下阶段有必要针对该问题进行探讨。

四、异重流排沙作用及效果分析

(一)国内外水库异重流排沙效果

异重流在自然界中不仅非常普遍，而且是一种复杂的现象，其形成和运动的影响因素很多。研究异重流的目的在于了解其运动规律并加以有效利用。对处于蓄水状态的多沙河流水库而言，异重流排沙是一种值得重视的防淤或减淤措施。利用异重流能挟带大量泥沙而不与清水相混合的规律排沙出库，可以在保持一定水头的条件下，达到既能蓄水，又能排沙，既能使近期保持较高的兴利效益，又能减少水库淤积、延长水库寿命的目的。

根据表 4-9 中统计的国内外几座水库的资料，得出异重流排沙比为 18%～65%。表 4-10 给出了三门峡水库拦沙期异重流排沙效果。

表 4-9　国内外水库异重流排沙效率

水库	坝高 (m)	库容 (亿 m³)	年径流 (亿 m³)	年份或洪峰时段	沙量(亿 t)		异重流排沙比(%)
					入库	出库	
伊里埃姆达 (Iril Emda) (阿尔及利亚)	75.0	1.60	2.10	1953～1954	5.21	1.31	25
				1954～1955	1.52	0.65	43
				1955～1956	7.47	3.64	49
米德湖 (美国)	—	38.40	160.00	1935-03-30～04-17	7.78	1.79	23
				1935-08-26～09-09	9.48	2.37	25
				1935-09-27～10-07	9.35	3.27	39
				1936-04-13～24	11.08	2.00	18
奈伯尔 (Nebeur)坝 (突尼斯)	65.0	3.00	1.80	1954-05～1980-05	4.9 亿 t／年	3.5 亿 t／年	59～64
冯家山水库 (中国)	77.0	3.98	4.85	1978-08-06～08	0.46	0.11	23
				1979-07-25～26	1.18	0.77	65
官厅水库 (中国)	45.0	22.70	14.00	1954-07-02～05	7.86	2.70	34
				1954-07-04～25	13.50	4.00	30
				1954-07-28～29	0.58	0.19	32
				1954-08-24～27	5.30	1.06	20
				1954-09-05～06	3.14	0.80	20
				1956-06-26～07-06	20.50	4.56	22
				1956-08-01～03	6.34	1.58	25
				1961-07-21～28	1.63	0.29	18
三门峡水库 (中国)	106.0	96.40	432.00	1961-08-01～08	1.70	0.30	18
				1961-08-10～18	1.47	0.31	21
刘家峡水库 (中国)	147.0	1.14		1969～1980			47
恒山水库 (中国)	69.0	0.13		1968～1878			37～100
碧口水库 (中国)	101.0	5.21		1976～1980			18～44
黑松林水库 (中国)	45.5	0.09		1962～1972			61～91

表 4-10　三门峡水库历年异重流排沙比成果

年份	进库潼关站			出库三门峡站			排沙比 (%)
	输沙量 (亿 t)	输水量 (亿 m³)	含沙量 (kg/m³)	输沙量 (亿 t)	输水量 (亿 m³)	含沙量 (kg/m³)	
1961	8.330	130.47	63.80	1.021	110.42	9.25	12.26
1962	3.426	185.01	33.59	1.056	173.87	6.07	30.83
1963	0.826	26.07	31.68	0.226	25.36	8.91	27.36
1964	9.003	187.23	48.07	2.928	174.30	16.82	32.50
合计	21.59	528.78	46.08	5.231	483.95	12.68	24.24

挟沙水流进入水库壅水段之后，由于水深增加，流速降低，挟沙力大幅度降低，水流中所挟带的粗颗粒泥沙由于水力的分选作用而沉降，较细泥沙因其沉速小，尚能保持悬浮状态流向下游，在其自身重力和水流压力作用下，潜入库底形成异重流。其水流仍具有二相紊流特性，沿程要发生泥沙水力分选。因此，异重流所挟带的泥沙颗粒一般情况下很细。三门峡水库 1960~1964 年异重流排沙，泥沙粒径大于 0.05 mm 的排沙比仅为 1.1%~3.3%，而粒径小于 0.025 mm 的排沙比却达 30.4%~56.1%，起到了拦粗排细的作用。

从下游河道的输沙角度而言，由于异重流所挟带的泥沙颗粒很细，可合理调度使用水库拦沙库容，多拦对下游不利的粗沙而少拦细沙。总之，水库调度要充分利用异重流运行的特点，减少水库淤积，合理利用水库拦沙容积，更好地发挥水库的拦沙减淤效益。

(二)小浪底水库异重流排沙效果分析

小浪底水库施工期进行的水库运用方式研究实体模型试验结果表明(表 4-11)，水库运用初期 1~5 年汛期大多时段为异重流排沙。排沙比的大小与来水来沙过程、悬沙组成、异重流潜入点位置、库区平面形态、初始地形、水库调度等因素有关。水库运用初期库区为三角洲淤积，异重流潜入点一般位于三角洲的前坡段。随水库运用历时延长，三角洲体不断向坝前推进，异重流潜入点亦不断下移。模型试验第 5 年水库淤积三角洲顶点已推进至距坝约 8 km 处，由于异重流潜入后运行距离短，在流量及沙量并不太大的条件下，排沙比达到了 46.5%。

表 4-11　小浪底水库运用初期模型试验水库历年排沙比统计

年序	$W_入$(亿 m³)	$W_{s入}$(亿 t)	冲淤量(亿 t)	排沙比(%)
1	173.53	11.27	9.76	13.4
2	153.17	8.00	6.65	16.9
3	86.87	4.18	3.69	11.7
4	199.29	9.40	6.92	26.4
5	111.03	4.17	2.23	46.5
合计	723.89	37.02	29.25	21.0

小浪底水库自 2000 年正式投入运用以来，库区洪水期主要为异重流输沙。小浪底水库 2000 年异重流运行到了坝前，但坝前淤积面高程低于 150 m，浑水面离水库最低泄流高程 175 m 相差太远，虽然开启了排沙洞，大部分泥沙也不能排泄出库。2001 年 8 月，

较大流量高含沙水流入库，具有较大能量的异重流运行到了坝前，由于控制出库流量，虽然出库含沙量最高近 200 kg / m³，但水库排沙比不大，全沙、细泥沙($d > 0.025$ mm)、中泥沙(0.025 mm $< d < 0.05$ mm)、粗泥沙($d > 0.05$ mm)排沙比分别为 7.82%、14.80%、1.84%、1.13%。

2002 年小浪底水库调水调沙试验，为满足预案的要求，当异重流运行至坝前后，大部分被拦在水库中。由图 4-23 可以看出，在调水调沙试验结束之后，坝前浑水水库中悬浮的沙量仍达约 0.4 亿 t。若调水调沙试验期间不对出库含沙量进行控制，使水库减少淤积 0.4 亿 t 泥沙是有可能的。

第五章　库区冲淤特性及库容变化

一、小浪底库区历年淤积状况

自截流到 2002 年 10 月，小浪底全库区断面法淤积量为 9.23 亿 m³，不同时期库区淤积量分布见表 5-1。

表 5-1　不同时期库区淤积量分布

时段(年-月)	1997-10~ 1998-10	1998-10~ 1999-09	1999-09~ 2000-11	2000-11~ 2001-05	2001-05~ 2001-09	2001-09~ 2001-12	2001-12~ 2002-10
断面法淤积量 (亿 m³)	0.076	0.413	3.661	0.268	1.752	0.952	2.108

1997 年截流至 1999 年 9 月施工导流期，泥沙主要淤积在距坝 15 km 以内的范围，呈近似锥体淤积形态，见图 5-1。水库正式投入运用后，库水位升高。至 2000 年 11 月，干流淤积呈三角洲形态。三角洲顶点距坝 70 km 左右，顶点高程 227.22 m。此后，三角洲顶点位置随着库水位的升降而上下移动(见表 5-2)。

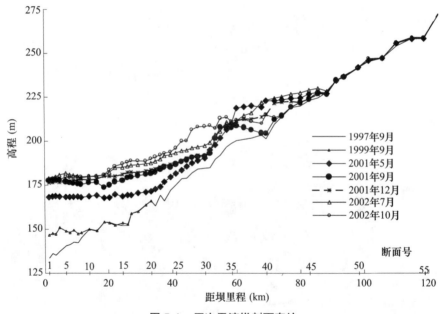

图 5-1　历次干流纵剖面套绘

一般情况下，当库水位下降时，三角洲洲面发生冲刷，三角洲顶点位置下移，冲刷幅度与水位下降幅度三门峡来水来沙情况有关。例如 2000 年 11 月~2001 年 9 月，库水位下降 17.9 m，三角洲顶点高程下降 19.3 m，顶点位置下移 14 km。当库水位抬高时，若三门峡来水来沙较多，三角洲洲面抬升，顶点位置上移。再如 2001 年 9 月~2001 年 12 月，库水位上升 18.9 m，三角洲顶点高程升高 13.6 m，顶点位置上移 17 km。

表 5-2　三角洲特征参数统计

时间 (年-月-日)	库水位 (m)	三角洲		
		位置 (km)	顶点高程 (m)	顶点位置 (km)
2000-11-01	234.35	50～88	227.22	69.00
2001-05-18	218.80	50～88	218.86	60.00
2001-09-04	216.44	52～69	207.97	55.00
2001-12-08	235.33	50～80	221.58	72.00
2002-06-20	233.48	50～80	221.60	72.00
2002-07-15	223.85	52～85	222.03	68.00
2002-10-15	210.98	41～74	206.60	46.20

注：表中表示位置的里程均为距坝里程。

由三角洲顶点高程与库水位关系(见图5-2)可以看出，三角洲顶点高程与库水位之间具有一定的相关关系。

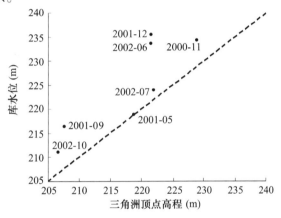

图 5-2　三角洲顶点高程与库水位的关系

二、2002 年库区冲淤特性

由库区断面测验资料统计，2002 年全库区淤积量为 2.108 亿 m³。泥沙的淤积分布有以下特点：

(1)泥沙主要淤积在干流，淤积量为 1.938 亿 m³，占全库区淤积总量的 91.9%；支流淤积量为 0.17 亿 m³，占全库区淤积总量的 8.1%。

(2)泥沙主要淤积在 215 m 高程以下，淤积 2.163 亿 m³；库区的冲刷则主要发生在高程 215～225 m 之间，冲刷 0.07 亿 m³，原因之一是塌岸，之二是水库回水末端以上发生明流冲刷。库区不同高程的冲淤量分布见表 5-3 及图 5-3。

表 5-3　不同高程库区冲淤量分布

高程(m)	215 以下	215～225	225～275	275 以下
冲淤量(亿 m³)	2.163	−0.070	0.015	2.108

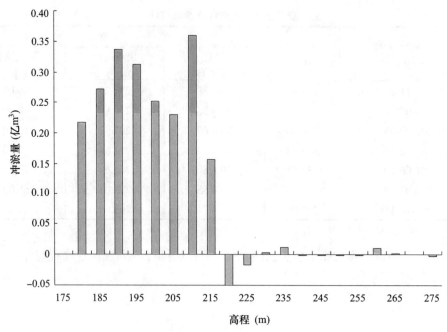

图 5-3　库区不同高程冲淤量分布

(3)泥沙主要淤积在 HH38 断面以下库段，淤积量为 2.22 亿 m³；HH49 断面以上冲淤幅度较小，加之断面狭窄，冲淤量仅为 0.02 亿 m³；冲刷主要发生在 HH38—HH49 之间，主要是水库回水末端的明流冲刷。不同库段冲淤量见表 5-4，图 5-4 为断面间冲淤量分布。

表 5-4　库区不同库段(含支流)冲淤量分布

库段	HH15 以下	HH15—HH27	HH27—HH38	HH38—HH49	HH49—HH56	合计
冲淤量(亿 m³)	0.505	0.672	1.047	−0.137	0.021	2.108

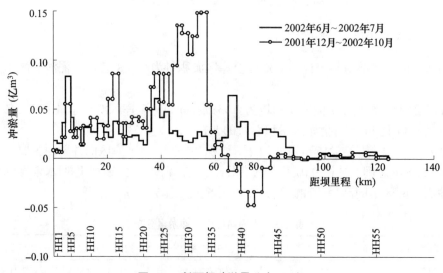

图 5-4　断面间冲淤量分布(干流)

(4)淤积主要集中于洪水期。2002年6月中旬~7月中旬全库区淤积量为1.444亿m³，占全年库区淤积总量的68.5%。其中干流淤积1.346亿m³，淤积分布见图5-4。支流淤积量为0.098亿m³，其中的75.2%淤积在HH16断面以下的支流。大峪河淤积量最大，为0.116亿m³，占支流淤积总量的67.9%。其他支流的淤积量均较小，各支流的详细淤积情况见图5-5。表5-5及图5-6为各时段库区淤积量。

(5)支流泥沙主要淤积在沟口附近，沟口向上沿程减少。距大坝愈近，淤积厚度愈大。

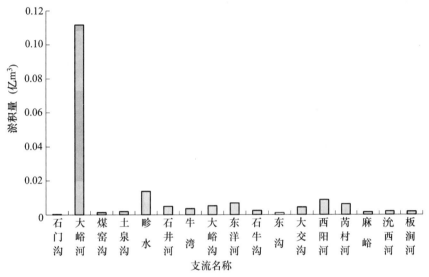

图5-5　各支流淤积量分布

表5-5　各时段库区淤积量

时段(年-月)		2001-12~2002-06	2002-06~2002-07	2002-07~2002-10	2001-12~2002-10
淤积量 (亿m³)	干流	0.191	1.346	0.400	1.938
	支流	0.057	0.098	0.015	0.170
	合计	0.248	1.444	0.415	2.108
占全年的百分比(%)		11.80	68.50	19.70	100.0

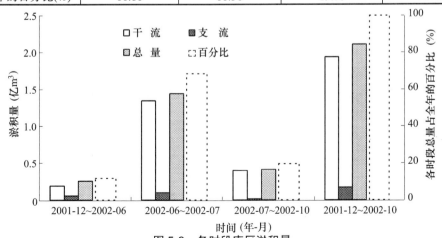

图5-6　各时段库区淤积量

三、库区淤积形态

(一)干流淤积形态

1. 纵向淤积形态

2001年12月~2002年6月中旬,大部分时段三门峡水库下泄清水,小浪底水库进库沙量仅为0.05亿t,出库沙量为零;库水位基本上经历了先升后降又抬升的过程,库水位在228.96~240.81 m之间变化,前期形成的三角洲始终位于水库回水范围内。因此,干流纵向淤积形态几乎没有变化,见图5-7(a)。

6月中旬完成小浪底库区地形观测之后,6月下旬~7月3日,受中游洪水及三门峡水库泄水的影响,小浪底水库出现了3次洪水过程,实测入库沙量为1.05亿t,出库沙量为0.006 6亿t,大部分泥沙淤积在库区。7月4~15日调水调沙试验期间,库区淤积主要为异重流淤积及浑水水库淤积。在异重流潜入过程中,大量粗颗粒泥沙淤积,使三角洲洲面抬升,异重流在运行的过程中发生沿程淤积;异重流到达坝前后形成浑水水库,之后缓慢沉降淤积。整个库区除HH33—HH36断面之间变化不大之外,纵剖面均有所抬升,见图5-7(b)。

调水调沙试验前后,黄河干流纵剖面除HH47断面以上基本未发生冲淤变化外,其他断面均变化较大,特别是坝前段淤积幅度较大,导致全库区库底比降变缓。由于库水位较高,原三角洲洲面淤积抬高幅度最大为8.21 m(HH39),三角洲顶点则由距坝55 km左右上移13 km,至距坝68 km(HH39),顶点高程222.03 m;三角洲顶坡段位于距坝68~85 km之间,比降约为4.54‰,原来位于HH40—HH44断面之间的一个较小淤积体也随着洲面的抬高而被掩盖;距坝51~68 km库段为三角洲前坡段,比降为14.06‰;距坝51 km以内库段为异重流淤积段,比降平缓。

调水调沙试验之后至10月份,水库主要是补水下泄,库水位下降较快,库区淤积形态发生较大幅度的调整,见图5-7(c)。距坝约60 km的HH36断面至HH47断面之间三角洲发生大幅度冲刷,冲起的泥沙大部分堆积在相邻库段HH36断面至距坝约40 km的HH25断面之间。三角洲顶点由距坝68 km左右下移22 km至距坝46 km处,顶点高程也由222.03 m降至206.6 m。10月份库区纵剖面三角洲顶坡段位于距坝46~74 km之间,比降为2.9‰;距坝41~46 km库段为三角洲前坡段,比降为20.6‰;距坝40 km以下库段淤积面总体上有所抬升,主要是浑水水库继续沉降淤积、前期库区淤积物随时间延长逐渐密实及以上库段冲刷下来的少量泥沙在该库段落淤所致。20 km以下库段抬升幅度明显小于20~40 km库段,甚至个别断面有所下降,主要是9月上旬水库排沙等原因所致。

2. 横断面淤积形态

图5-8为2001年12月~2002年10月期间4次库区横断面套绘图。不同的库段,泥沙淤积机理不同,冲淤规律有较大的差异。

坝前段HH1—HH12断面之间主要是异重流及浑水水库淤积,库底高程基本上为平行抬升,7~10月由于前期库区淤积物随时间延长逐渐密实及9月上旬水库排沙等原因,部分断面的河底有所下降,例如HH1、HH8断面;HH13—HH33之间全年横断面的变

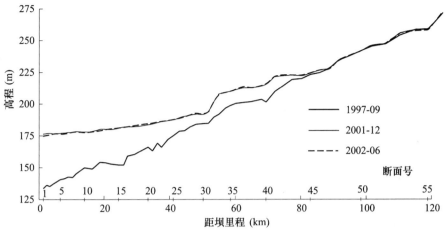

(a)2001 年 12 月 ~ 2002 年 6 月

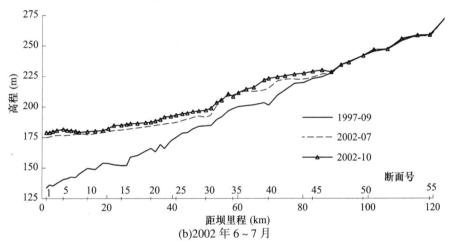

(b)2002 年 6 ~ 7 月

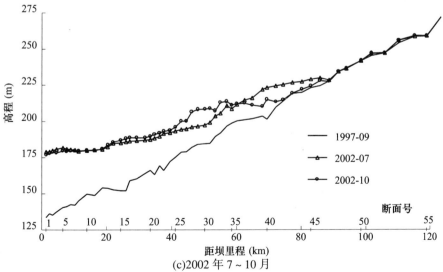

(c)2002 年 7 ~ 10 月

图 5-7　干流纵剖面套绘

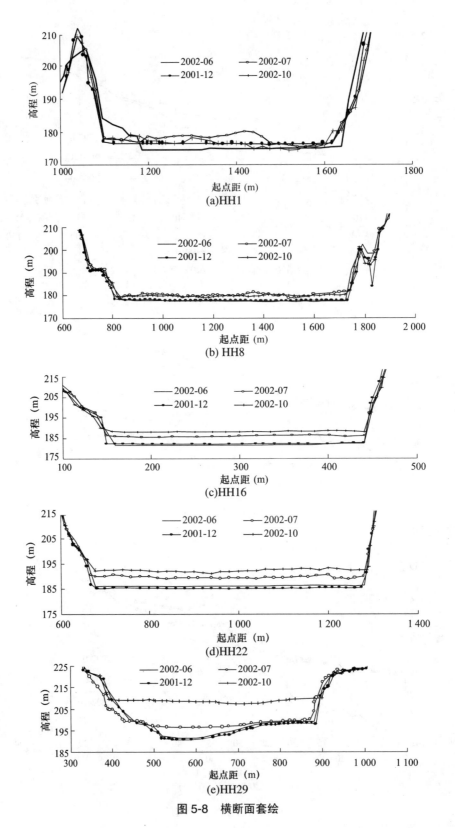

图 5-8　横断面套绘

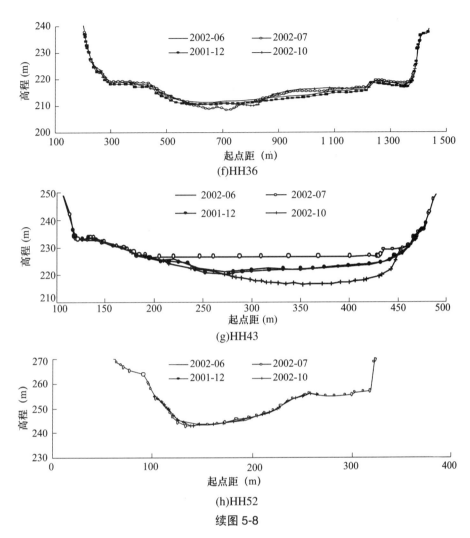

(f)HH36

(g)HH43

(h)HH52

续图 5-8

化均为持续淤积抬升,但冲淤发生的主要时段和床面淤积抬高的原因也不尽相同,HH25断面以下主要是调水调沙试验期间异重流及浑水水库淤积,而 HH26—HH33 断面之间床面的淤积抬高主要是由于水库运用水位较低,三角洲向下游搬移引起的,该库段抬升幅度最大值达到 16.7 m(HH30),最小值为 3.53 m(HH13)。HH34—HH47 断面之间库段位于水库回水变动段,经历了先异重流输沙后明流输沙两个阶段,断面形态调整较为复杂。HH34—HH36 断面之间库段大多经历了淤积—冲刷—淤积的过程。若淤积,则一般为平行抬升;若冲刷,往往在主流区冲出河槽。如 HH36 断面,2002 年 6 月在 2001 年 12 月地形基础上平行抬升约 0.6 m,至 2002 年 7 月断面形态调整较大,主槽冲刷,深泓点高程为 208.43 m,较 6 月份下降 2.94 m,至 10 月深槽回淤。HH37—HH47 之间横断面的变化主要发生在主槽,一般为淤积—淤积—冲刷的过程,滩面变化不大,例如 HH43 断面。HH47断面以上,断面形态变化不大,例如 HH52 断面。

(二)支流淤积形态

支流主要为干流倒灌淤积。异重流期间,水库运用水位较高,库区较大的支流均位于干流异重流潜入点下游，干流异重流沿河底倒灌支流，并沿程落淤，表现出支流沟口淤积较厚，沟口以上淤积厚度沿程减少。随干流淤积面的抬高，支流沟口淤积面同步发展，支流淤积形态取决于沟口处干流的淤积面高程，见图 5-9。

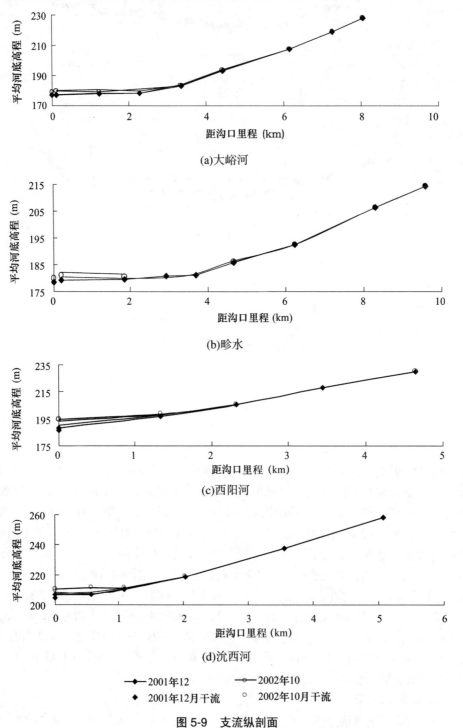

(a)大峪河

(b)畛水

(c)西阳河

(d)沇西河

2001年12　　　　2002年10
2001年12月干流　　　2002年10月干流

图 5-9　支流纵剖面

2002 年支流淤积量为 0.17 亿 m³。支流的淤积时段主要为 2002 年 6～10 月，淤积方式有两种：2002 年 6 月下旬～7 月中旬主要为干流异重流倒灌淤积；2002 年 7 月下旬～10 月库区上游部分支流淤积主要是干流淤积三角洲在向下推移过程中，部分泥沙向支流倒灌，如沇西河(距坝约 53.5 km)。这种淤积过程致使沇西河沟口以明显的倒坡初露拦门沙雏形，这与 1999 年小浪底水库运用初期库区模型试验结果是一致的。模型试验报告中分析支流淤积及拦门沙形成机理时指出：支流拦沙量取决于干流进入支流的沙量。处在库区淤积三角洲顶点以下的库区支流，干流产生的异重流仍以异重流的形式倒灌支流。当干流三角洲顶点迅速推近并跃过支流沟口，沟口淤积面高程骤然大幅度抬升而向内形成倒锥体。

较大支流如大峪河、畛水、石井河、东洋河、西阳河等沟口处淤积面较平，均未形成明显"拦门沙"。支流表现出沟口淤积较厚，沟口以上沿程减少，使支流纵坡降变缓。2001 年 12 月～2002 年 10 月之间沟口断面平均河底高程上升 1.76～6.5 m，西阳河淤积厚度最大达 6.5 m。其中 2002 年 6～7 月之间各支流沟口断面平均河底高程上升 0.44～3.28 m，西阳河沟口淤积厚度为 3.28 m，主要是由于沟口处干流淤积面抬升较多。较大支流沟口横断面套绘见图 5-10。

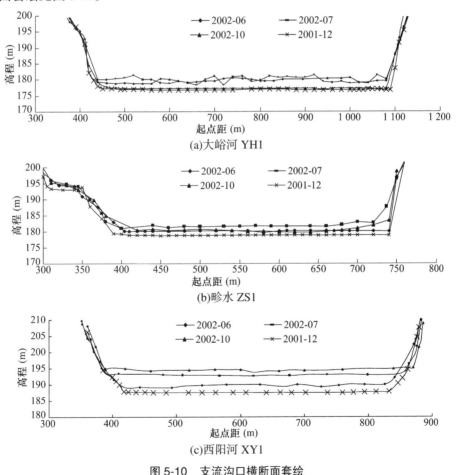

图 5-10 支流沟口横断面套绘

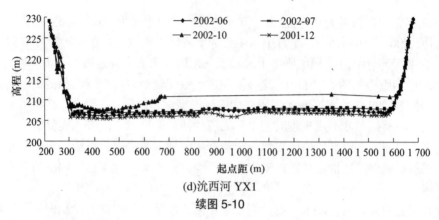

(d)沇西河 YX1

续图 5-10

(三)近坝区泥沙淤积

调水调沙试验开始前(7月3日)及调水调沙试验后(7月15日)对库区 HH4 至坝前 4.55 km 范围内 21 个加密断面进行了断面测验。两次测验平均河底高程沿程变化见图 5-11。由图 5-11 可以看出，7 月 3~15 日之间，测验范围内淤积面基本上平行淤积抬升了约 3 m。受水库泄流影响，泄水洞前原来不十分明显的漏斗随着淤积面升高而扩大，纵向范围约为 800 m，纵坡约 66.2‰。

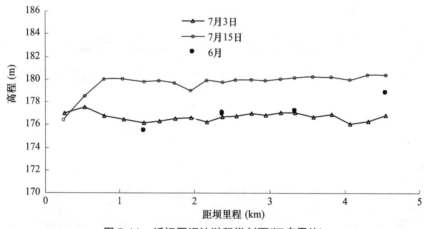

图 5-11 近坝区泥沙淤积纵剖面(河底平均)

四、库容变化

随着水库淤积的发展，库区的淤积形态和分布均发生了较大变化，水库的库容也随之变化，见图 5-12。

由于库区的冲淤变化主要发生在干流，支流冲淤变化较小，总库容的变化量与干流接近；库区淤积主要发生在 215 m 高程以下，215 m 高程以下库容大幅度减少，特别是 180 m 高程以下库容基本淤满。截止到 2002 年 10 月中旬，小浪底水库 275 m 高程干流库容为 66.45 亿 m³，支流库容为 51.85 亿 m³，总库容为 118.3 亿 m³。

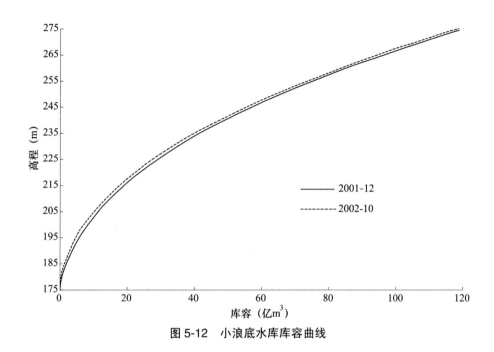

图 5-12　小浪底水库库容曲线

第六章　三门峡水库调度对小浪底水库的影响

水库产生异重流后，若要持续运行，必须满足一定的条件。理论和大量实测资料均表明，影响异重流持续运行的因素包括水沙条件及边界条件。

(1)洪峰持续时间。若入库洪峰持续时间短，则异重流持续时间也短。一旦上游的洪水流量减小，不能为异重流运行提供足够的能量，则异重流很快停止而消失。

(2)进库流量的大小。在一般情况下，进库流量大，产生异重流的强度较大，使异重流有较大的初速度，因而异重流运行速度快，能在较短时间内到达坝前。

(3)地形条件。异重流通过地形局部变化较为强烈的地方，将损失部分能量。若库区地形复杂，如扩大、弯道、支流等，将使异重流能量不断损失，甚至不能继续向前运动。

(4)库底比降。异重流运行速度同库底比降有较大的关系。库底比降大，则异重流运行速度大，异重流排沙时间也长。

对小浪底水库来说，天然状况下，较大流量及较长历时的来水条件可遇而不可求。因此，很需要上、中游大型水库联合调度，给小浪底水库提供较好的水沙过程，以利于异重流在水库中的形成及运行。就目前的工程现状条件看，惟有三门峡水库可与水浪底水库联合调度。

在 2002 年 7 月 4～15 日黄河首次调水调沙试验期间，三门峡枢纽汛限水位以下敞、控结合运用，水库调度频繁，三门峡水文站洪水水沙过程呈现峰、谷相间的特点,见图 6-1。从定性上看，三门峡水库调度会对小浪底水库异重流运行产生不利的影响。

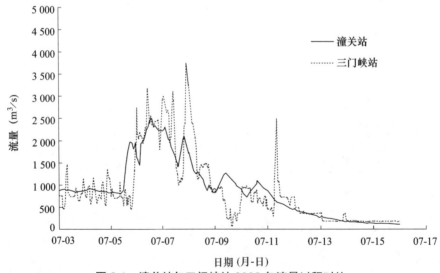

图 6-1　潼关站与三门峡站 2002 年流量过程对比

相反，2001 年黄河中游发生洪水，三门峡水库结合泄空冲刷，增大了进入小浪底水库的洪水历时及洪水含沙量，出库流量大于 1 000 m³/s 过程延长了约 15 h，含沙量大于 100 kg/m³ 的历时延长了约 36 h，对小浪底水库异重流排沙是有利的。2001 年洪水期三门峡进出库水沙过程对比见图 6-2 及图 6-3。

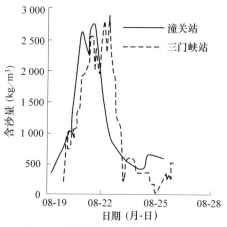

图 6-2　潼关站与三门峡站 2001 年
流量过程对比

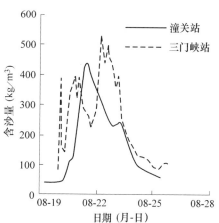

图 6-3　潼关站与三门峡站 2003 年
含沙量过程对比

第七章 认识和建议

一、主要认识

(1)2002 年小浪底水库入库水量、沙量分别为 159.25 亿 m^3、4.37 亿 t，属严重枯水少沙年。黄河中游发生了 3 次较高含沙量洪水，入库最大日洪峰流量为 4 390 m^3/s，最大含沙量为 507 kg/m^3。

(2)2002 年是小浪底水库蓄水运用的第 3 年，仍为蓄水拦沙运用期。水库调度以满足黄河下游防凌、减淤及供水为主要目标，进行了防凌和春灌蓄水、调水调沙试验及供水等一系列调度。水库全年下泄水量 194.27 亿 m^3，其中调水调沙试验期间下泄水量 26.06 亿 m^3，占总量的 13.4%，占汛期水量的 30.2%。春灌期 3~6 月份下泄水量 78.08 亿 m^3，水库累计补水量为 15.46 亿 m^3。全年除调水调沙试验期间出库流量较大外，其他时间出库流量较小且过程均匀，全年有 305 d 出库流量在 800 m^3/s 以下。水库排沙集中在 6 月下旬至 9 月上旬，主要为异重流(浑水水库)排沙，排沙量 0.697 亿 t，占同期来沙量的 21.7%。

(3)小浪底水库洪水期均产生了异重流。受水库调度的影响，异重流到坝前形成浑水水库。浑水水库的范围基本在距坝约 30 km 以内，浑液面高程最高达 197.58 m。经估算，调水调沙试验期间浑水水库中悬浮的泥沙最多时达 0.6 亿 t。9 月 4 日实测坝前浑液面高程仍达 190.46 m。从桐树岭断面观测资料看，浑水水库在 9 月 5~11 日小浪底水库排沙过程后消失。值得一提的是，水库形成浑水水库，并经沉降浓缩之后，具有很高的含沙量，且泥沙粒径极细，该部分泥沙资源能否被充分利用及将其资源化的途径值得探讨。

(4)2002 年全库区断面法淤积量为 2.108 亿 m^3，其中：干流淤积量为 1.938 亿 m^3，占全库区淤积总量的 91.9%；支流淤积量为 0.17 亿 m^3，占全库区淤积总量的 8.1%。沙量平衡法计算淤积量为 3.68 亿 t。至 2002 年 10 月，小浪底全库区断面法淤积量为 9.23 亿 m^3，库容为 118.3 亿 m^3。

二、建 议

(一)2003 年应创造条件或利用来水来沙条件实施调水调沙

通过调水调沙试验可深刻认识到，调水调沙试验前虽然小浪底水库运用后清水下泄，但下泄流量没有超过 2 000 m^3/s，造成下游河道特别是主槽严重淤积，河道排洪能力下降。若汛期发生洪水，即使是中小洪水，极易形成"横河"、"斜河"、"滚河"，从而使黄河下游两岸大堤的险情防不胜防。调水调沙试验不仅是为下游减淤，更重要的是加大过洪能力，使萎缩的河道能够有所恢复，维持河流生命。在现状河床边界及水沙条件下，在汛前或汛期利用小浪底水库调节，加大泄放流量及水量，冲刷下游河道，扩大主槽的过洪能力是十分必要的。目前，小浪底水库调度应为实施调水调沙创造条件。

(二)充分发挥异重流的排沙作用

小浪底水库实际观测资料、实体模型试验及数学模型计算结果均表明，水库运用初期，汛期大多时段为异重流排沙。即使在水库运用后期，若水库调水调沙运用处于蓄水状态，仍会发生异重流排沙。因此，异重流排沙将是小浪底水库今后运行中较为常用的排沙方式之一。

从下游河道的输沙角度而言，由于异重流所挟带的泥沙颗粒很细，具有较强的输沙能力，不会增大下游河道的淤积，所以要合理使用水库拦沙容积，多拦对下游不利的粗沙而少拦细沙。因此，水库调度要充分利用异重流运行的特点，减少水库淤积，合理利用水库拦沙容积，充分发挥水库的拦沙减淤效益。

(三)充分发挥三门峡水库对小浪底水库异重流排沙的作用

异重流的产生、运行及排沙效果与水沙过程密切相关。天然状况下，持续一定历时的大流量时机可遇而不可求。三门峡水库结合泄空冲刷，增加进入小浪底水库的洪水流量、历时及洪水含沙量，对小浪底水库异重流排沙是有利的。

(四)进一步改进小浪底库区异重流测量

小浪底水库自投入运用以来，在洪水期均发生了异重流排沙过程，而且异重流排沙将是小浪底水库今后运行中一种重要的排沙方式。如前所述，由于小浪底库区平面形态十分复杂，小浪底水库异重流排沙又有特殊性。通过对小浪底水库异重流观测资料的系统分析，了解异重流发生、运行及排沙规律，为进一步优化小浪底水库调水调沙运用方式及水库联合调度，以及对泥沙学科的发展均具有重大意义。

对小浪底水库异重流输沙规律的认识基于原型资料。受洪水历时、观测技术等因素的制约，原型观测资料数量有限。因此，优化异重流的观测项目及观测内容是十分必要的。总结 2001 年及 2002 年异重流观测情况，建议加强或改进以下项目的观测。

1. 异重流潜入点观测

异重流潜入条件是进行多沙河流水库数值模拟的判别条件。国内外对异重流潜入条件的研究可通过三种途径：野外观测、实验室试验及理论分析。因此，异重流潜入点处水力条件的观测非常重要。由于观测资料有限，本文中对异重流潜入条件的分析十分粗糙，达不到运用的要求。

2. 支流异重流倒灌观测

小浪底水库支流原始库容约占总库容的三分之一，支流库容能否被充分利用将直接影响小浪底水库对黄河下游的拦沙减淤效益。据统计分析，支流来沙量与干流相比可忽略不计，所以支流淤积量大小及淤积形态取决于干流倒灌支流的沙量。据小浪底水库运用初期模型试验结果分析，当干流异重流经过支流沟口时，仍然以异重流的形式倒灌支流，支流异重流溯河而上，流速较为缓慢，挟带的泥沙则几乎全部沉积在支流内，使支流不断淤积抬升。

倒灌支流的沙量大小取决于干支流交汇处水力泥沙条件、干支流的夹角及干流主流方位等。加强对支流异重流的观测，可深化对支流异重流运动规律的认识，为数学模型提供物理图形及参数，进而为优化水库调度方式提供支持条件。

3. 地形变化较大时控制断面观测

小浪底库区平面形态十分复杂，包括弯道及断面扩大及缩小，均使异重流在经过这些局部地形时产生能量损失。因此，在典型部位布设观测断面进行观测，不仅可定量给出异重流通过局部地形时的能量损失，而且可为数学模型服务。

4. 浑水水库泥沙沉降过程观测

水库形成浑水水库后，由于其沉降十分缓慢，对水库排沙历时及实时地形观测均产生影响，故应在浑水水库范围内适当布设断面跟踪观测浑水水库垂线含沙量，掌握浑水水库的沉降过程，并且为实现其泥沙资源化服务。

5. 各泄水洞分流分沙比观测

小浪底水库的出库水沙控制站为小浪底水文站。当小浪底水库为异重流排沙时，小浪底坝前并非均质流。在清浑水交界面上下分别为清水及含沙水流，不同高程泄水洞水流含沙量差别很大。从分析异重流输沙能力的角度而言，对各泄水洞分流分沙比观测是必要的。

6. 适当减少断面垂线数量

对目前的测量手段及技术而言，适当减少断面垂线数量，是抓主要矛盾的有效措施之一。

7. 结合异重流运动情况决定测验时间

通过上游断面观测到的异重流特征值进行计算分析，预估下游断面异重流运行过程，可减少测验的盲目性，获得更有价值的资料。

8. 新、旧资料应同步使用

调水调沙试验泥沙颗分方法采用激光粒度分析仪，利用体积百分数分析，结果为"粒度分布"。建议尽快正式给出激光粒度分析法和光电法的异同及修正办法，以便与以前的资料同步使用。

9. 稳定后观测可提高测验精度

坝前形成浑水水库后，部分较细泥沙沉淀较慢，在较长时间内处于悬浮状态，浑水底部与河底的界面十分模糊，加上河底松软，容易给测验带来误差。如果稳定后再观测，会有利于提高测验精度。

(五)完善小浪底水库异重流的数学模拟方法

小浪底水库异重流输沙既遵循一般输移规律，又有其特殊性，例如平面形态复杂、干支流倒灌、浑水水库等。基于实测资料观测结果，建立合理适用的计算方法，对分析长系列小浪底水库运用方式具有重要作用。此外，拥有一套完善的数学模型，在原型调水调沙之前，利用数学模型进行水库调度方案比选具有重要的意义。

第五专题　2002年黄河下游河床演变及2003年防洪形势分析

　　2002年小浪底水库继续以清水下泄为主，除7月份调水调沙期出库流量较大外，其他时间流量较小且过程均匀。汛期较明显的排沙过程有两次，分别为调水调沙期和9月初。由于全年排沙量不大，下游河道总体仍呈现冲刷状态。根据已收集的报汛资料，对本年度黄河下游来水来沙及河道冲淤变化作初步分析。

第一章 汛期雨情概述

根据雨情资料分析，2002 年汛期(7～10 月)黄河全流域遭遇伏秋连旱，降雨量明显偏少。汛期各区段降雨量与多年均值相比普遍偏少 20%～65%(见表 1-1)，其中，兰州以上偏少 41.6%，兰托区间偏少 40.6%，晋陕区间偏少 22.7%，渭河咸阳以上偏少 46.3%，北洛河偏少 30.9%，伊洛河偏少 35.5%，沁河偏少 25.9%，大汶河偏少 62.6%。

表 1-1 黄河流域 2002 年 7~10 月份降雨实况统计

区域	月雨量 (mm)	距平 (%)	最大雨量	
			量值(mm)	地点
兰州以上	164.46	−41.6	121	久治
兰托区间	98.66	−40.6	87	呼和浩特
晋陕区间	223.62	−22.7	321	子长
汾河	251.41	−21.4	150	静乐
北洛河	232.29	−30.9	121	哭泉
泾河	241.85	−25.1	169	洪德
渭河咸阳以上	201.11	−46.3	116	桃川
咸张华区间	231.18	−34.0	137	富平
伊洛河	259.74	−35.5	207	东湾
沁河	280.60	−25.9	172	柳树底
三小区间	235.81	−39.0	125	下川
小花干流区间	246.61	−32.8	162	赵堡
金堤河	169.43	−55.1	141	上官村
大汶河	172.88	−62.6	124	雪野

第二章　下游河道来水来沙及引水引沙情况

一、来水来沙

2002 运用年(2001 年 11 月~2002 年 10 月)内，进入下游水量(小浪底、黑石关、武陟三站之和，本专题下同)为 201.97 亿 m³(见表 2-1)，仅占多年均值(1919~2000 年，本专题下同)的 51.5%。非汛期水量为 112.85 亿 m³，偏枯 35.5%；汛期水量为 89.12 亿 m³，偏枯 59%。2002 年小浪底水库仍以调蓄运用为主，7 月和 9 月有两次排沙过程，整个运用年进入下游的沙量为 0.709 亿 t(表 2-2)。整个运用年利津总水量为 44.13 亿 m³，沙量为 0.547 亿 t。

实测资料显示，2002 年黄河下游来水仍属于枯水年(见图 2-1)。全年小浪底水库多泄水 18.7 亿 m³，扣除后进入下游水量仅为 183.27 亿 m³。下游主要支流控制站与多年平均值相比也明显偏小，伊洛河黑石关站来水 7.72 亿 m³，偏少 72%；沁河武陟站来水 1.37 亿 m³，偏少 84.5%。2002 年汛期下游来水量依然偏枯，在扣除小浪底水库汛期补水 30.7 亿 m³之后，下游来水量将减少至 58.42 亿 m³。进一步分析指出，汛期水量减少幅度大于非汛期，且汛期占年水量比例依然较小，但由于汛期小浪底水库增加了下泄水量，使得这一比例较 2000 年和 2001 年有所增加，如图 2-2 所示。

2002 年黄河流域来沙较少，属于枯沙年份，全年潼关、三门峡两站来沙量分别为 5.059 亿 t 和 4.383 亿 t。进入下游的沙量基本为小浪底水库所排，伊洛河黑石关站、沁河武陟站同期沙量均为零。下游河道各站年沙量以夹河滩站最大，为 1.56 亿 t。

值得指出的是，2002 年黄河全流域遭遇了极其罕见的特枯年份，干流骨干水库蓄水严重不足，下游出现了 50 年一遇的严重夏秋连旱，但由于实行了全河水量的统一调度和管理，黄河不仅保证了全年不断流，而且还成功实施了引黄济津。当然，利津日均流量小于 50 m³/s 的历时长达 113 d，不能满足生态需水要求，黄河水资源严重不足的问题更加突出。

二、引水引沙

2002 运用年全下游引水 93.53 亿 m³(见表 2-3)，引沙 0.591 亿 t(见表 2-4)，平均引水含沙量 6.3 kg/m³，与多年平均引水含沙量 17.45 kg/m³相比明显偏小。与 2001 运用年引水相比，引水量增加 14.69 亿 m³，引水含沙量略小于 2001 年的 7.2 kg/m³。与 2000 年和 2001 年情况相类似，2002 年由于小浪底水库全年大部分时段下泄清水，河道中水流含沙量沿程恢复，引水含沙量较进入下游的年均含沙量偏大 2.79 kg/m³。

从引水、引沙的年内分布看，非汛期全下游引水 54.84 亿 m³，引沙 0.294 亿 t，分别占年引水、引沙量的 59%和 50%；汛期引水 38.69 亿 m³，引沙 0.297 亿 t。非汛期各河段引水大于汛期引水，非汛期孙口以下各河段引沙大于汛期。

表 2-1　2002 年黄河主要站水量统计

（单位：亿 m³）

站名	11~6 月	距平(%)	7 月	8 月	9 月	10 月	7~10 月	距平(%)	11~10 月	距平(%)
潼关	123.25	−25.40	16.24	13.22	15.28	13.21	57.95	−71.50	181.20	−50.80
三门峡	108.17	−33.10	15.60	10.92	13.17	11.21	50.90	−74.40	159.07	−55.90
小浪底	107.82	−33.30	39.71	16.68	12.47	16.18	85.04	−56.40	192.86	−45.90
黑石关	4.13	−63.90	1.11	0.72	1.08	0.69	3.60	−77.70	7.73	−72.00
武陟	0.89	−65.90	0.12	0.03	0.24	0.09	0.48	−92.30	1.37	−84.50
进入下游	112.85	−35.50	40.93	17.43	13.79	16.97	89.12	−59.00	201.97	−48.50
花园口	106.32	−40.00	41.10	18.22	14.17	17.24	90.73	−60.90	197.05	−51.80
夹河滩	102.99	−36.60	38.92	16.27	12.57	16.34	84.10	−61.90	187.09	−51.20
高村	82.26	−49.60	36.74	14.08	10.62	14.38	75.82	−65.60	158.08	−58.80
孙口	69.09	−55.40	34.76	12.55	8.07	12.11	67.49	−68.20	136.58	−62.80
艾山	58.64	−60.80	31.65	8.47	6.96	10.05	57.13	−73.80	115.77	−68.50
泺口	41.86	−71.20	27.82	5.23	5.18	6.02	44.25	−79.90	86.11	−76.40
利津	14.85	−88.60	24.89	1.64	1.43	1.31	29.27	−85.90	44.12	−86.90

注：历年均值统计至 2000 年。

表 2-2 2002 年黄河主要站沙量统计

站名	11~6月	距平(%)	7月	8月	9月	10月	7~10月	距平(%)	11~10月	距平(%)
潼关	1.940	-2	1.383	1.262	0.316	0.158	3.119	-65	5.059	-54
三门峡	1.020	-28	2.006	1.048	0.209	0.100	3.363	-67	4.383	-63
小浪底	0.015	-98	0.329	0.023	0.341	0.001	0.694	-95	0.709	-95
黑石关	0	-100	0	0	0	0	0	-100	0	-100
武陟	0	-100	0	0	0	0	0	-100	0	-100
进入下游	0.015	-99	0.329	0.023	0.341	0.001	0.694	-95	0.709	-95
花园口	0.271	-85	0.414	0.046	0.398	0.041	0.899	-90	1.170	-89
夹河滩	0.553	-66	0.452	0.070	0.401	0.085	1.008	-88	1.561	-84
高村	0.452	-76	0.385	0.060	0.249	0.104	0.798	-90	1.250	-87
孙口	0.329	-81	0.404	0.047	0.153	0.078	0.682	-91	1.011	-89
艾山	0.309	-82	0.485	0.037	0.138	0.070	0.730	-90	1.039	-88
泺口	0.203	-87	0.468	0.015	0.107	0.037	0.627	-91	0.830	-90
利津	0.024	-98	0.511	0.001	0.009	0.002	0.523	-93	0.547	-94

注：历年均值统计至 2000 年。

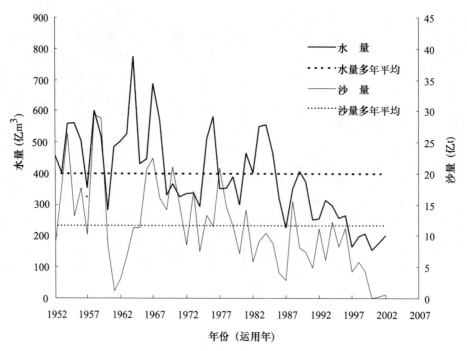

图 2-1　历年进入下游的水沙过程

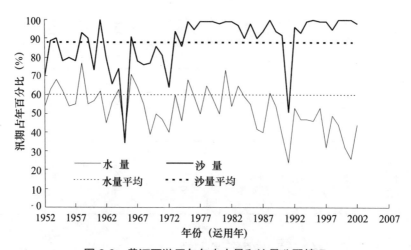

图 2-2　黄河下游历年年内水量和沙量分配情况

引水河段和引沙河段分布基本接近。沿程泺口—利津引水引沙最多，年引水 26.75 亿 m^3，年引沙 0.174 亿 t，均占全下游年引水、引沙量的 29%；高村以上各河段和利津以下年引水引沙相对较少，各河段占全下游比例均不超过 10%；高村—孙口和艾山—泺口年引水引沙接近，占全下游比例在 18% ~ 19% 之间。

2002 年下游来水量为 201.96 亿 m^3，若不计区间加水和区间损耗，减去利津水量 44.12 亿 m^3，平衡水量为 157.84 亿 m^3。而按区间实测引水资料统计，2002 年利津以上引水仅 87.31 亿 m^3，从水量平衡角度看，有 70.53 亿 m^3 水量不能平衡，较 2000 年和 2001 年进一步增加，如表 2-5 所示。

表 2-3 2002 运用年黄河下游引水情况

河段	非汛期(11~6月)引水量(亿 m³)	汛期引水量(亿 m³)					全年引水量(亿 m³)	年内分配(%)		河段占下游(%)		
		7 月	8 月	9 月	10 月	7~10 月		非汛期	汛期	非汛期	汛期	年
花园口以上	2.89	0.46	0.43	0.43	0.41	1.73	4.62	63	37	5	4	5
花园口口—夹河滩	2.47	0.73	0.89	0.61	0.35	2.58	5.05	49	51	5	7	5
夹河滩—高村	4.86	0.50	0.94	0.57	1.38	3.39	8.25	59	41	9	9	9
高村—孙口	8.93	1.83	2.02	1.60	2.00	7.45	16.38	55	45	16	19	18
孙口—艾山	5.57	0.47	1.36	0.58	1.13	3.54	9.11	61	39	10	9	10
艾山—泺口	10.09	1.78	1.62	1.03	2.64	7.07	17.16	59	41	18	18	18
泺口—利津	16.58	2.03	2.44	2.79	2.91	10.17	26.75	62	38	30	26	29
利津以下	3.45	0.55	0.87	0.81	0.53	2.76	6.21	56	44	6	7	7
利津以上	51.39	7.80	9.70	7.61	10.82	35.93	87.32	59	41	94	93	93
全下游	54.84	8.35	10.57	8.42	11.35	38.69	93.53	59	41	100	100	100

表2-4 2002运用年黄河下游引沙量

河段	非汛期(11~6月)引沙量(亿t)	汛期引沙量(亿t)					全年引沙量(亿t)	年内分配(%)		河段占下游(%)		
		7月	8月	9月	10月	7~10月		非汛期	汛期	非汛期	汛期	年
花园口以上	0.003	0.005	0.001	0.012	0	0.018	0.021	14	86	1	6	4
花园口—夹河滩	0.009	0.008	0.003	0.018	0.001	0.030	0.039	23	77	3	10	7
夹河滩—高村	0.027	0.003	0.004	0.010	0.010	0.027	0.054	50	50	9	9	9
高村—孙口	0.044	0.017	0.008	0.031	0.012	0.068	0.112	39	61	15	23	19
孙口—艾山	0.041	0.002	0.005	0.003	0.007	0.017	0.058	71	29	14	6	10
艾山—泺口	0.061	0.012	0.010	0.014	0.017	0.053	0.114	54	46	21	18	19
泺口—利津	0.099	0.015	0.010	0.029	0.021	0.075	0.174	57	43	34	25	29
利津以下	0.010	0.001	0.001	0.006	0.001	0.009	0.019	53	47	3	3	3
利津以上	0.284	0.062	0.041	0.117	0.068	0.288	0.572	49	51	97	97	97
全下游	0.294	0.063	0.042	0.123	0.069	0.297	0.591	50	50	100	100	100

表 2-5　2002 年黄河下游利津以上水量平衡计算　　(单位：亿 m^3)

时段	小黑武水量	利津水量	区间引水量	差值
非汛期	112.84	14.85	51.37	46.62
汛期	89.12	29.27	35.94	23.91
全年	201.96	44.12	87.31	70.53

有关资料表明，黄河下游年均渗漏、蒸发等水量损耗在 10 亿 m^3 左右，这与近年来水量差超过 50 亿 m^3 的结果相距甚远。鉴于 2002 年黄河首次调水调沙试验期间各引水口限制引水，所以选择该时段测验资料进行分析，以探寻引起下游河道水量不平衡的原因。

采用等历时法进行调水调沙各河段水量平衡计算，将下游出口控制站丁字路口站 7 月 7 日 20 时~7 月 21 日 8 时(洪水历时 324 h)作为各站的统一计算历时。由于下站洪水历时一般较上站为长，故将上游各站洪水过程向两头扩展直至与下游洪水历时相等，再计算沿程各站在此历时下的径流量，并进行水量平衡计算，结果见表 2-6。从表 2-6 中可以看出，调水调沙试验期间花园口—利津水量差值为 6.56 亿 m^3，据初步统计，这一时期花园口—利津河段实测引水量 1.57 亿 m^3，扣除后不平衡水量为 4.99 亿 m^3。同期，夹河滩—孙口河段由于洪水漫滩，滩地积水无法回归主河道，致使该河段不平衡水量达 3.85 亿 m^3，占总量的比例为 77%。

表 2-6　2002 年黄河调水调沙试验期下游水量平衡计算　　(单位：亿 m^3)

站名	水量	河段引水量	河段差值	累计差值
花园口	29.54			
		0.12	0.10	0.10
夹河滩	29.32			
		0.24	2.35	2.45
高　村	26.73			
		0.28	1.50	3.95
孙　口	24.95			
		0.03	0.62	4.57
艾　山	24.30			
		0.44	0.64	5.21
泺　口	23.22			
		0.46	−0.22	4.99
利　津	22.98			

对于基本未漫滩的其他河段，同期不平衡总水量为 1.14 亿 m^3，以此按河道长度分配，得出调水调沙期花园口—利津河段不平衡水量仅 1.64 亿 m^3。从这一点可以看出，进一步加强黄河下游滩区和两岸引水的监测有助于水量不平衡问题的解决。

第三章　汛期洪水及小浪底水库的调节

一、汛期洪水概述

2002 年 7 月 4～6 日，黄河晋陕区间及泾河、北洛河局部地区受强对流天气影响，降大到暴雨，暴雨中心主要分布在清涧河、延水、泾河及北洛河上中游地区。其中，7 月 4 日清涧河子长站日降雨量为 168 mm。受上述地区降雨影响，黄河中游部分干支流出现了 2002 年入汛以来的最大洪水过程：

清涧河子长站 4 日 7 时 6 分洪峰流量为 4 670 m³/s，是 1958 年 7 月建站以来实测最大值；延川站 4 日 11 时洪峰流量为 5 500 m³/s，是该站自 1953 年 7 月建站以来实测第二大洪水；延水甘谷驿站 5 日 10 时 36 分洪峰流量为 2 000 m³/s；无定河白家川站 5 日 6 时 12 分洪峰流量为 450 m³/s；黄河龙门站 4 日 23 时 24 分洪峰流量为 4 600 m³/s(吴堡站 7 月 4～6 日日平均流量约为 850 m³/s)，最大含沙量为 790 kg/m³。洪水期间，小北干流局部河段发生"揭河底"现象。

北洛河洑头站 6 日 4 时 36 分洪峰流量为 437 m³/s；泾河张家山站 5 日 9 时 12 分洪峰流量为 630 m³/s；渭河华县站 6 日 19 时 18 分洪峰流量为 555 m³/s；黄河潼关站受干支流来水影响，6 日 12 时洪峰流量为 2 520 m³/s，最大含沙量为 263 kg/m³。

受此次高含沙洪水影响，三门峡站 7 日 21 时 48 分洪峰流量为 3 780 m³/s，最大含沙量为 513 kg/m³。7 月 5 日，此次高含沙洪水进入小浪底库区并形成异重流，异重流潜入点发生在距小浪底坝址约 80 km 的干流断面上，并于 9 日到达坝前。

二、小浪底水库调节概况

从小浪底水库坝前水位(见图 3-1)以及进、出库流量过程(见图 3-2)来看，该水库全年基本以补水运用为主，其中，7 月 4～15 日进行调水调沙和 3 月 1～23 日给下游供水补水最为明显。从进、出库站含沙量过程(见图 3-3)可以看出，2002 运用年三门峡水库有 4

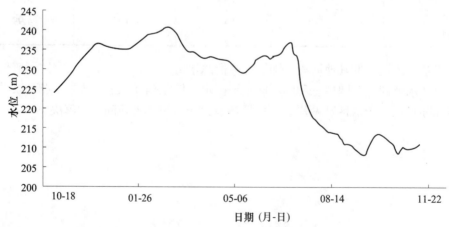

图 3-1　小浪底水库 2002 年水位变化情况

次较大的排沙过程，最大日均含沙量为 467 kg／m³。而小浪底水库有 3 次排沙，第一次是 6 月 28 日~7 月 22 日，排沙量为 0.33 亿 t；第二次是 8 月 13~31 日，排沙量为 0.023 亿 t；第三次是 9 月 5~13 日，排沙量为 0.34 亿 t。值得一提的是，9 月份排沙期的出库流量大致在 492~522 m³／s 之间，而相应出库日均含沙量却达到 70~176 kg／m³，且出现了本年度的最大日均含沙量，为 176.14 kg／m³。

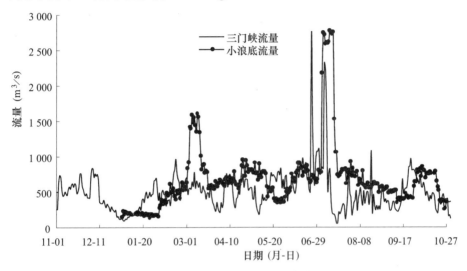

图 3-2　小浪底水库 2002 运用年进出库流量过程

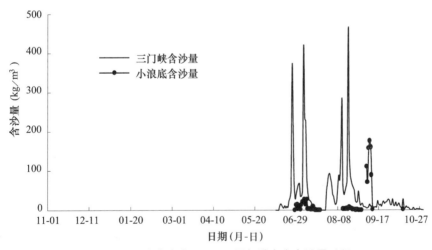

图 3-3　小浪底水库 2002 运用年进出库含沙量过程

三、调水调沙试验期小浪底水库调节过程

(一)试验前水库运用情况

从小浪底库区 6 月 17 日汛前淤积测验完成到调水调沙试验开始前，黄河三门峡站出现两次洪水过程。第一次洪水发生在 6 月 24~26 日，三门峡站最大流量为 4 390 m³／s(6 月 24 日 5 时 30 分)，最大含沙量达 468 kg／m³(6 月 25 日 8 时)。本次洪水主要由渭河

"6·23"洪水和三门峡水库相机降低水位排沙而形成。第二次洪水过程发生在6月30日，三门峡站洪峰流量为2 690 m³/s，最大含沙量为108 kg/m³，这次洪水主要来自黄河北干流的"6·27"洪水。

6月17日8时小浪底库水位为233.34 m，相应蓄水量39.6亿m³。6月17日8时~7月4日9时，水库以蓄水调节为主，在此期间库水位升高了3.08 m，增加蓄水量3.9亿m³，同期小浪底出库流量均小于900 m³/s，且流量过程比较均匀。小浪底站6月28日前均为清水下泄。三门峡站6月24~26日洪水在小浪底库区形成的异重流于6月25日到达坝前，6月28~29日小浪底水库有两次短时的浑水下泄过程，相应最大日均流量为688 m³/s，最大瞬时含沙量为53 kg/m³。据统计，这一时段三门峡站径流量为17.17亿m³，输沙量为1.37亿t；小浪底站径流量为11.18亿m³，输沙量为0.02亿t，入库沙量几乎全部拦在库内。

(二)试验期水库调节过程分析

调水调沙试验小浪底水库大流量泄水从7月4日9时开始，试验进入第11天后的7月15日9时，按照黄河防办的调度指令，小浪底水库停止下泄试验流量，转入控泄流量800 m³/s运用。试验期间小浪底进、出库流量、含沙量及坝前水位变化过程如图3-4、图3-5所示。

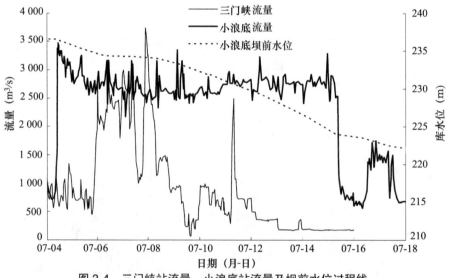

图3-4　三门峡站流量、小浪底站流量及坝前水位过程线

调水调沙试验开始后的7月5~12日，三门峡站出现了2002年以来的第三次洪水，主要来自黄河北干流"7·4"洪水。这次洪水过程由2个中小洪峰组成。第一次洪峰发生在7月5~8日，三门峡站最大流量为3 780 m³/s，最大含沙量为513 kg/m³；第二次洪峰发生在7月11日，最大流量为2 500 m³/s，最大含沙量仅为32.9 kg/m³。第一次洪水在小浪底库区又形成了异重流，通过调整三门峡、小浪底两库的泄流量以及小浪底水库泄水建筑物的组合运用，基本按预案控制了小浪底水库下泄流量及出库含沙量。调水调沙期间，小浪底出库流量过程呈现出明显的矩形波，日均流量变化范围为2 629~2 817 m³/s；出库含沙量在7月7~9日出现了两次较明显的沙峰，最大含沙量分别为

66.2 kg／m³和83.3 kg／m³，其余时间含沙量一般都小于15 kg／m³。

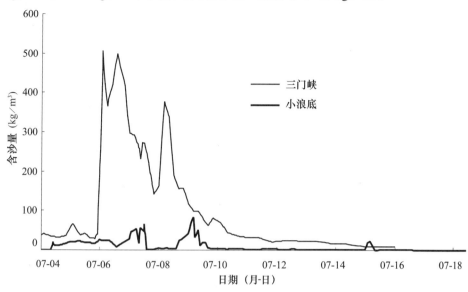

图 3-5 三门峡和小浪底站含沙量过程线

图 3-4、图 3-5 还显示，7 月 4 日 9 时～5 日 20 时小浪底水库入库流量较小，在 447～1 350 m³／s 之间变化，在此期间库水位下降了 1.83 m，平均日下降 1.25 m，水库补水 2.6 亿 m³，平均补水流量达 2 064 m³／s；7 月 5 日 20 时～8 日 8 时由于入库洪量大，小浪底水库水位下降缓慢，平均日下降 0.36 m，出库水量以入库洪水为主，占 82.6%。另外，该时段库水位偏高，加之水库以明流洞和发电洞泄水为主，入库泥沙大部分被拦在库内。之后到试验期结束(7 月 8 日 8 时～15 日 9 时)，库水位下降速度不断增大，平均日下降 1.44 m，水库补水 12.4 亿 m³，平均补水流量达 2 038 m³／s。

本次调水调沙过程中，小浪底水库 7 月 4 日 9 时库水位为 236.42 m，水库蓄水量为 43.5 亿 m³，调水调沙结束时(7 月 15 日 9 时)库水位为 223.84 m，蓄水量 27.6 亿 m³，水位共下降了 12.58 m，相应水库蓄水量减少了 15.9 亿 m³，其中，汛限水位 225 m 以上补水 14.6 亿 m³。同期小浪底入库水量 9.245 亿 m³，入库沙量 1.83 亿 t，出库水量 26.06 亿 m³，出库沙量 0.32 亿 t，水库淤积 1.51 亿 t(沙量平衡法结果)，水库排沙比为 17.4%。

试验期间小浪底库区支流皋落、桥头、石寺三站同期来水来沙量较小，可以忽略不计。

第四章 调水调沙期下游河道水沙演进过程分析

一、水沙概况

小浪底水库 2002 年 7 月 4 日 9 时~7 月 15 日 9 时，出库水量为 26.06 亿 m³，出库沙量为 0.320 亿 t，平均含沙量为 12.3 kg / m³；伊洛河和沁河同期来水 0.55 亿 m³，进入下游的水量为 26.61 亿 m³，沙量为 0.320 亿 t；下游河道最下端水文站丁字路口站从 7 月 7 日 16 时流量开始上涨，至 7 月 22 日 0 时洪峰回落，历时 344 h，水量为 22.94 亿 m³，沙量为 0.532 亿 t。黄河下游各水文站水沙特征值详见表 4-1 和表 4-2。

表 4-1 各水文站洪水过程水沙特征值

水文站	起始时间 (月-日 T 时)	结束时间 (月-日 T 时)	历时 (h)	水量 (亿 m³)	沙量 (亿 t)
小浪底	07-04T09	07-15T09	264	26.06	0.320
黑石关	07-04T09	07-15T09	264	0.49	
武陟	07-04T09	07-15T09	264	0.06	
小黑武	07-04T09	07-15T09	264	26.61	0.320
花园口	07-04T16	07-17T00	296	28.23	0.372
夹河滩	07-05T00	07-17T12	300	28.14	0.400
高村	07-05T12	07-18T02	302	25.84	0.328
孙口	07-06T04	07-20T16	348	25.76	0.364
艾山	07-06T08	07-21T00	352	25.14	0.449
泺口	07-06T14	07-21T00	346	23.74	0.451
利津	07-07T00	07-21T08	344	23.35	0.505
丁字路口	07-07T16	07-22T00	344	22.94	0.532

由表 4-1 可以看出，洪水持续历时在下游各水文站有所不同。随着洪峰坦化，洪水历时由小浪底站的 264 h，增大为艾山站的 352 h，历时最长。艾山以下河段持续历时变化不大。

表 4-2 为调水调沙期间洪水水沙特征值。从表 4-2 中可以看出，小浪底站最大流量和最大含沙量分别为 3 480 m³ / s 和 83.3 kg / m³，花园口站最大流量和最大含沙量分别为 3 170 m³ / s 和 44.6 kg / m³，经过 800 多公里的演进，到丁字路口水文站时，最大流量和最大含沙量分别减小为 2 450 m³ / s 和 32.9 kg / m³。

二、水沙演进过程

此次调水调沙试验，小浪底水库下泄洪水属低含沙量小洪水，属于典型的平头峰。但在黄河下游传播过程中，由于河槽前期淤积萎缩，部分河段却出现了历史最高水位。同时，由于平滩流量减小，部分河段大范围漫滩，致使洪水演进速度较慢，洪峰沿程变形较大。

表 4-2　2002 年 7 月黄河调水调沙期主要站特征值统计

站 名	最高水位(m)		最大流量(m³ / s)		最大含沙量(kg / m³)	
	发生时间 (月-日 T 时:分)	量值	发生时间 (月-日 T 时:分)	量值	发生时间 (月-日 T 时:分)	量值
小浪底	07-04T10:54	136.38	07-04T10:54	3 480	07-09T04:00	83.3
黑石关	07-07T12:00	107.88	07-07T12:00	109	07-02T08:00	0.2
武 陟	07-07T14:00	103.17	07-07T14:00	14		
花园口	07-06T02:00	93.67	07-06T04:00	3 170	07-10T04:00	44.6
夹河滩	07-06T20:00	77.59	07-06T16:30	3 150	07-10T19:42	36.0
高 村	07-11T09:00	63.76	07-11T09:10	2 980	07-07T14:00	24.7
孙 口	07-17T11:42	49.00	07-17T11:42	2 800	07-08T00:00	30.2
艾 山	07-18T00:24	41.76	07-18T00:24	2 670	07-09T20:00	27.7
泺 口	07-18T15:24	31.03	07-18T15:24	2 550	07-13T08:06	26.7
利 津	07-19T05:00	13.80	07-19T05:00	2 500	07-11T08:00	31.9
丁字路口	07-19T10:00	5.53	07-19T10:00	2 450	07-13T14:18	32.9

(一)洪水演进过程

图 4-1~图 4-3 反映了各水文站流量演进过程，从图中可以看出：小浪底出库近乎为一矩形洪水过程，与之相邻的花园口、夹河滩两站洪水的峰型变化不大，过程线相似。小浪底至花园口河段洪峰传播时间约为 22 h，花园口至夹河滩河段约为 20 h；而夹河滩至孙口河段，由于部分河段洪水漫滩，洪水过程线坦化十分明显。夹河滩至高村河段，当流量涨至 1 800 m³ / s 左右时欧坦工程上下游、辛店集至于林、堡城险工至高村等河段的生产堤以内嫩滩普遍上水，加之欧坦上下游局部河段生产堤破口，使得河槽内滞蓄水量显著增加。因此，高村站流量过程线在这一流量级以上明显变缓，该河段流量为 1 800 m³ / s 时传播时间约为 30 h，而流量为 2 500 m³ / s 时传播时间达 82 h。

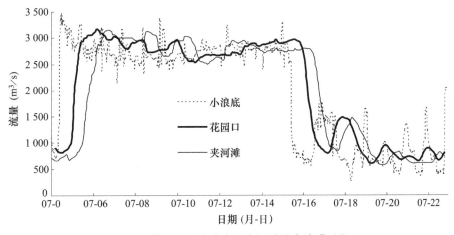

图 4-1　黄河下游小浪底—夹河滩洪水演进过程

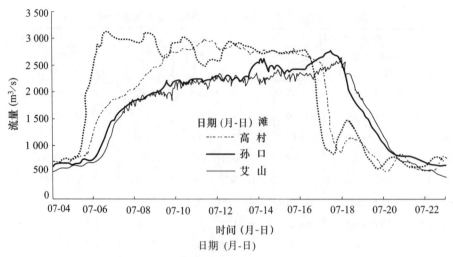

图 4-2　黄河下游夹河滩—艾山洪水演进过程

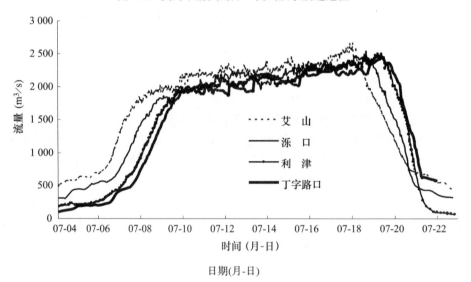

图 4-3　黄河下游艾山—丁字路口洪水演进过程

高村至孙口河段，在流量为 1 700 m³/s 左右时杨集以上大部分河段水流漫过嫩滩，在生产堤前至嫩滩滩唇之间大量滞蓄，致使孙口站 1 700 ~2 100 m³/s 这一流量级的历时加长到 45 h；流量超过 2 100 m³/s 后，南小堤险工以下、刘庄险工对岸及芦井控导工程以下等处生产堤破口，大量水流进入生产堤至大堤之间，使得孙口站流量由 2 100 m³/s 上涨至 2 300 m³/s 的时间长达 98 h。该河段流量为 1 500 m³/s 的传播时间约为 18 h，流量为 1 700 m³/s 的传播时间约为 31 h，而流量为 2 300 m³/s 的传播时间却长达 118 h。由于该河段洪水大量漫滩，洪水后期随着上游洪水的回落和河槽的冲刷，部分漫滩洪水开始归槽，使得孙口站在落水前洪峰流量达到最大值。除此之外，该站落水过程与高村站相比显著加长。

孙口以下河段，河槽宽度显著减小，并且水流基本未漫滩。因此，各站流量过程线大致相似(见图 4-2、图 4-3)。孙口至艾山洪峰传播时间约为 14 h，艾山至泺口约 17 h，泺口至利津约21 h，利津至丁字路口约10 h。孙口以下河段由于受落水期两岸引水的影响，使得各站落水过程线沿程变得陡峻，艾山至利津河段尤其如此。就全下游而言，艾山站洪水历时最长，为352 h，至丁字路口站则减为344 h，洪水过程反而缩短。

(二)泥沙演进过程

各水文站的含沙量过程见图4-4~图4-6。可以看出，7月9日以前小浪底出库含沙量较大，其中7月6~9日，出现了两个较大的沙峰，最大含沙量分别为66.2 kg / m³(7月7日12时)和83.3 kg / m³(7月9日4时)。7月9日20时后含沙量迅速回落至3 kg / m³左右，且一直持续到7月15日0时。

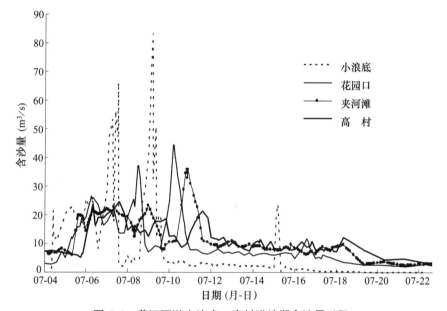

图4-4　黄河下游小浪底—高村洪峰期含沙量过程

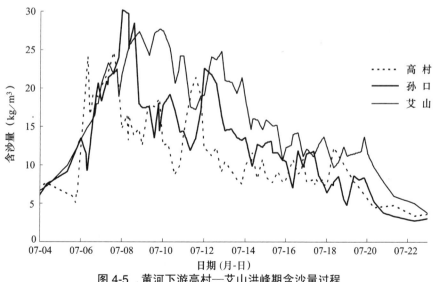

图4-5　黄河下游高村—艾山洪峰期含沙量过程

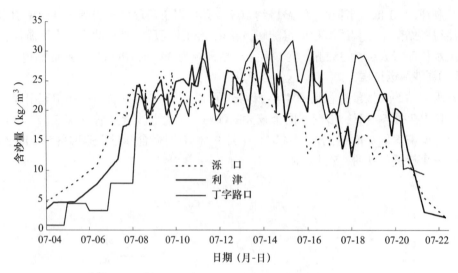

图 4-6　黄河下游泺口—丁字路口洪峰期含沙量过程

　　沙峰向下游演进过程中，花园口、夹河滩和高村站均相应地表现为两个沙峰，且下站的含沙量小于上站，峰值沿程逐渐减小，至高村站最大含沙量降为 18.7 kg／m³ 和 21.4 kg／m³。高村至孙口河段，由于水流漫滩，导致滩地淤积、主槽冲刷，到孙口站，最大含沙量分别增至 19.2 kg／m³ 和 22.2 kg／m³。孙口以下河段，主槽较上段更为窄深，流势集中，输沙能力有所提高，含沙量沿程恢复，到达丁字路口站最大含沙量增为 25.7 kg／m³ 和 32.9 kg／m³，说明孙口以下河段明显冲刷。

　　小浪底站 7 月 9 日 20 时以后出库的相对清水在向下游演进过程中，含沙量沿程递增。小浪底站为 3 kg／m³ 左右，至夹河滩站恢复为 9 kg／m³ 左右，至丁字路口站恢复为 25 kg／m³ 左右。从含沙量恢复的程度来看，小浪底至夹河滩河段，增幅较为明显，夹河滩至高村河段增幅较小，高村以下河段含沙量沿程增加较快，说明清水下泄过程中高村以下河道主河槽冲刷量较大。

三、洪水演进特点及原因分析

　　由于河床边界的明显改变，调水调沙试验期间洪水在下游传播过程中，表现出了历史上同流量级洪水的不同演进特点，反映了河槽淤积萎缩，平滩流量减小对于洪水演进过程有很大的影响。

(一)洪水特点

1. 小浪底出库峰型近乎为平头峰

　　小浪底站 7 月 4 日 8 时流量为 997 m³／s，2 h 后涨至 3 380 m³／s，基本接近最大洪峰流量，之后连续 11 d 流量在 2 500～3 480 m³／s 之间，7 月 15 日 9 时小浪底水库开始减少泄流，在短短 1 h 之内流量便从 2 540 m³／s 落至 1 100 m³／s。上述表明，小浪底站的流量过程线明显呈涨落均较陡的矩形波。

　　其他各站流量过程线的基本特征是：花园口、夹河滩两站洪水跟随性较好，也表现为涨落较陡的矩形波；受夹河滩—孙口间部分河段漫滩、槽蓄作用增大的影响，高村站涨坡明显变缓，犹如矩形波切去了左上角；高村以下各站先出现涨水斜坡，之后在很长时间内平缓慢涨，落水过程与高村以上各站相比有所加长，但总体而言仍较为短促。

2. 洪峰流量不大，但部分河段水位表现高，局部河段发生漫滩

黄河下游各水文站自有实测资料以来，出现较高洪水位的年份有 1958、1973、1976、1982、1992、1996 年等，其中"96·8"洪水水位偏高最为明显。本次洪水花园口站洪峰流量仅 3 170 m³/s，均小于以上各次洪水，但洪水期除花园口、利津两站略低于"96·8"洪水同流量相应水位外，其余各站均比 1996 年同流量水位高 0.15~0.80 m，尤其是高村—艾山河段同流量水位偏高达 0.41~0.80 m(见表 4-3)。由于水位表现高，造成夹河滩—孙口区间部分河段漫滩。还需指出，本次调水调沙试验中，高村上下河段洪水位明显偏高(见图 4-7)，部分水位站水位已超过"96·8"最高洪水位 0.31 m(苏泗庄)和 0.35 m(刘庄)。据调查，陶城铺以上河段两岸整治工程之间的嫩滩大部分过水，处于高村河段上下的河南濮阳县习城滩、渠村东滩和山东东明县北滩、鄄城县左营滩、郓城县四杰滩等滩区因生产堤溃口而被淹没，共计淹没面积 3.02 万 hm²，其中耕地 1.95 万 hm²，水围村庄 196 个、人口 12 万。

表 4-3 主要水文站洪水位及流量比较

水文站	2002 年实测		相应于 2002 年最高水位的流量 (m³/s)		相应于 2002 年最大流量的水位 (m)		水位差(m)	
	最高水位 H_{2002}(m)	最大流量 (m³/s)	1996 年	1982 年	1996 年 H_{1996}	1982 年 H_{1982}	$H_{2002}-H_{1996}$	$H_{2002}-H_{1982}$
花园口	93.65	3 170	2 543	9 881	93.89	92.82	−0.24	0.83
夹河滩(三)	77.57	3 150	3 660	14 000	77.42	75.96	0.15	1.61
高村	63.75	2 980	5 450	8 140	63.22	62.52	0.53	1.23
孙口	49.00	2 800	3 416	6 915	48.59	47.12	0.41	1.88
艾山	41.76	2 670	3 548	5 220	40.96	40.09	0.80	1.67
泺口	31.03	2 550	2 990	4 100	30.76	29.61	0.27	1.42
利津	13.80	2 500	2 490	5 525	13.81	12.18	−0.01	1.62

3. 洪峰传播时间缓慢，洪峰变形大

本次洪水自小浪底泄放最大流量 3 480 m³/s(7 月 4 日 10 时 54 分)至丁字路口站出现最大洪峰流量 2 450 m³/s(7 月 19 日 10 时)，历时 359 h(15 d)，其中洪水从花园口演进到利津历时 313 h(见表 4-4)，仅比"96·8"洪水少 54.3 h。特别是调水调沙期间漫滩严重的夹河滩—孙口河段洪峰传播历时 255.2 h，比历史上传播时间最长的 194.5 h(即"96·8"洪水)还长 60.7 h。其中夹河滩—高村 108.7 h，高村—孙口 146.5 h，分别较历史上传播历时最长的"96·8"洪水增加 35.2 h 和 25.5 h。

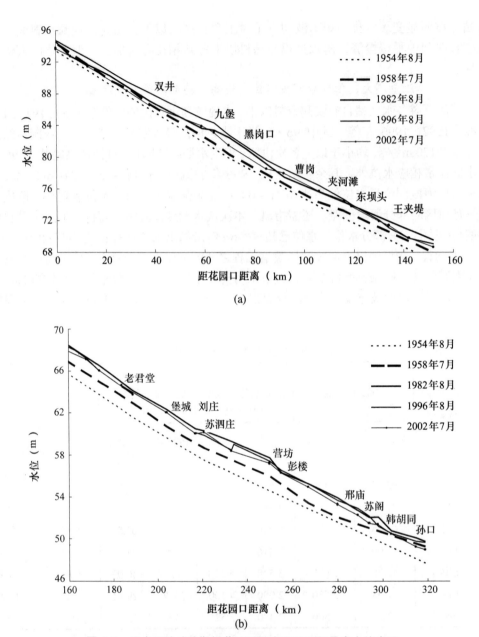

图 4-7　调水调沙试验期间黄河下游宽河段沿程最高水位表现

与此同时，本次洪水洪峰变形也较为显著。洪峰变形主要集中在夹河滩—孙口河段，尤以高村—孙口河段最为显著；对于夹河滩以上和孙口以下两河段而言，由于水流基本不漫滩，所以洪水演进过程中洪峰变形不大。夹河滩—高村河段主要受生产堤以内滩地普遍上水、河槽滞蓄水量显著增加的影响，引起洪峰传播速度慢，洪峰变形较大；高村—孙口河段除了生产堤至主槽之间嫩滩大量滞蓄水量之外，更主要的是南小堤险工以下几处生产堤溃口，大量水流进入生产堤至临黄大堤之间，导致该河段洪峰变形最大。孙口站流量过程线显示，最大洪峰流量直到落水前才出现。

表 4-4　试验期间洪水传播时间、传播速度比较

项目	花园口—夹河滩	夹河滩—高村	高村—孙口	孙口—艾山	艾山—泺口	泺口—利津	花园口—利津
距离(km)	105	83	130	63	108	174	663
"75·8"洪水传播时间(h)	26.0	28.0	36.0	12.0	78.0	46.0	226.0
"96·8"洪水传播时间(h)	30.0	73.5	121.0	52.5	25.3	65.0	367.3
本次试验洪水传播时间(h)	16.5	108.7	146.5	13.0	14.7	13.6	313.0
"75·8"洪水传播速度(m/s)	1.12	0.82	1.00	1.46	0.38	1.05	0.81
"96·8"洪水传播速度(m/s)	0.97	0.31	0.30	0.33	1.19	0.74	0.50
本次试验洪水传播速度(m/s)	1.77	0.21	0.25	1.35	2.04	3.55	0.59

注：夹河滩断面指夹河滩(二)站。

(二)洪水演进特点的成因剖析

1. 长期枯水，河道持续淤积，致使水位表现高

小浪底水库自 1999 年 10 月下闸蓄水到本次调水调沙试验前，进入下游的流量一直不大，特别是 2000 年和 2001 年汛期来水量分别仅有 49.91 亿 m³ 和 45.9 亿 m³，汛期最大流量不足 1 000 m³/s，下游河道冲刷只发展到高村附近。

其中，夹河滩—高村河段只发生了微冲；高村以下河段仍出现了累积性淤积，尤以高村—孙口河段淤积最为显著(如图 4-8 所示)。据统计，1999 年 10 月~2002 年 5 月，下游白鹤—利津河段主槽累计冲刷 1.979 亿 m³，其中白鹤—夹河滩河段冲刷 2.282 亿 m³，占总冲刷量的 115%。由于大部分河段主槽仍发生淤积，河床高程抬升，致使同流量水位上升。与"96·8"洪水相比(见表 4-3)，本次调水调沙试验期间下游各水文站同水位下过流量除花园口站略有增加、利津站基本持平以外，大部分河段过流量均有不同程度的降低，特别是高村、艾山两站同水位下过流量分别较"96·8"洪水减小了 2 470 m³/s 和

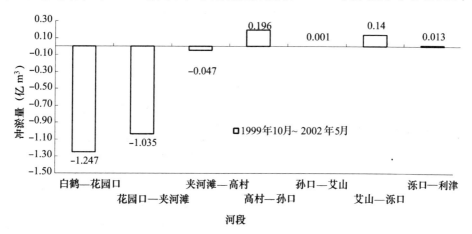

图 4-8　小浪底水库运用以来黄河下游各河段累积冲淤变化

878 m³/s。与此相应，同流量水位也在大部分河段有较大的抬升，高村、孙口两站同流量水位分别较"96·8"洪水抬升了 0.53 m 和 0.41 m，而艾山站同流量水位更比"96·8"洪水升高了 0.80 m。

2. 河槽进一步萎缩，洪水位涨率偏大，断面平均流速明显降低

以高村站为例，点绘几场实测洪水的水位与流量关系，如图 4-9 所示。从图中可以看出，与历次漫滩洪水相比，本次洪水涨率明显偏大。已有研究表明，黄河下游河道洪水期的排洪能力主要是依靠主槽冲刷来提高的。本次洪水期间，由于主槽近年来不断萎缩，致使当流量涨至 1 750 m³/s 时便漫滩，主流分散对主槽冲刷下切十分不利。同时，嫩滩种植的茂密农作物严重影响了滩槽水沙交换，进而削弱了主槽的冲刷。另外，滩区众多的阻水建筑物也明显影响滩区过洪能力。由图 4-9 看出，在目前河槽严重萎缩的边界条件下，上述诸因素综合作用的结果是，导致该站水位与流量关系中洪水位涨率增大、同流量水位明显升高。

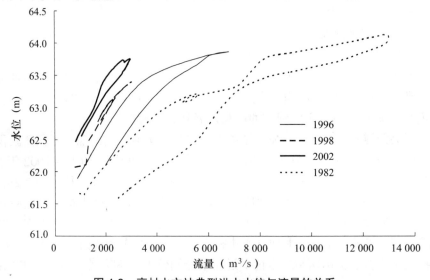

图 4-9　高村水文站典型洪水水位与流量的关系

对于规则断面，洪峰传播速度 ω 与断面平均流速 v 之间的关系可表示为

$$\omega = Av \tag{4-1}$$

式中　A——河槽形态对洪水传播特性的影响系数，$A = \dfrac{5}{3} - \dfrac{2R}{3B} \cdot \dfrac{\mathrm{d}B}{\mathrm{d}Z}$，其中：$R$ 为水力半径，Z 为水位，B 为河宽；A 值越小，河槽形态越宽浅；三角形及抛物线形断面取 $A = 1 \sim 3/5$，矩形断面取 $A = 5/3$，双曲线形断面(断面形态宽浅的复式断面)取 $A < 1$。

黄河下游孙口以上河道属于典型的复式断面，漫滩洪水期洪峰传播速度明显小于断面平均流速。"58·7"洪水垂线平均流速在 2 m/s 以上的主流带宽度达 1 100 m 左右，而"96·8"洪水期这一宽度仅剩约 500 m，本次试验期该主流带宽度进一步缩减至 350 m

左右。由于滩地行进流速很小，致使全断面平均流速降低。点绘河段历次漫滩洪峰传播速度与进口断面平均流速的相关关系可以看出，随着断面平均流速增加，洪峰传播速度明显加快(见图 4-10)。本次洪水高村—孙口河段断面平均流速很小，由此造成该河段的洪峰传播速度明显降低。

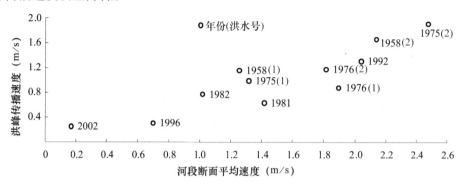

图 4-10　高村—孙口河段洪峰传播速度与断面平均速度的关系

3. 平滩流量小，漫滩洪水传播速度减小

黄河下游河道滩地流速比主槽流速小得多，洪水漫滩后，断面平均流速会明显降低，致使洪峰传播速度减小。但随着洪峰流量增加，漫滩程度增加到一定程度后，断面平均流速又会再次提高，洪峰传播速度也相应增大。1954～1959 年实测资料表明，高村—孙口河段洪峰平均传播速度 v_m 与平滩流量附近洪水传播速度 v_p 的比值 v_m / v_p 和高村站洪峰流量 Q_m 与河段平滩流量 Q_p 的比值 Q_m / Q_p 具有如图 4-11 所示的关系。可以看出，平滩流量附近的洪峰传播速度最快；随着 Q_m / Q_p 的增大，v_m / v_p 逐渐减小；当 Q_m / Q_p 增加到 2 附近时，v_m / v_p 达到最小值，洪峰传播速度仅为平滩流量时的 17%，洪峰传播历时最长；之后，随着 Q_m / Q_p 的继续增加，v_m / v_p 开始增加，洪水传播历时相应缩短。1958 年汛期该河段平滩流量约为 6 000 m^3 / s，1996 年汛期该河段平滩流量减少到约 3 000 m^3 / s，2002 年汛期该河段平滩流量进一步减小到仅约 1 900 m^3 / s。"96·8"洪水时高村站洪峰附近滩地分流比为 30%，洪峰流量与平滩流量之比 Q_m / Q_p 约为 2.1，正好位于关系线的最低点；本次洪水高村站洪峰附近滩地分流比为 10%，洪峰流量与平滩流量之比 Q_m / Q_p 约为 1.6，位于关系线最低点附近，也符合此规律。上述分析表明，由于本次洪水洪峰流量不大，加之 Q_m / Q_p 接近临界值，从而引起洪峰传播速度明显降低。

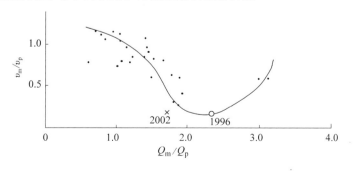

图 4-11　高村—孙口河段 v_m / v_p 与 Q_m / Q_p 关系

4. 滩区滞蓄和释放洪水，致使洪峰变形、传播时间滞后

图 4-12 绘出了几场漫滩洪水在下游各站最高水位出现时间的比较，可以看出，2002 年 7 月洪水最高水位传播时间在各河段并非均匀增加，变化大的河段主要集中在夹河滩—孙口河段，这与该河段大滩区多以及滩区大量进水有关系。分析认为，由于这一河段"二级悬河"发育，当生产堤溃口后，河槽水流大量涌进滩区，滩区洪水经过长时间的滞蓄和演进，在落水期从滩区出口汇入大河，形成附加洪峰。受上述因素影响，下站洪水过程会严重变形，峰现时间也会大大滞后。"96·8"洪水因东明、长垣两大滩区大量退水，致使高村最高洪水位出现时间明显滞后；本次试验期，由于濮阳和左营滩区大量退水，造成了孙口站在即将落水时才出现最高水位。

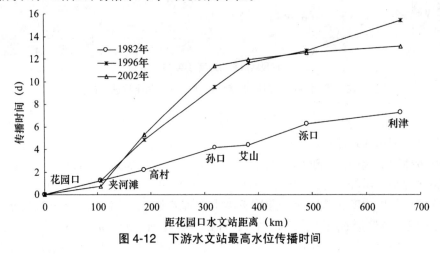

图 4-12　下游水文站最高水位传播时间

第五章　下游河道冲淤变化的计算与分析

一、各河段年度冲淤变化

(一)断面法结果

根据 2001 年 10 月、2002 年 5 月、2002 年 7 月和 2002 年 10 月四次统测大断面资料，运用断面法对下游各河段的冲淤量进行了计算(见表 5-1)。从表 5-1 中可以看出：非汛期(2001 年 10 月～2002 年 5 月)下游河道(白鹤—利津河段，下同)冲刷 0.445 亿 m³，冲刷主要集中在高村以上，其中夹河滩以上冲刷量就达 0.408 亿 m³，与前两年非汛期不同的是，高村—孙口河段也略有冲刷；汛期(2002 年 5 月～2002 年 10 月) 下游河道全断面冲刷量为 0.304 亿 m³，其中主槽冲刷 0.783 亿 m³，滩地淤积 0.479 亿 m³，滩地淤积发生在调水调沙试验期。从全年看，下游主槽累计冲刷 1.228 亿 m³，且各河段主槽均产生了冲刷，即使单从汛期来看，各河段主槽也为冲刷。

表 5-1　2002 年下游各河段断面法冲淤量计算成果　　　　(单位：亿 m³)

河段	非汛期 (2001-10~2002-05)	汛期(2002-05~2002-10)			全年 (2001-10~2002-10)
		全断面	主槽	滩地	
白　鹤—花园口	−0.122 4	−0.181 7	−0.251 0	0.069 3	−0.304 1
花园口—夹河滩	−0.285 1	−0.111 5	−0.160 8	0.049 3	−0.396 6
夹河滩—高　　村	−0.026 0	0.158 5	−0.010 1	0.168 6	0.132 5
高　村—孙　　口	−0.008 4	0.056 2	−0.119 5	0.175 7	0.047 8
孙　口—艾　　山	0.011 6	−0.015 1	−0.024 4	0.009 3	−0.003 5
艾　山—泺　　口	0.031 7	−0.071 9	−0.076 2	0.004 3	−0.040 2
泺　口—利　　津	−0.046 1	−0.139 0	−0.141 1	0.002 1	−0.185 1
白　鹤—利　　津	−0.444 7	−0.304 5	−0.783 1	0.478 6	−0.749 2

(二)输沙率法结果

由于 2002 年黄河下游水量不平衡问题突出，常规沙量平衡法计算结果已不能反映实际情况。鉴于此，本次采用下列两种办法进行沙量平衡计算：一是不考虑蒸发和渗漏，用上下控制站水量差作为引水，计算出引沙，进行冲淤计算；二是取上站水量的 1%作为河损，用上下控制站水量差减去这部分河损作为引水，计算引沙，进行冲淤计算，如表 5-2 所示(淤积物干密度取 1.4 t／m³)。从计算结果看，全下游年冲刷量与断面法结果大致相近，但河段冲淤量分布二者有一定的出入。

表 5-2 2002 年下游河道输沙率法冲淤量计算成果　　　(单位：亿 m³)

河段	不考虑损失			进口水量按 1%损失		
	年	汛期	非汛期	年	汛期	非汛期
花园口	−0.338	−0.161	−0.177	−0.337	−0.161	−0.176
夹河滩	−0.369	−0.181	−0.188	−0.359	−0.173	−0.186
高村	0.087	0.096	−0.009	0.097	0.103	−0.006
孙口	−0.012	0.024	−0.036	−0.003	0.030	−0.033
艾山	−0.088	−0.106	0.018	−0.081	−0.101	0.020
泺口	−0.011	−0.023	0.012	−0.003	−0.017	0.014
利津	0.037	−0.013	0.050	0.043	−0.008	0.051
高村以上	−0.621	−0.246	−0.375	−0.599	−0.231	−0.368
高村以下	−0.074	−0.118	0.044	−0.044	−0.096	0.052
合计	−0.695	−0.364	−0.331	−0.643	−0.327	−0.316

二、调水调沙试验下游冲刷效果分析

(一)下游河道冲淤量

试验期下游河道冲淤量计算采用以断面法为主、沙量平衡法为辅的综合算法。计算结果显示，下游白鹤—汊 2 河段共冲刷 0.362 亿 t，其中高村以上河段冲刷 0.191 亿 t，高村—汊 2 河段冲刷 0.171 亿 t。河道冲刷主要集中在夹河滩以上和艾山以下两河段，夹河滩—孙口河段由于洪水漫滩，淤积 0.082 亿 t。各河段的冲淤情况如表 5-3 所示。

表 5-3 调水调沙期下游河道断面法冲淤量　　　(单位：亿 t)

河段	全断面	二滩	嫩滩	主槽
白鹤—花园口	−0.131	0.005	0.092	−0.227
花园口—夹河滩	−0.071	0	0.069	−0.140
夹河滩—高村	0.011	0.039	0.197	−0.225
高村—孙口	0.071	0.154	0.092	−0.175
孙口—艾山	−0.017	0	0.011	−0.029
艾山—泺口	−0.090	0	0.006	−0.096
泺口—利津	−0.107	0	0.003	−0.110
利津—汊 2	−0.028	0	0.033	−0.061
白鹤—高村	−0.191	0.044	0.358	−0.592
高村—汊 2	−0.171	0.156	0.143	−0.471
白鹤—汊 2	−0.362	0.200	0.501	−1.063

需要强调指出，本次调水调沙试验期下游河道主槽的冲刷效果较为明显，尤以漫滩较多的夹河滩—孙口河段为甚；嫩滩则发生了不同程度的淤积，二滩除高村—孙口河段外淤积很少。

(二)主槽过流能力变化

主槽是下游河道排洪输沙的主要通道，其过流能力大小直接影响到黄河下游防洪的形势。根据调水调沙期间各站水位与流量关系，结合测流断面滩唇高程，得到各水文站断面主槽过流能力的变化，如表 5-4 所示。可以看出，高村以上各水文站断面的平滩流量大多是增大的，花园口、高村分别增大了 300 m³/s 和 850 m³/s，夹河滩变化不大，艾山以下河段的泺口、丁字路口分别增大了 160 m³/s 和 550 m³/s，孙口和艾山站分别减小了 180 m³ / s 和 100 m³ / s。高村附近河段平滩流量增大较为明显。

表 5-4 黄河下游各主要水文站主槽过流能力统计

站名	平滩水位(m)	主槽过流能力(m³ / s)			最高水位(m)	发生漫滩
		洪水前	洪水后	增值		
花园口	93.75	3 400	3 700	300	93.67	无
夹河滩	77.41	2 900	2 900	0	77.59	有
高 村	63.21(前)	1 750(前)			63.76	有
	63.48(后)		2 560(后)	850		
孙 口	48.45	2 070	1 890	−180	49.00	有
艾 山	42.30	3 300	3 200	−100	41.76	无
泺 口	31.40	2 800	2 960	160	31.03	无
利 津	14.39	3 500	3 500	0	13.80	无
丁字路口	5.77	2 150	2 700	550	5.53	有

同时，为了反映调水调沙试验期间各河段平滩流量的变化，分别采用断面法、水位法计算了不同河段的平均平滩流量，如表 5-5 所示。可以看出，夹河滩以上主槽平滩流量增大 240~300 m³ / s；夹河滩—孙口河段漫滩较为严重，淤滩刷槽、滩槽高差增加明显，平滩流量增幅也最大，增大 300 ~ 500 m³ / s；利津以下河口段增大约 200 m³ / s；孙口—利津河段平滩流量增幅最小，为 80 ~ 90 m³ / s。

表 5-5 调水调沙期间下游各河段主槽过流能力变化

河段	主槽宽(m)	滩槽高差增值(m)	主槽过流能力增值(m³ / s)		
			断面法	水位法	采用值
小浪底—花园口	800	0.26	374	300	300
花园口—夹河滩	739	0.20	266	150	240
夹河滩—高村	806	0.37	537	525	500
高村—孙口	414	0.38	283	435	300
孙口—艾山	454	0.11	90	−140	90
艾山—泺口	421	0.18	136	30	80
泺口—利津	384	0.13	90	80	90
利津—丁字路口	404	0.20	145	275	200

注：水位法计算平滩流量增值采用河段进、出口水文站的平均值。

(三)调水调沙过后下游河道回淤情况

调水调沙试验结束至汛末，进入下游流量大都很小，水流未出主槽。在此期间，小浪底水库有两次排沙过程，下泄沙量达 0.363 亿 t，主要集中在 9 月初的 6 天之内，其余时间水库基本为清水下泄。经计算，调水调沙过后至 2002 年 10 月下游利津以上河道累积冲刷 0.037 亿 t(见表 5-6)，除夹河滩以上河段继续冲刷和孙口—艾山河段微冲外，其他河段均发生回淤，其中，夹河滩—高村、高村—孙口以及泺口—利津三个河段回淤较多，分别为 0.073 亿 t、0.063 亿 t 和 0.073 亿 t，但与调水调沙期主槽冲刷量抵消后仍为冲刷，表明调水调沙过后河道回淤并不明显。

表 5-6　2002 年调水调沙期及之后下游各河段主槽冲淤量　（单位：亿 t）

河段	小浪底— 花园口	花园口— 夹河滩	夹河滩— 高村	高村— 孙口	孙口— 艾山	艾山— 泺口	泺口— 利津	小浪底— 利津
调水调沙期	−0.227	−0.140	−0.225	−0.175	−0.029	−0.096	−0.110	−1.002
试验后至汛末	−0.120	−0.124	0.073	0.063	−0.016	0.014	0.073	−0.037
合计	−0.347	−0.264	−0.152	−0.112	−0.045	−0.082	−0.037	−1.039

三、小流量排泄异重流引起下游河道的冲淤初析

(一)9 月初小流量排沙期间水沙特性

小浪底水库于 9 月 5 日 16 时 24 分~9 月 11 日 10 时开启排沙洞排沙，坝前水位由 9 月 5 日 8 时的 210.44 m 持续降低到 9 月 11 日 8 时的 208.98 m，整个过程水库水位下降 1.46 m，水库泄水 2.5 亿 m³，水库排沙 0.339 亿 t，排沙历时 138 h，平均下泄流量约 500 m³/s，出库实测悬移质泥沙平均粒径为 0.011~0.014 mm，d_{50} 为 0.006~0.007 mm。排沙期沿程各站主要水、沙特征值如表 5-7 所示。可以看出，出库最大流量为 1 410 m³/s，出库最大含沙量为 287 kg/m³，入海利津站最大流量仅有 65 m³/s，最大含沙量为 66.7 kg/m³。同时可看出，沙峰在孙口—泺口历时最长，达 168 h。

表 5-7　2002 年 9 月小浪底水库排沙期间主要特征值统计

水文站	起始时间 (日 T 时:分)	结束时间 (日 T 时:分)	历时 (h)	水量 (亿 m³)	沙量 (亿 t)	平均 含沙量 (kg/m³)	最大流量 单位 (m³/s)	最大流量 相应时间 (日 T 时:分)	最大含沙量 单位 (kg/m³)	最大含沙量 相应时间 (日 T 时:分)
小浪底	5T16:24	11T10:00	138	2.58	0.339	131.4	1 390	07T21:00	288.0	07T22:00
花园口	7T08:00	13T08:00	144	3.03	0.389	128.4	1 120	07T14:00	317.0	09T14:00
夹河滩	8T08:00	14T08:00	144	3.34	0.344	103.0	780	08T07:54	239.0	11T08:00
高村	9T08:00	15T08:00	144	2.96	0.208	70.3	625	10T08:00	136.0	11T20:00
孙口	10T08:00	17T08:00	168	2.29	0.126	55.0	645	15T04:00	107.0	14T09:30
艾山	11T08:00	18T08:00	168	2.00	0.116	58.0	625	16T08:00	121.0	16T00:00
泺口	13T08:00	20T08:00	168	1.78	0.097	54.5	501	17T08:00	99.0	17T00:00
利津	18T08:00	23T08:00	120	0.29	0.008	27.6	65	18T08:00	66.7	20T14:00

点绘排沙期间沿程流量(见图 5-1)和含沙量(见图 5-2)变化过程，可以看出：这次排沙流量比较小，含沙量涨落过程比较显著，流量涨落过程不明显。沙峰向下游演进过程中，均表现为相应的一个沙峰，夹河滩以上峰值沿程明显增加；夹河滩—孙口峰值沿程明显减小；孙口—泺口峰值变化不大；泺口—利津峰值明显减小。

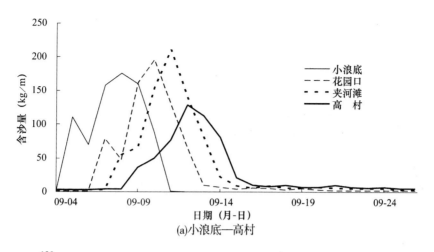

(a)小浪底—高村

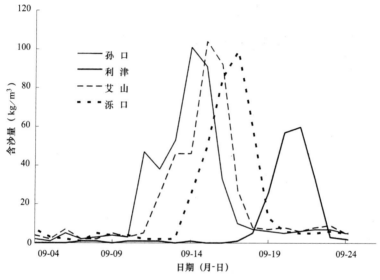

(b)孙口—利津

图 5-1　2002 年小浪底水库排沙期间下游流量过程

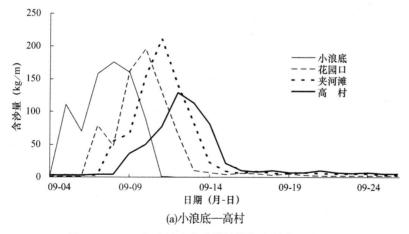

(a)小浪底—高村

图 5-2　2002 年小浪底水库排沙期间下游含沙量过程

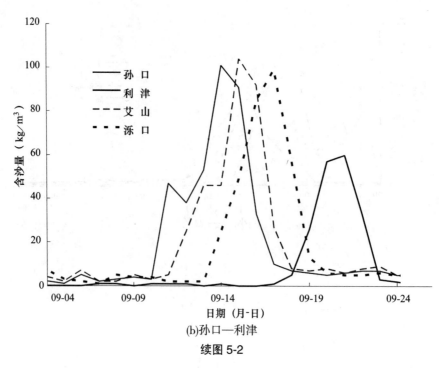

(b)孙口—利津

续图 5-2

(二)排沙期间冲淤变化

由于排沙期间没有明显的流量涨落,按照日含沙量过程,采用等历时法,并且考虑引沙,用沙量平衡法计算下游各河段冲淤量,见表 5-8。从表 5-8 中可以看出,用此方法计算的利津以上共淤积 0.157 亿 t,除夹河滩以上微冲外,其余河段均发生淤积。淤积最严重的是夹河滩—高村河段,占下游淤积的 58%;其次是高村—孙口和泺口—利津河段,各占下游淤积的 14% 和 25%。

表 5-8 排沙期间沙量平衡冲淤计算

站名	2002		最大流量(m³ / s)		最大含沙量 (kg / m³)		水量	沙量	冲淤量
	时段(月-日)	量值	时间(月-日)	量值	时间(月-日)	(亿 m³)	(亿 t)	(亿 t)
小浪底	09-04 ~ 09-11	527	09-09	176	09-08	3.38	0.339 3	
小黑武						3.55	0.339 3	
花园口	09-06 ~ 09-13	879	09-07	196	09-10	4.10	0.369 5	−0.030 2
夹河滩	09-07 ~ 09-14	620	09-12	211	09-11	3.71	0.361 2	−0.024 4
高村	09-08 ~ 09-15	541	09-12	129	09-12	3.17	0.204 6	0.124 2
孙口	09-10 ~ 09-17	593	09-15	101	09-14	2.23	0.124 1	0.029 8
艾山	09-11 ~ 09-18	553	09-16	104	09-15	1.96	0.112 7	−0.002 7
泺口	09-13 ~ 09-20	449	09-17	99	09-17	1.78	0.096 5	0.007 6
利津	09-17 ~ 09-24	60	09-21	60	09-21	0.34	0.008 5	0.052 9
合计								0.157 2

考虑到 9 月初小流量较大含沙量水流的集中下排与前期河道具有的输沙能力不相适应，加之调水调沙施放的较大流量过程对下游各河段主槽均有不同程度的冲刷，相应主槽过水面积有所增加，所以，下游部分河段在排沙期内发生淤积是完全可能的。但由于这部分淤积物粒径组成很细，属于冲泻质范畴，在随后持续下泄清水的条件下，淤在主槽里的淤积物会不断被带走。统计 9 月份下游沿程各站来水来沙情况(如表 5-9 所示)，可以看出，夹河滩以上河道从全月看并未淤积，但夹河滩—孙口河段随着沿程的不断引水，大河流量愈来愈小，全月通过孙口站的沙量仅 0.153 亿 t，较夹河滩站减少了 0.248 亿 t。孙口—艾山河段沙量基本维持不变，由于利津站水量很小，本次下排泥沙并未通过利津。小流量排沙期高村—艾山河段各站同流量水位升高明显，最大达 0.5 m 以上，但随后便很快下降并得以恢复。

表 5-9　2002 年 9 月份下游主要站水、沙量统计

站名	水量 (亿 m³)	沙量 (亿 t)	站名	水量 (亿 m³)	沙量 (亿 t)
小浪底	12.47	0.341	孙　口	8.07	0.153
花园口	14.17	0.398	艾　山	6.96	0.138
夹河滩	12.57	0.401	泺　口	5.18	0.107
高　村	10.62	0.249	利　津	1.43	0.009

由此可见，小浪底水库运用初期即使以异重流形式排沙，如果相应流量偏小，下游河道仍会淤积。至少在短期内会如此，这就给水库今后合理运用提供了借鉴。

第六章　夹河滩至孙口河段洪水位偏高原因探讨

一、高村上下河段近年冲淤变化特点

该河段属宽浅游荡性河段，河床冲淤变化大，随着水沙条件的不同，汛期和非汛期的冲淤性质有所不同。分析三门峡水库蓄清排浑运用以来该河段冲淤变化可以看出，随着非汛期(见图 6-1)来水量的减少，该河段冲刷减弱，甚至发生淤积。当水量超过 150 亿 m³时，该河段发生冲刷，冲刷量在 0.1 亿 m³ 左右；小于 150 亿 m³，淤积概率和淤积量明显增加。随着龙羊峡、刘家峡两水库的运用和上中游水资源的开发，非汛期进入下游的水量减小，使夹河滩—高村河段冲刷概率减小，淤积概率增加。

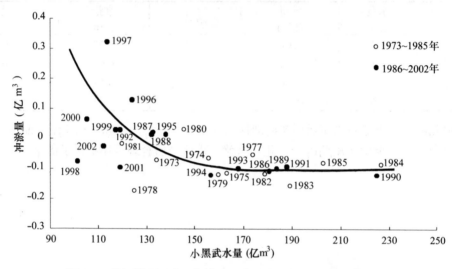

图 6-1　非汛期夹河滩—高村河段冲淤量和水量(小黑武)的关系

对汛期来说，1986 年后，三门峡水库小水排沙，往往是小水带大沙，加重了该河段的淤积。图 6-2 为汛期夹河滩—高村河段冲淤强度和小黑武水量的关系，从图中可以看出，1986 年以后，汛期淤积强度明显增加。从该河段 1973～1985 年和 1986～1999 年汛期各断面平均冲淤面积(见图 6-3)看出，各断面年均淤积面积显著增大，1973～1985 年部分断面汛期有所冲刷，而 1986～1999 年汛期各断面均为淤积，按平均计算每年增加淤积近 500 m²。

综上所述，1986 年以来，由于非汛期水量减少，夹河滩—高村河段发生冲刷的概率减小；在汛期，进入下游的洪水次数减少，洪峰流量小，含沙量高，加之三门峡水库要在汛期排泄全年的来沙，致使该河段淤积加重。

1999 年汛后以来，小浪底水库以下泄清水为主，由于 2000 年、2001 年最大流量均未大于 2 000 m³/s，加之沿程大量引水，致使高村上下河段冲刷不多，河槽继续萎缩。

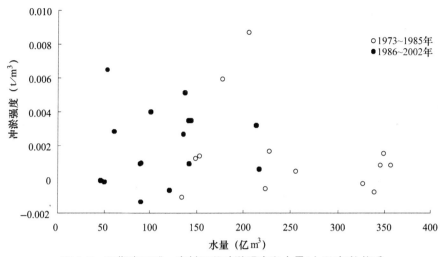

图 6-2 汛期夹河滩—高村河段冲淤强度和水量(小黑武)的关系

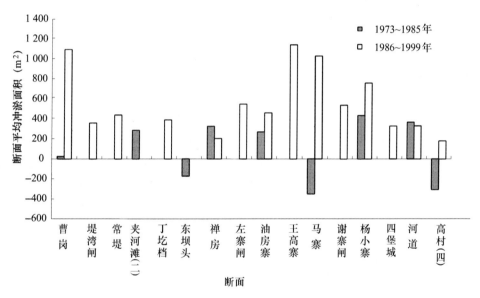

图 6-3 汛期夹河滩—高村河段各断面平均冲淤面积对比

二、前期河道累积冲淤造成的影响

根据断面法冲淤量计算结果,小浪底水库下闸蓄水以来,第一个运用年(1999 年 10 月~2000 年 10 月)下游河道冲刷 0.825 亿 m³,第二个运用年(2000 年 10 月~2001 年 10 月)下游河道冲刷 0.816 亿 m³,两年累积下游河道共冲刷 1.641 亿 m³,详见表 6-1。可以看出,2000 运用年下游河道冲刷发展到夹河滩附近,2001 运用年冲刷向下推移至高村。

从实测水位表现看,2000 年流量为 1 000 m³/s 时的水位与上一年相比,花园口站降低 0.39 m,夹河滩站水位降 0.11 m,高村站水位保持不变;2001 年高村以上河段同流量水位比上年又下降了 0.28~0.10 m,水位降幅仍呈沿程减弱之势。孙口以下各站因流量太小,其水位升降值不具有代表意义。

表 6-1　小浪底水库运用后下游各河段断面法冲淤量统计　　（单位：亿 m³）

河段	1999-10~2000-10	2000-11~2001-10	两年合计
白　鹤—花园口	−0.713	−0.473	−1.184
花园口—夹河滩	−0.470	−0.315	−0.785
夹河滩—高　村	0.056	−0.100	−0.044
高　村—孙　口	0.141	0.071	0.212
孙　口—艾　山	0.006	−0.017	−0.011
艾　山—泺　口	0.088	−0.003	0.085
泺　口—利　津	0.067	0.021	0.088
白　鹤—利　津	−0.825	−0.816	−1.641

　　以上实测结果均表明，经过两年清水下泄，高村以上河段均已发生冲刷，同流量水位也不断下降，这些与三门峡水库运用初期下游河道的冲淤演变过程基本相似。

　　随着小浪底水库持续下泄清水，2002 年非汛期下游河道又冲刷 0.445 亿 m³，除高村以上河道继续冲刷外，高村—孙口河段也微冲 0.008 亿 m³。

　　必须指出，虽然小浪底水库运用以来至 2002 年汛前，下游河道冲刷已发展到高村附近，但若从 1996 年汛前开始统计，各河段累计冲淤情况则有所不同。1996 年 5 月 ~ 1999 年 10 月下游河道主槽累计淤积 3.906 亿 m³（见表 6-2）；1999 年 11 月 ~ 2002 年 5 月，全下游累计冲刷 2.084 亿 m³，二者相加尚有 1.822 亿 m³ 淤积物没有冲完。从河段分布来看，夹河滩以上累计冲刷 0.622 亿 m³，夹河滩—高村累积淤积 1.517 亿 m³，高村以下各河段也发生了累积性淤积，其中，夹河滩—孙口河段淤积状况最为严重。可见，小浪底水库运用之前的几年连续淤积是本次调水调沙期局部河段洪水位偏高的主要原因之一。

表 6-2　1996 年 5 月以来下游河道冲淤成果　　（单位：亿 m³）

河段	1996-05 ~ 1999-10		1999-11 ~ 2002-05		1996-05~2002-05	
	主槽	滩地	主槽	滩地	主槽	滩地
白　鹤—花园口	1.082	0.626	−1.308		−0.226	0.626
花园口—夹河滩	0.674	0.954	−1.070		−0.396	0.954
夹河滩—高　村	1.587	1.189	−0.070		1.517	1.189
高　村—孙　口	0.377	0.251	0.204		0.581	0.251
孙　口—艾　山	0.193	−0.019	0.001		0.194	−0.019
艾　山—泺　口	−0.063	−0.016	0.117		0.054	−0.016
泺　口—利　津	0.056	0.114	0.042		0.098	0.114
白　鹤—高　村	3.343	2.769	−2.448		0.895	2.769
高　村—利　津	0.563	0.330	0.364		0.927	0.330
白　鹤—利　津	3.906	3.099	−2.084		1.822	3.099

　　图 6-4 所示是 1996 年以来高村断面 532 m 河宽范围内平均河底高程的变化过程。从图中可以明显地看到，1996 年入汛以来，该断面总体以淤积抬升为主，到 2002 年汛前累计淤高 0.81 m。

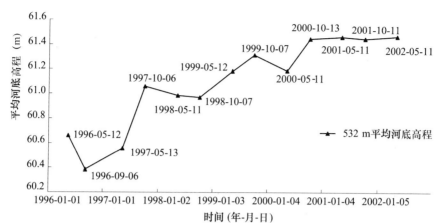

图 6-4　1996 年以来高村站主槽平均河底高程变化过程

三、调水调沙涨水期河床淤积造成的影响

黄河下游河道在较大洪水的涨水阶段主槽发生明显冲刷,起冲流量一般在 2 500 ~ 3 000 m³ / s 之间。本次洪水涨水阶段河道冲刷不明显,高村、孙口两断面反而明显淤积。从图 6-5、图 6-6 可以看出,高村断面在洪水漫滩前发生了明显淤积,到最大流量时虽有

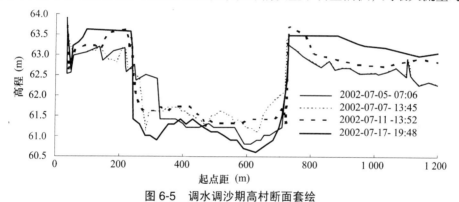

图 6-5　调水调沙期高村断面套绘

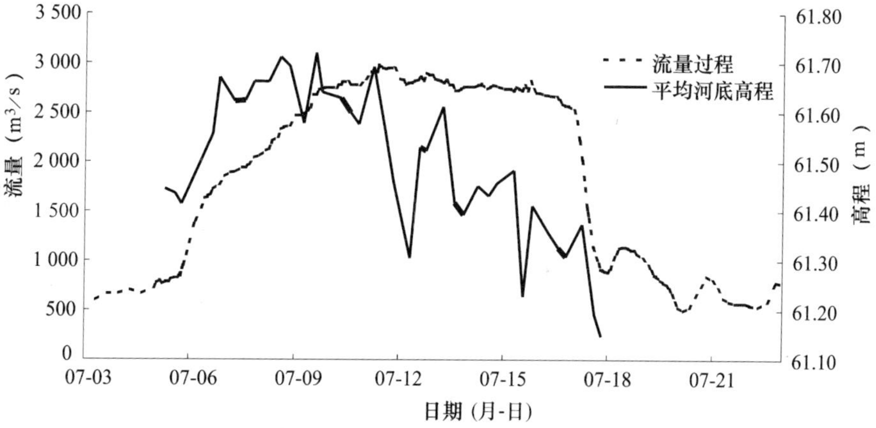

图 6-6　高村断面调水调沙期主槽河底高程变化

所冲刷，但不明显，在落水期该断面发生冲刷。从平均河底高程变化图看出，7月5日18时，流量为844 m³/s，平均河底高程61.41 m；到7月6日20时，流量为1 770 m³/s，河底平均高程上升到61.67 m，抬升了0.26 m；7月9日14时，流量为2 680 m³/s时平均河底高程达到最高61.72 m，抬高了0.31 m；7月11日9时10分，实测流量为2 980 m³/s，平均河底高程为61.69 m，在整个涨水过程中，平均河底高程抬高了0.28 m。

孙口断面套绘和平均河底高程变化如图6-7、图6-8所示，可以看出，孙口断面洪水漫滩前也发生了明显淤积；到最大流量时虽有所冲刷，但仍不明显，整个试验期该断面发生了累积性淤积。孙口断面从7月5日6时，流量为678 m³/s，河底平均高程46.27 m，到7月8日8时，流量为1 850 m³/s，河底平均高程上升到46.57 m，抬升了0.30 m；7月9日7时，流量为2 080 m³/s，平均河底高程达到最大46.74 m，抬升了0.47 m；7月17日11时42分，实测流量2 800 m³/s，平均河底高程46.62 m，抬升了0.35 m。水流在漫滩前该河段发生了明显淤积，这也是造成水位表现偏高、平滩流量减小的主要原因之一。从夹河滩、高村、孙口三站的输沙率变化也可以看出，该河段在2 000 m³/s流量以前发生了明显淤积。

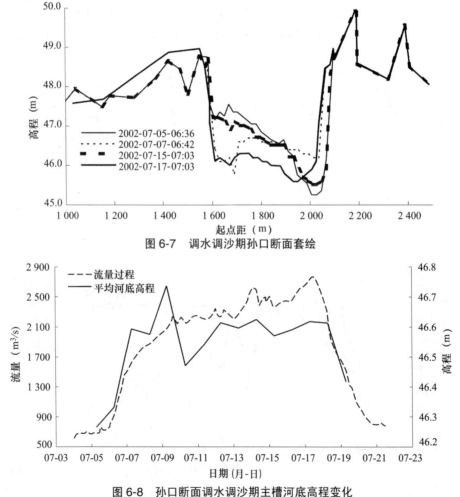

图6-7 调水调沙期孙口断面套绘

图6-8 孙口断面调水调沙期主槽河底高程变化

四、主槽进一步萎缩的影响

小浪底水库运用以来，连续两年下泄流量多在 800 m³/s 以下，春灌引水高峰期为 1 000 ~ 2 000 m³/s，对下游河道极为不利，致使主河槽进一步萎缩，对本次小流量漫滩起重要作用。以高村站为例，点绘几场实测洪水的水位与流量关系(见图 4-9)，可以看出，与历次漫滩洪水相比，本次洪水涨率明显偏大。已有研究表明，黄河下游河道洪水期排洪能力主要依靠主槽冲刷来提高。本次洪水期间，由于主槽近年来不断萎缩，致使当流量涨至不足 2 000 m³/s 时便漫滩，主流分散对主槽冲刷下切十分不利。同时，嫩滩种植的茂密农作物不仅增大了河槽阻力，而且严重影响了滩槽水沙交换，进而削弱了主槽的冲刷。另外，滩区众多的阻水建筑物也明显影响滩区过洪能力。由图 4-9 可看出，在目前河槽严重萎缩的边界条件下，上述诸因素综合作用的结果是该站水位与流量关系中洪水位涨率增大、同流量水位明显升高。

五、其他因素的影响

本次调水调沙试验期，小浪底出库流量过程线明显呈涨落均较陡的矩形波。由于洪水起涨迅猛，使下游河道没有适应过程，达到最大流量后，持续一定流量下泄，洪水附加比降减小，水流缺少推动力，可能也是造成洪水位偏高的一个因素。

第七章 断面形态及河势变化分析

一、横断面变化

比较 2002 年汛前、汛后下游河道横断面变化，发现夹河滩以上断面表现为冲刷伴有部分摆动，如袁坊断面(见图 7-1)、堤湾闸断面等；夹河滩以下大部分断面的主槽表现为冲深下切状况，如图 7-2、图 7-3 所示。进一步计算显示，汛后断面平滩以下过水面积较汛前有所增大，而主槽宽度变化不大。经统计，在夹河滩—泺口河段的 49 个大断面中，滩唇高程升高的断面有 26 个，主槽平均河床高程下降的断面达 41 个，表明该河段平滩以下过水面积增大主要通过主槽冲刷与嫩滩淤高得以实现。

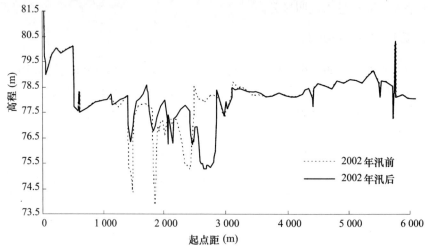

图 7-1 袁坊断面 2002 年汛前、汛后套绘

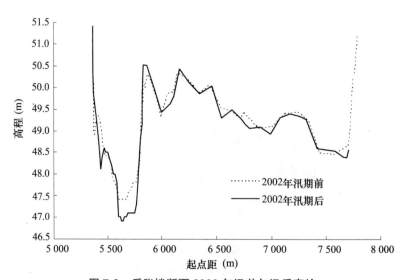

图 7-2 后张楼断面 2002 年汛前与汛后套绘

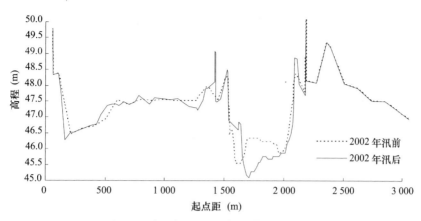

图 7-3　孙口断面2002年汛前与汛后套绘

二、纵断面变化

从主槽深泓点高程的变化来看(见图 7-4)，2002 年多数断面有所冲深，其中，夹河滩以上深泓点下降幅度平均超过 1 m，较 2001 年明显增大。图 7-5 为 2002 年下游各断面

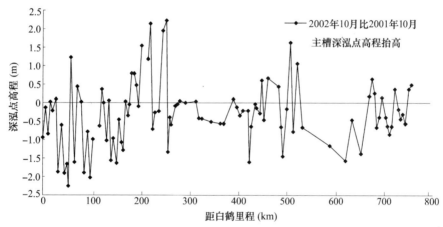

图 7-4　2002 年下游河道深泓点高程沿程变化

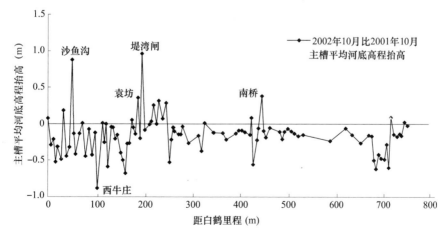

图 7-5　2002 年下游河道主槽冲淤厚度沿程变化

主槽冲淤厚度的沿程变化，同样可以看出，经过 1 年低含沙水流的造床作用，特别是汛初实施的调水调沙试验，大多数断面主槽的平均河底高程都有不同程度的降低，表明主槽沿程发生了冲刷，这与前述的年度冲淤量分布相一致。有些断面如沙鱼沟、袁坊、堤湾闸、南桥等受河势变化的影响，主槽发生较大摆动，导致计算的主槽有淤积抬高的现象。其他发生摆动的断面还有黄寨峪东、伊洛河口、西牛庄、黄练集、辛寨、陡门、韦城、柳园口、樊庄、古城、三义寨、杨集等，但这些断面的主槽一般仍是冲刷下降的。

三、河势变化

(一)调水调沙期河势变化

现场勘查、河势测量和卫星影像等多种资料表明，调水调沙期间，黄河下游河势总体来说没有发生大的变化。在工程配套完善、控导主溜较好且进口条件能够适应多种来溜条件的河段，河势变化很小，仅表现为河槽展宽，水面宽度增加，工程靠溜长度加长，一些局部河段河势向有利方向发展，一些畸形河湾河势有所调整，但有个别河段的河势朝不利方向发展。在工程不配套不完善的河段，流路很不规顺，长期小水形成的不利河势并没有被改变，一些工程仍旧不靠河，不能发挥控导河势的作用。

1. 白鹤至京广铁路桥河段

这一河段河势总体上是向好的方向发展的。白鹤至神堤河段为小浪底水库移民安置区，原水流散乱，工程靠溜部位不稳定，经 1994～1999 年大幅度整治及以后的调整完善，工程布局比较合理，工程靠溜情况较好，河势流路基本与河道整治规划流路相符合。神堤至京广铁路桥河段，整治工程没有完全布点，工程少，不配套，主溜摆动幅度相对较大，但河势基本流路变化不很大，与规划流路相趋近；部分新建工程已靠水着溜,发挥控导河势的作用。

该河段河势流路变化虽然小，但与规划流路仍有一定差距，张王庄工程不靠溜，东安工程靠溜长度太短，桃花峪工程仅上首 8 道坝靠溜，都没有很好地发挥控导流势的作用。要改变该段河势，应尽快完善孤柏嘴和东安工程，增加工程控制河势的能力，使河势向规划流路发展。

2. 京广铁路桥至东坝头

部分工程不靠河，未能发挥整治工程控导河势的作用。京广铁路桥至马渡河段河势朝好的方向发展，河势变化小，所有工程都已靠溜，控制河势能力加强。但马渡以下河段河势宽、浅、散、乱，主溜摆动幅度大，流路很不规顺，存在畸形河湾，游荡特性明显。如九堡至大张庄河段，由于长期小水形成的不利河势没有改变，九堡、三官庙工程仍旧不靠溜，韦滩工程不靠水，工程距水边约 400 m。大张庄工程自 1993 年汛期脱河后，一直不靠水，仅"96·8"洪水期间靠水不靠溜。这次调水调沙期间，大张庄工程靠水着溜，但靠溜长度偏短，仅 1～4 坝靠溜。王庵与古城之间仍存在"S"形河湾，常堤与贯台之间形成的畸形河湾仍然存在。

3. 东坝头至陶城铺河段

东坝头以下河段，由于工程布点比较完善，河势比较规顺，流路比较稳定，工程靠溜部位变化幅度小，且主槽宽度较以上河段明显缩窄。过渡性河段由于部分工程平面布局欠佳或没有按规划修完，加之长期为枯水，引起河势上提下挫，局部河段河势逐渐变化，形成不利河势，塌滩坐弯严重，有的危及防洪安全，需研究解决。如南小堤河段，南上延工程平面布局不合理，藏头段与治导线夹角偏小，在长期小流量的作用下，靠溜位置不断上提。调水调沙试验期间，南小堤险工几乎脱河(共 24 道坝，工程长 3 271 m)，仅最后 3 道坝靠水。

4. 陶城铺以下河段

该河段已成为人工控制的弯曲型河道，主溜的摆动已受到很强的限制，对水沙变化适应性强。因此，调水调沙试验期间该河段河势变化很小，主要表现为主溜顶冲点上提下挫。

(二)调水调沙试验结束至汛末期间的河势变化

根据汛后河势查勘报告，2002 年汛后下游各河段河势流路及工程靠河情况为：

(1)在白鹤至京广铁路桥河段，共有 15 处工程 311 道坝垛护岸靠河，靠河长度 31 800 m，靠河处数与汛前一样，靠河坝垛护岸比汛前减少 6 道，长度减少 1 380 m。靠河较为理想的工程有白鹤、花园镇、开仪、赵沟、化工、裴峪、大玉兰、神堤、驾部、枣树沟、桃花峪等工程；不靠河的工程有铁炉、赵沟上延、张王庄等工程；白坡工程靠河不理想，铁谢主溜偏北，仅潜坝靠溜，逯村工程下首靠河，东安工程下段约有 150 m 漫水。

(2)在京广铁路桥至东坝头河段，共有 24 处工程 345 道坝垛护岸靠河，靠河长度为 27 260 m，工程靠河处数比汛前增加 1 处，靠河坝垛护岸比汛前增加 19 道，长度增加 2 110 m。靠河较为理想的工程有南裹头、马庄、东大坝下延、双井、马渡、马渡下延、武庄、赵口控导、黑下延、顺河街、府君寺、东坝头险工等工程；不靠河的河道整治工程有毛庵、韦滩、柳园口、大功、古城、常堤、欧坦、贯台等工程；九堡下延和三官庙仅工程下首漫水。

(3)在东坝头—枣包楼河段，共有 43 处工程 527 道坝垛护岸靠河，靠河长度为 50 650 m，其中河南黄河有 22 处工程 278 道坝垛护岸靠河，工程靠河处数比汛前减少 1 处，靠河坝垛护岸增加 5 道，长度减少 460 m。

(4)东坝头以下河段由于工程布点比较完善，河势整体上变化不大，主流摆动较小，水流基本沿规划流路行河，各工程迎流送溜较为平顺，虽然局部河段工程靠河有上提下挫现象，但变化幅度不大。

从上述分析可以看出，调水调沙施放的流量过程过后，下游河道河势总体来说变化不大，仅局部河段的河势有所变化，汛后河势演变有如下特点：①由于调水调沙过后河道流量多在 500 m³/s 以下，使得沿程心滩、嫩滩散乱交错，且数量有所增加，如铁谢至神堤河段；②局部河段河床呈现明显的冲刷下切状态，如洛阳桥下河段；③局部河段畸形河势没有改善，甚至出现恶化，如三官庙与大张庄工程之间的倒"Ω"形畸形河势、王庵至府君寺河段的南北横河"S"形河势、常堤与贯台间的畸形河湾及贯台至夹河滩的"Ω"形河势(见图 7-6)等。

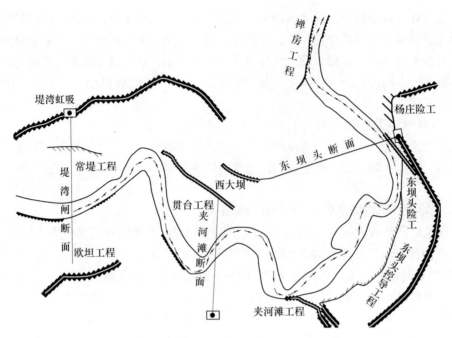

图 7-6　常堤—贯台及贯台—夹河滩河段河势

第八章　2002年小浪底水库运用对下游河道减淤效果计算与分析

一、全年减淤效果计算

由于1973年汛后以来三门峡水库非汛期蓄水运用，下游河道发生冲刷，与目前小浪底水库非汛期运用方式相同，所以只有当小浪底水库下泄水量大于三门峡水库或两水库出库流量过程差异较大时才有减淤作用。2001年11月1日~2002年6月12日，两水库持续下泄清水，小浪底出库水量仅比三门峡水库多3亿m³。因此，这一时期小浪底水库减淤作用很小。2002年6月13日~2002年10月31日，三门峡、黑石关、武陟三站来水量为70.56亿m³，来沙量为4.383亿t，同期小浪底、黑石关、武陟三站来水量为101.39亿m³，来沙为0.709亿t。可以看出，小浪底水库该时段除补水30.83亿m³之外，主要通过拦沙方式使下游河道减淤。据统计，若无小浪底水库，这一时段来水平均含沙量将达62.1 kg／m³。考虑到相应流量一般都不大，可能会给下游河道带来较多淤积。由此表明，小浪底水库在这一时段发挥了较好的减淤作用。

运用黄河下游准二维泥沙冲淤数学模型计算了2002年有、无小浪底水库下游河道的冲淤变化，计算采用的已知条件有：①2001年汛后下游河道实测大断面资料；②2001年11月~2002年10月三门峡、小浪底、黑石关、武陟四站实测日均流量、日均输沙率及日均悬沙级配；③下游各河段实测引水、引沙量。数学模型计算实测水沙条件下(有小浪底水库)黄河下游河道非汛期、汛期和全年冲淤量分别为-0.672亿t、-0.660亿t和-1.332亿t，与实测断面法冲淤量-0.623亿t、-0.426亿t和-1.049亿t较为接近，同时冲淤量在各河段的分配也与实测值基本一致，说明计算成果比较可靠。无小浪底水库条件下计算的非汛期、汛期和全年冲淤量分别为-0.361亿t、1.119亿t和0.758亿t，则小浪底水库的全年减淤量为2.090亿t，其中汛期减淤1.779亿t，详细计算成果如表8-1所示。值

表8-1　2002年小浪底水库运用对黄河下游减淤效果计算成果　　　(单位：亿)

河段	花园口以上	花园口—夹河滩	夹河滩—高村	高村—孙口	孙口—艾山	艾山—泺口	泺口—利津	全下游
有小浪底水库冲淤量								
非汛期	-0.165	-0.384	-0.042	-0.016	-0.009	0.002	-0.058	-0.672
汛期	-0.298	-0.178	-0.047	0.010	-0.015	-0.045	-0.087	-0.660
全年	-0.463	-0.562	-0.089	-0.006	-0.024	-0.043	-0.145	-1.332
无小浪底水库冲淤量								
非汛期	-0.128	-0.222	-0.033	-0.018	0.024	0.013	0.003	-0.361
汛期	0.411	0.527	0.135	0.040	0.005	0.003	-0.002	1.119
全年	0.283	0.305	0.102	0.022	0.029	0.016	0.001	0.758
减淤量								
非汛期	0.037	0.162	0.009	-0.002	0.033	0.011	0.061	0.311
汛期	0.709	0.705	0.182	0.030	0.020	0.048	0.085	1.779
全年	0.746	0.867	0.191	0.028	0.053	0.059	0.146	2.090

得一提的是，2002年艾山—利津河段也出现了减淤，年减淤达0.205亿t，与2000年、2001年有所不同，据初步分析，可能与2002年汛初实施的调水调沙运用有关。2002年小浪底水库拦沙3.674亿t，由此得当年该水库的拦沙减淤比为1.76∶1。

二、小浪底水库排泄异重流对下游河道冲淤影响的初步探讨

对于处于蓄水状态的多沙河流水库而言，利用异重流排沙是一种很重要的减淤运用方式。首先，它能有效减缓水库拦沙库容的淤损；其次，就下游河道输沙而言，由于出库异重流挟带的泥沙颗粒很细，绝大部分属于冲泻质，相对于较粗泥沙有较大的输沙能力。因此，若出库异重流的含沙量、流量搭配适当，在下游输移过程中可少淤或不淤，从而获得较好的减淤效益。同时，利用异重流排沙因施放的流量一般较大，也有利于下游河道平滩流量的恢复。2002年小浪底水库调水调沙试验，以黄河下游河道不淤或冲刷为目标，同时作为试验旨在检验清水冲刷的调控指标，控制出库含沙量不大于20 kg/m³，大部分泥沙被拦在库内。

2002年6月21日~7月16日，潼关站出现两场较大洪水，加之三门峡水库的排沙运用，入库洪水含沙量高，在小浪底库区均形成了异重流。异重流到达坝前未能全部下泄，聚集在坝前形成浑水水库。水库排沙比仅为11.5%。为了了解若小浪底水库在此间以尽量多排异重流来运用会给下游冲淤带来何种影响，本次尝试用数学模型进行对比计算。

图8-1绘出了这一时期三门峡站日均流量、日均含沙量的过程线，可以看出有两次明显的洪峰和沙峰，其中6月25日流量、含沙量分别为1 570 m³/s和371 kg/m³，7月6日流量、含沙量分别为2 320 m³/s和418 kg/m³。

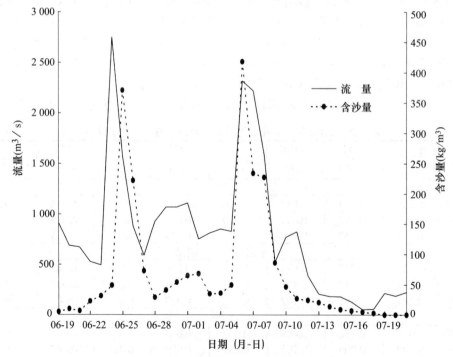

图8-1 2002年三门峡站6~7月流量、含沙量过程

鉴于小浪底水库排泄异重流的潜力是一个有待深化的问题，为了便于比较，暂假定在上述两场洪水过程中，三门峡站 $d<0.016$ mm 的悬沙部分为通过小浪底水库调节后下排的异重流。拟定两个方案，即小浪底站实测流量、含沙量(包括悬沙级配)过程和小浪底站实测流量过程加三门峡站 $d<0.016$ mm 的悬沙部分。

数模计算的已知条件有：①采用 2002 年汛前下游河道实测大断面资料作为起始地形条件；②流量过程为小浪底、黑石关、武陟三站实测日均值；③下游各河段引水引沙量取实际上报结果。模型计算时段为 2002 年 6 月 21 日～7 月 16 日。

经统计，在计算时段里，方案 1 小、黑、武三站水量为 36.61 亿 m^3，沙量为 0.326 亿 t；方案 2 来水过程、来水量完全同方案 1，来沙 1.091 亿 t，均为粒径小于 0.016 mm 的悬沙。两种方案数模计算结果如表 8-2 所示。

表 8-2　2002 年不同异重流排泄下游各河段冲淤计算结果比较　　(单位：亿 t)

河段	花园口以上	花园口—夹河滩	夹河滩—高村	高村—孙口	孙口—艾山	艾山—泺口	泺口—利津	全下游
方案 1	−0.120 0	−0.061 1	0.003 2	0.025 6	−0.005 8	−0.058 9	−0.041 5	−0.258 5
方案 2	−0.109 9	−0.043 2	0.011 7	0.050 7	0.004 6	−0.071 5	−0.048 1	−0.205 7

从表中看出，该时段方案 1 下游河道冲刷 0.259 亿 t，除夹河滩—孙口河段淤积外，其他河段均呈冲刷状态；方案 2 在水量不变的情况下，沙量虽然增加了 0.765 亿 t，日均最大含沙量由方案 1 的 27.5 kg／m^3 增大到 139 kg／m^3，但下游河道仍冲刷了 0.206 亿 t，从沿程冲淤分布来看，也未出现不利情况。由此可初步说明，在小浪底水库运用初期，合理利用异重流排沙既可减少水库淤积，又能获得对下游河道较佳的减淤效益。

第九章 2003年黄河下游防洪形势预测

一、现状地形条件下两种类型洪水预测计算

预测计算采用黄河下游河道准二维动床洪水演进数学模型，模型的基本方程离散及参数选取方法可参考有关文献[1][2][3]。

(一)计算条件

本次洪水演变预测计算水沙条件有两类，即洪峰流量为 7 860 m^3 / s 的"96·8"型洪水、洪峰流量为 15 300 m^3 / s 的"82·8"型洪水，流量过程采用当年花园口站实测洪水过程，含沙量过程参照 1961~1964 年花园口站输沙率与流量关系线设计，悬沙中值粒径取为 0.015 mm。

为保证数学模型能够准确计算孙口断面的水位变化过程，计算河段下延至距孙口下游 26.18 km 的邵庄断面。洪水预报计算初始地形条件按照 2001 年汛后花园口至邵庄实测大断面控制，并对每相邻两个大断面间概化为 12 ~ 15 个子断面。初始床沙组成按近几年花园口、夹河滩、高村、孙口断面的实测资料平均值内插或外延求得，并对个别断面根据实际情况略加调整。末端水位采用 2002 年洪水水位与流量关系结合 "2002 年黄河下游河道冲淤变化及排洪能力分析研究"[4]中所提供资料分析确定。

(二)"96·8"型洪水预测计算结果

模型计算时段为 1996 年 8 月 1 ~ 11 日，并向后顺延 5 天，共 16 天，最大洪峰流量为 7 860 m^3 / s。表 9-1 列举了计算河段沿程各测站流量为 5 000 m^3 / s 涨峰期的洪水位及洪峰期的最高洪水位。由于本次水沙系列含沙量较小，加之 2000 年小浪底水库拦沙运用后，河道受到了不同程度的冲刷，花园口、夹河滩(三)、高村、孙口最高洪水位分别为 94.28 m、77.85 m、64.44 m、49.41 m，与实际"96·8"洪水位相比，花园口、夹河滩(三)、孙口水位分别偏低 0.15 m、0.05 m、0.33 m，而高村水位却升高 0.56 m。

图 9-1 为沿程主要水文站洪峰流量传播过程。表 9-2 列举了计算河段主要水文站水文要素预报计算结果，由此可以看出，洪水漫滩后，滩地削峰滞洪作用明显，洪峰传播至夹河滩(三)、高村、孙口时峰值分别削减了 7.7%、10.4%、24.4%。同时，由于滩地植被茂盛，蓄水滞洪及糙率均非常大，洪水演进速度明显减慢，洪峰由花园口传播至孙口的时间为 193 h，比正常洪峰传播时间明显加长很多。峰型在沿程传播的过程中也逐渐变得更为肥胖，致使山东河道高水位长时间居高不下。因此，防洪形势仍很严峻。

---

❶ 赵连军，江恩惠，张红武，等.黄河铁谢至孙口河段洪水演进泥沙数学模型研究.黄河水利科学研究院，1998

❷ 江恩惠，张红武，等.黄河下游泥沙数学模型研究.黄河水利科学研究院，1995

❸ 赵连军，江恩惠，张红武，等.黄河花园口至高村河段洪水数学模型模拟计算.黄河水利科学研究院，1997

❹ 苏运启，曲少军，等.2003 年黄河下游河道排洪能力设计.黄河水利科学研究院，2003

表 9-1　"96·8"型洪水沿程主要测站洪峰流量及洪水位计算结果

测站	涨峰期洪水位(m) Q=5 000 m³/s	最高洪水位 (m)	最大洪峰流量 (m³/s)
花园口	93.74	94.28	7 860
双井	92.39	92.89	7 721
赵口	88.53	88.84	7 496
辛寨	87.09	87.54	7 498
大张庄	83.58	84.03	7 413
黑岗口	82.96	83.37	7 379
古城	79.23	79.53	7 267
夹河滩(三)	77.41	77.85	7 252
禅房	73.63	74.31	7 060
大溜寺	71.46	71.72	6 952
石头庄	69.67	69.86	7 039
于林	66.79	67.15	7 021
高村	64.18	64.44	7 041
南小堤	63.34	63.63	6 913
连山寺	60.36	60.73	6 277
彭楼	57.12	57.26	6 195
梁路口	49.44	49.68	5 972
孙口	49.15	49.41	5 937

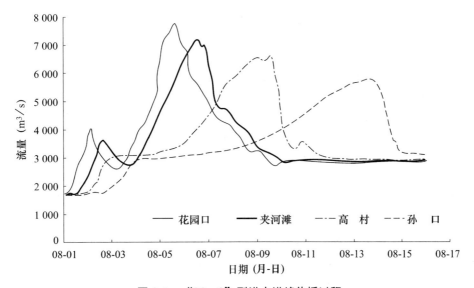

图 9-1　"96·8"型洪水洪峰传播过程

表 9-2   "96·8" 型洪水预报计算主要水文要素

测站	花园口	夹河滩(三)	高村	孙口
洪峰流量(m³/s)	7 860	7 252	7 041	5 937
相对于花园口削峰率(%)	0	7.7	10.4	24.4
最大含沙量(kg/m³)	37.32	44.41	47.64	52.18
洪峰到达时间(h)	0	21	92	193
冲淤量(亿 m³)	−0.25		−0.15	−0.09

图 9-2 为计算河段主要测站含沙量传播过程图，因该场洪水含沙量较小，且悬沙平均粒径组成较细，河道普遍发生冲刷，花园口—孙口河段共冲刷 0.49 亿 m³，花园口—夹河滩(三)、夹河滩(三)—高村、高村—孙口三河段分别冲刷 0.25 亿 m³、0.15 亿 m³、0.09 亿 m³。

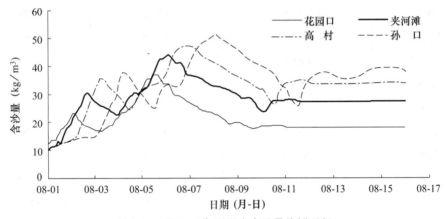

图 9-2   "96·8" 型洪水含沙量传播过程

(三) "96·8" 型洪水预测计算结果

模型计算洪峰过程选择花园口站实测的 1982 年 7 月 30 日~8 月 10 日，并向后顺延 5 天，共 17 天，最大洪峰流量为 15 300 m³/s。表 9-3 列举了沿程主要测站涨峰期 Q=9 000 m³/s 时洪水位及洪峰期最高洪水位，花园口、夹河滩(三)、高村、孙口站最高洪水位分别为 95.10 m、78.46 m、65.32 m、50.31 m。

图 9-3 为沿程主要水文站洪峰流量传播过程，表 9-4 为计算河段主要水文站水文要素统计结果。因该场洪水峰高量大，洪峰由花园口演进至夹河滩(三)、高村、孙口站时，洪峰流量分别减少了 906 m³/s、2 626 m³/s、5 944 m³/s，削减率分别为 5.9%、17.2%、38.8%。洪峰由花园口传播至孙口时间为 110 h，比 1982 年洪水传播时间长了 7 h。滩地的大量蓄洪削峰作用也引起了洪峰变形较大，花园口站大于 6 000 m³/s 流量的洪水持续历时为 89 h，传播到孙口增加到 119 h，为黄河下游防洪带来了巨大压力。

图 9-4 为含沙量传播过程。因该场洪水含沙量较小，整个计算河段内表现为冲刷，总冲刷量为 0.78 亿 m³。就河段而言，花园口—夹河滩(三)河段冲刷了 0.42 亿 m³，夹河滩(三)—高村冲刷了 0.24 亿 m³，高村—孙口冲刷了 0.12 亿 m³。

表 9-3   "82·8"型洪水沿程主要测站洪峰流量及洪水位计算结果

测站	涨峰期洪水位(m) Q=9 000 m³/s	最高洪水位 (m)	最大洪峰流量 (m³/s)
花园口	94.50	95.10	15 300
双井	93.58	94.20	15 162
赵口	89.02	89.49	15 023
辛寨	87.72	88.15	14 996
大张庄	84.25	84.90	14 887
黑岗口	83.59	84.18	14 855
古城	79.73	80.23	14 597
夹河滩(三)	77.97	78.46	14 394
禅房	74.75	75.45	13 916
大溜寺	71.94	72.22	13 412
石头庄	69.96	70.12	13 120
于林	67.41	67.86	12 756
高村	64.92	65.32	12 674
南小堤	63.97	64.26	12 561
连山寺	61.08	61.53	11 854
彭楼	57.89	58.01	10 700
梁路口	50.43	50.52	9 526
孙口	50.20	50.31	9 356

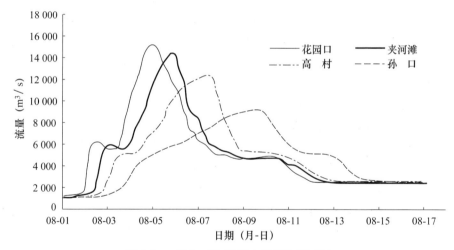

图 9-3   "82·8"型洪水洪峰传播过程

表 9-4   "82·8"型洪水预报计算主要水文要素

测站	花园口	夹河滩(三)	高村	孙口
洪峰流量(m³/s)	15 300	14 394	12 674	9 356
相对于花园口削峰率(%)	0	5.9	17.2	38.8
最大含沙量(kg/m³)	59.48	70.58	78.91	86.90
洪峰到达时间(h)	0	25	54	110
冲淤量(亿 m³)	−0.42		−0.24	−0.12

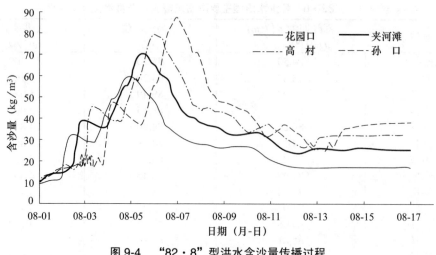

图 9-4 "82·8" 型洪水含沙量传播过程

二、2003 年汛初黄河下游各河段平滩流量预估

(一)小浪底水库运用前后下游河道平滩流量变化概况

1998 年 7 月 16 日花园口站出现 4 700 m³/s 的洪峰。从实测资料分析，艾山以上平滩流量为 2 600~3 800 m³/s，其中高村、孙口两站的平滩流量较小，分别为 2 900 m³/s 和 2 600 m³/s 左右，艾山—利津河段最大流量为 3 000 m³/s 时尚未漫滩。

1999 年汛期花园口站最大洪峰流量为 3 340 m³/s，夹河滩、高村、孙口三站相应洪峰流量分别为 3 320 m³/s、2 700 m³/s 和 2 450 m³/s。本次洪水在下游演进过程中未出现漫滩现象。

1999 年汛后以来，小浪底水库以下泄清水为主，2000 年、2001 年最大流量均未大于 2 000 m³/s，汛期最大流量未超过 1 000 m³/s，加之沿程大量引水，致使冲刷主要集中在夹河滩以上河段，高村以下河段仍以淤积为主，其中高村—孙口河段淤积严重。

2002 年调水调沙试验期，夹河滩—孙口河段发生漫滩，高村上下河段平滩流量不足 2 000 m³/s，为全下游最小。试验过后，高村以上水文站断面平滩流量大多是增大的，花园口、高村分别增大了 300 m³/s 和 700 m³/s，夹河滩变化不大，艾山以下河段的泺口、丁字路口分别增大了 160 m³/s 和 550 m³/s；孙口和艾山站则分别减小了 180 m³/s 和 100 m³/s。

(二)2003 年下游河道前期冲淤状况

1996 年 8 月黄河下游出现 20 世纪 90 年代以来的最大洪水，花园口洪峰流量为 7 860 m³/s。据统计，1996 年 5 月~1999 年 10 月下游河道主槽累计淤积 3.906 亿 m³，1999 年 10 月~2002 年 10 月全下游各站累计冲刷 2.868 亿 m³，二者相加尚有 1.038 亿 m³ 淤积物没有冲完。从河段分布来看，夹河滩以上累计冲刷 1.034 亿 m³，夹河滩—艾山累积淤积 2.138 亿 m³，艾山以下微冲 0.067 亿 m³，呈现出两头冲、中间淤的格局，其中夹河滩—高村以及高村—孙口两河段淤积状况最为严重。各河段累积冲淤过程详见图 9-5。

点绘花园口、夹河滩、高村三站同流量水位变化过程，如图 9-6、图 9-7、图 9-8 所示，可以看出，1999 年 10 月～2002 年 10 月，在基本为低含沙小流量的持续作用下，花园口站水位降幅较大，夹河滩、高村两站略有下降。点绘其余各站同流量水位变化过程，水位未见下降。

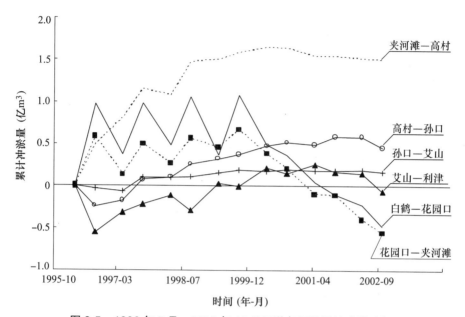

图 9-5 1996 年 5 月～2002 年 10 月下游各河段累计冲淤过程

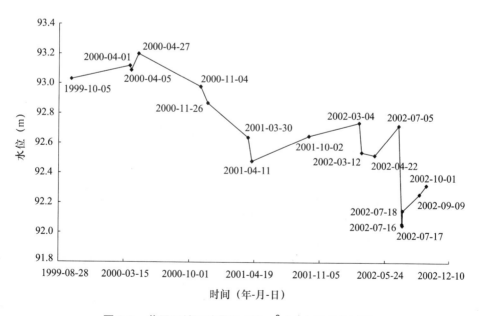

图 9-6 花园口站同流量(1 000 m³／s)水位变化过程

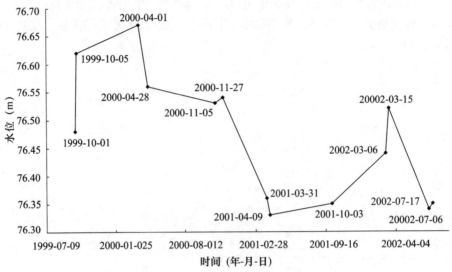

图 9-7　夹河滩站同流量(1 000 m³ / s)水位变化过程

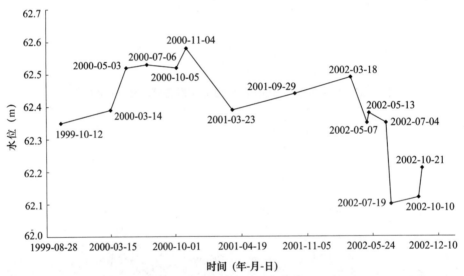

图 9-8　高村站同流量(1 000 m³ / s)水位变化过程

对夹河滩—艾山河段 1996 年汛前、2002 年汛前和 2002 年汛后三次实测大断面进行套绘，并计算各断面平滩以下过水面积，如图 9-9 所示。1996 年这一河段共布设有 37 个测淤断面。经比较，2002 年汛前有 30 个断面的平滩以下过水面积比 1996 年汛前的断面减小，减幅最大的为南桥断面(面积减少了 1 231 m²)，其余 7 个断面平滩以下过水面积增大，增幅最大的为油房寨断面(面积增加了 502 m²)；平均平滩过水面积由 1996 年汛前的 1 526 m² 减小到 2002 年汛前的 1 186 m²，2002 年汛后恢复到 1 290 m²。

夹河滩—艾山河段三个测次各级平滩以下过水面积所占百分数分布见图 9-10。可明显看出，1996 年以来该河段河槽萎缩严重，目前仍有近 40% 的断面其平滩以下过水面积不足 1 200 m²，防洪形势十分严峻。需要指出的是，1996 年汛前 ～ 2002 年汛前，高村—

孙口河段 14 个断面中就有 12 个断面的平滩以下过水面积是减小的，即使经过调水调沙试验水流的冲刷，该河段平均平滩以下过水面积仍只有 1 196 m²，表明这一河段将可能成为 2003 年下游河道防洪的薄弱河段。

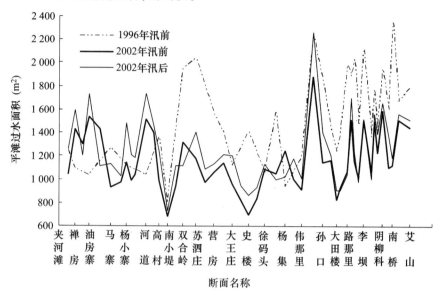

图 9-9 夹河滩—艾山河段平滩以下过水面积沿程变化

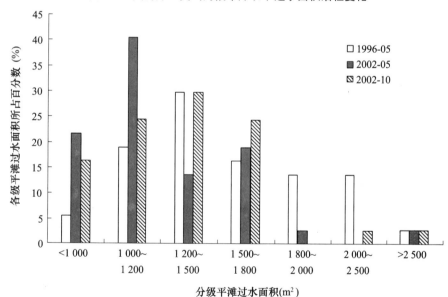

图 9-10 夹河滩—艾山河段各级平滩以下过水面积所占比例分布

(三)2003 年汛初下游河道平滩流量预估

由于 1996 年 5 月~2002 年 10 月夹河滩—艾山河段仍发生了累积性淤积，与 1996 年汛前相比，平滩以下过水面积减小较多。考虑到 2002 年调水调沙试验之后这一河段均有不同程度的回淤，预计 2003 年汛初夹河滩—艾山河段平滩流量为 2 300~3 000 m³/s，其中高村—孙口河段为 2 300~2 500 m³/s，将成为全下游排洪能力最小的河段；夹河滩以上和艾山以下河段平滩流量将超过或接近 3 000 m^3/ s。

　　进一步的分析还显示，高村—孙口河段的南小堤、史楼和大田楼等断面的平滩以下过水面积不足 1 000 m^2，若按一般的流量与流速关系计算，这些断面的平滩流量会更小。因此，从防洪保安全的角度出发，在汛期到来之前，要采取必要的应急措施，提高这些薄弱河段的排洪能力。

第十章 结论与认识

(1)2002 年黄河全流域遭遇伏秋连旱,降雨量明显偏少,干流骨干水库蓄水严重不足,下游来水继续偏枯。整个运用年进入下游的水量为 201.97 亿 m^3,其中非汛期的水量为 112.85 亿 m^3,汛期的水量为 89.12 亿 m^3;全年进入下游的沙量为 0.71 亿 t,其中非汛期的沙量仅为 0.015 亿 t。

2002 运用年全下游引水 93.53 亿 m^3,引沙 0.592 亿 t,非汛期引水占全年的 59%,这一比例与往年相比有一定的下降。利津以上引水量与平衡计算水量存在 70.54 亿 m^3 的差值,较 2000 年和 2001 年又进一步增大。

7 月 4~6 日黄河中游龙门站出现了全年的最大洪水,洪峰流量为 4 600 m^3/s,最大含沙量为 790 kg/m^3。此次高含沙洪水在小北干流局部河段产生了"揭河底"现象。

(2)汛初小浪底水库泄放了历时 264 h 的低含沙量小洪水,峰型近乎为平头峰。在下游演进过程中,部分河段表现出"水位高、洪水演进慢、洪峰变形大"等特点,洪水历时在孙口、艾山两站达到最长,分别为 348 h 和 352 h。

本次洪水在下游的演进与洪水前期河床边界条件密切相关:长期枯水枯沙,河道持续淤积,致使水位表现高;河槽进一步淤积萎缩,平滩流量明显减小,导致洪水位涨率偏大;小洪水大漫滩,全断面平均流速显著降低,致使洪峰在夹河滩—孙口河段的传播时间增加。另外,滩区滞蓄和释放洪水,加剧了洪峰变形,使洪峰传播时间加长。

(3)调水调沙期间下游夹河滩—孙口河段水位表现高的主要原因有:小浪底水库运用之前的几年连续淤积、近 3 年连续小流量下泄引起的主槽进一步萎缩以及涨水阶段部分河段明显淤积等。

(4)2002 年不同时段下游白鹤至利津河段冲淤情况为:非汛期冲刷 0.445 亿 m^3,冲刷主要集中在高村尤其是夹河滩以上;汛期冲刷 0.304 亿 m^3,其中,主槽冲刷 0.783 亿 m^3,滩地淤积 0.479 亿 m^3,滩地淤积发生在调水调沙试验期。从全年看,下游主槽累计冲刷 1.228 亿 m^3,且各河段主槽均产生了冲刷。

(5)调水调沙期间下游白鹤—汊 2 河段共冲刷 0.362 亿 t,冲刷主要集中在夹河滩以上和艾山以下两河段,冲刷量分别为 0.191 亿 t 和 0.171 亿 t,夹河滩—孙口河段由于洪水漫滩,淤积 0.082 亿 t。试验期,下游主槽的冲刷效果较为明显,尤以漫滩较多的夹河滩—孙口河段为甚。主槽冲刷使沿程平滩流量均有增大,其中夹河滩—孙口河段增幅最大,达 300~500 m^3/s。

从调水调沙试验结束至汛末,下游河道累计冲刷 0.037 亿 t,除夹河滩以上河段继续冲刷和孙口—艾山河段微冲外,其他河段均发生回淤。其中,夹河滩—孙口以及泺口—利津回淤较多,但与调水调沙期主槽冲刷相抵后仍为冲刷,表明调水调沙过后河道回淤并不明显。

(6)9 月初小浪底水库出现了一次小流量排沙过程,高村—艾山河段各站同流量水位升高明显,最大达 0.5 m 以上,但随后便很快下降并得以恢复。表明在小浪底水库运用初期,即使以异重流形式排沙,如果相应流量偏小,下游河道仍会淤积。至少在短期内会如此，这就给水库今后合理运用提供了借鉴。

(7)通过数模计算分析，2002 年小浪底水库运用使下游河道减淤 2.090 亿 t，水库拦沙减淤比达 1.76：1，减淤时段集中在 6～10 月；另外，艾山—利津河段本年也出现了减淤，年减淤为 0.204 亿 t。

两种方案的数模计算结果显示，在出库流量过程完全相同的条件下，多排泄异重流既可减少水库淤积，又能获得对下游河道较佳的减淤效益。

(8)1996 年汛前～2002 年汛后，夹河滩—艾山河段仍发生了累积性淤积，与 1996 年汛前相比，平滩以下过水面积减小较多。考虑到 2002 年调水调沙试验之后这一河段均有不同程度的回淤，预计 2003 年汛初夹河滩—艾山河段平滩流量为 2 300～3 000 m³/s，其中高村—孙口河段为 2 300～2 500 m³/s。洪水演进数学模型预测也表明，2003 年汛期高村上下河段防洪形势依然十分严峻。

第六专题 2002 年黄河泥沙数学模型的应用与检验

　　"数字黄河"是"三条黄河"建设的重要组成部分。"数字黄河工程"的启动，标志着黄委治黄科研工作进入了一个新的阶段。目前，黄委数学模型的研究已颇具规模，对库区和下游河道模型已进行了大量的方案计算和验证，在水库运用方式研究、下游河道演变分析和河道整治规划中发挥了重要作用。但由于黄河问题的复杂性，在使用模型的过程中，逐步发现尚存在许多问题和不足，还需要对模型做进一步的完善和改进。根据 2003 年度咨询项目的工作内容，需利用数学模型对"三门峡水库库区及潼关高程变化"、"2002 年小浪底水库运用下游河道的减淤效果"、"2003 年下游河道防洪形势预测"、"2003 年非汛期下游河道的冲淤变化"、"2002 年调水调沙试验泄放 6 天(2 600 m^3／s)下游河道冲刷效果" 和 "假定调水调沙前后小浪底水库排泄异重流对下游河道冲淤的影响" 等问题进行计算和分析，以检验模型的模拟精度，发现问题，作进一步完善。

第一章　三门峡水库泥沙数学模型方案计算结果及分析

一、计算方案

根据年度咨询项目"三门峡水库库区及潼关高程变化"的工作内容要求，初步拟订了三门峡水库泥沙数学模型三个计算方案，见表1-1。

表1-1　三门峡水库运用方案的特征

方案编号	入库水沙条件	三门峡水库坝前控制水位条件
方案1	潼关实测水沙过程	史家滩实测水位过程
方案2	潼关实测水沙过程	2002年3月11~18日控制库水位310 m，其他时间与方案1相同
方案3	潼关实测水沙过程	2002年6月10~24日控制库水位305 m，其他时间与方案1相同

黄河泥沙数学模型计算初始边界条件为2001年汛后实测大断面资料，模拟范围为潼关至大坝河段，计算时段为2001年11月1日~2002年10月31日。

计算结果包括各个方案汛期、非汛期各河段泥沙冲淤量分布，不同方案对库区沿程冲淤的调整影响，以及对潼关高程升降变化的影响，提出2003年三门峡水库运用基本原则和建议。

二、计算结果及分析

采用黄科院一维恒定流泥沙冲淤模型进行方案计算，该模型由黄科院和清华大学水利系在国家"八五"科技攻关项目中联合开发，并且应用于黄河小北干流、渭河及北洛河河道泥沙冲淤计算。在"九五"国家科技攻关项目中又对该模型进行了改进和完善，增加了水库异重流、溯源冲刷等反映水库特点的计算功能，并开展了三门峡水库不同运用方案的计算。因此，本模型可以同时模拟水库、河道的冲淤变化，满足三门峡水库不同方案计算的要求。

由于在"九五"国家科技攻关项目中已对模型的参数进行了率定，所以在进行方案计算时，泥沙数学模型的参数不变。

(一)水库进出库水量的比较

由表1-1可知，方案1主要用于模型验证。在模型验证过程中，入库水沙过程采用潼关站实测日均流量和日均输沙率过程，坝前水位采用史家滩实测日均水位过程，出库流量由水库调洪计算得到。在进行模型验证中发现计算得出的出库汛期、非汛期水量分别与三门峡站实测汛期、非汛期水量差别较大，非汛期差14.7亿 m³，汛期差7.0亿 m³，运用年差21.7亿 m³。因此，作者统计了三门峡水库2002运用年实测进出库水量，见表1-2。可以看出，三门峡水库潼关站汛期、非汛期和运用年进口水量均比三门峡站出库水量大，其差值与模型调洪计算是一致的，说明模型调洪计算水量与潼关站水量是相近的。

为了进一步分析比较三门峡水库进出库水量，统计了1996~2002年各年汛期、非汛期和年进出库水量，见表1-3。由此可得出，近几年三门峡水库进出库水量均出现了不平衡，其进出库水量差远远超过了水文测验允许的误差(3%~5%)。为了分析原因，据三门峡水文水资源局负责测验的同志讲，他们也发现了水库水量不平衡的问题，特别是近几年更为突出，初步分析认为，其主要原因可能是由库区引水、蒸发、渗漏及三门峡站测量误差造成的，由于没有进行深入研究，其原因至今还不清楚。由于三门峡水库进出库水量能否平衡，直接关系泥沙数学模型的验证计算精度，如果水库引水或蒸发、渗漏是主要原因，则模型在验证计算时应扣除这部分水量。限于目前水量不平衡原因尚不清楚，为了开展方案计算，采取实测潼关站入库流量过程，在沿程计算过程中不考虑水库引水引沙等因素的影响，出库流量由水库调洪计算得到。这种处理可能会造成模型验证计算精度降低，但是用于方案之间比较是可行的。

(二)各个方案坝前史家滩水位差异的比较

表1-4为各方案史家滩水位时段平均值比较表，图1-1为各方案史家滩水位日过程及潼关入库流量过程。可以看出，方案2运用水位与方案1差别主要是2002年3月11~18日时段，两者平均运用水位分别为310 m和316.6 m，水位差为6.6 m；方案3运用水位与方案1差别主要是2002年6月10~24日时段，两者平均运用水位分别为305 m和315.42 m，水位差为10.42 m。

表1-2　2002年三门峡水库进出库水量和沙量

时段	水量(亿 m³)		沙量(亿 t)	
	潼关	三门峡	潼关	三门峡
非汛期	123	109	1.95	1.02
汛期	58	51	3.12	3.36
运用年	181	159	5.07	4.38

表1-3　三门峡进出库水量比较　　　　　　　　　　　　(单位：亿 m³)

运用年	三门峡			潼关			进出库水量差		
	汛期	非汛期	年	汛期	非汛期	年	汛期	非汛期	年
1996	118.9	124.3	243.2	128.0	127.4	255.4	9.1	3.1	12.2
1997	52.1	100.6	152.7	55.6	104.7	160.3	3.4	4.2	7.6
1998	79.6	95.1	174.7	86.1	105.8	191.9	6.6	10.7	17.3
1999	87.3	104.6	191.9	97.0	120.6	217.6	9.7	16.0	25.7
2000	67.2	99.4	166.6	73.1	114.7	187.8	5.9	15.4	21.3
2001	53.8	80.9	134.7	61.1	96.9	158.0	7.3	16.0	23.3
2002	50.9	108.5	159.4	57.9	123.2	181.1	7.0	14.7	21.7

表1-4　各方案史家滩水位时段平均值比较　　　　　　　(单位：m)

方案	2002-03-11~18	2002-06-10~24
方案1	316.60	315.42
方案2	310.00	315.42
方案3	316.60	305.00

注：各个方案其他时段水位相同。

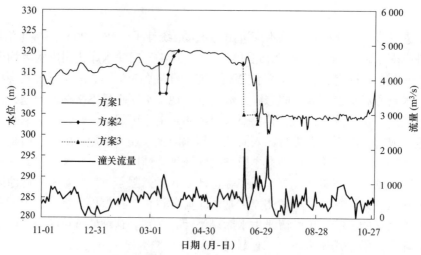

图 1-1   三门峡水库 2002 运用年各方案史家滩水位过程

(三)模型验证

表 1-5 为潼关至大坝 2001 年 11 月 1 日~2002 年 10 月 31 日汛期、非汛期各个河段计算的冲淤量,图 1-2~图 1-4 为各河段汛期、非汛期和运用年不同方案计算冲淤量的比较。由表 1-5 及图 1-2~图 1-4 中各个河段实测冲淤量与方案 1 各个河段冲淤量的比较可以看出,模型比较好地模拟了三门峡水库潼关以下河段汛期、非汛期冲淤变化,汛期、非汛期和运用年的实测冲淤量与计算值较接近。但各个河段非汛期、汛期计算冲淤量绝对值均较实测值大,其原因可能是没有考虑水库引水引沙的影响,然而从运用年比较,各河段计算冲淤量与实测值误差较小。

(四)方案分析

由表 1-5 及图 1-2~图 1-4 可以初步得出以下分析结果:

方案 2 与方案 1 比较,方案 2 在桃汛期间降低了坝前运用水位,方案 2 黄淤 1—黄淤 22 非汛期淤积量较方案 1 大,而黄淤 22—黄淤 30 和黄淤 30—黄淤 36 非汛期淤积量较方案 1 小,说明水库采用方案 2 运用时,黄淤 36 断面以下的淤积分布重心较方案 1 偏下,即淤积重心较方案 1 靠近水库的冲刷漏斗;从汛期各个河段的冲刷量看,黄淤 1—黄淤 22 冲刷量较方案 1 大,黄淤 22—黄淤 30 冲淤量较方案 1 小,这反映黄淤 30 断面以下具有"非汛期多淤、汛期多冲,非汛期少淤、汛期少冲"的特点。从黄淤 36—黄淤 41 河段看,汛期和非汛期两者差别较小,但是方案 2 淤积量较方案 1 少,冲刷量较方案 1 大。由此可见,方案 2 较方案 1 有利于汛期水库排沙,对库区各个河段的冲刷是有利的。

方案 3 与方案 1 比较,方案 3 在非汛期末(6 月中旬以后)来洪水情况下,三门峡水库降低坝前运用水位至 305 m。方案 3 各个河段非汛期淤积量较方案 1 小,水库非汛期淤积部位较方案 1 偏下,说明水库采用方案 3 运用时,与方案 1 比较,不仅有利于水库淤积分布重心向下移动,而且还减少了各个河段淤积量,黄淤 1—黄淤 22、黄淤 22—黄淤 30 和黄淤 30—黄淤 36 河段淤积量分别减少了 22%、26%和 17%;方案 3 非汛期末计算的潼关高程较方案 1 低 0.05 m,汛末低 0.06 m。因此,方案 3 与方案 1 比较,对水库各个河段淤积分布重心下移和对各个河段冲刷作用都是非常明显的,对潼关高程下降也具有一定作用。

表 1-5　三门峡水库各个方案计算成果　　　　　　　　　　（单位：亿 m³）

方案	时段	黄淤 1—黄淤 22	黄淤 22—黄淤 30	黄淤 30—黄淤 36	黄淤 36—黄淤 41	黄淤 1—黄淤 41
实测值	非汛期	0.341	0.418	0.134	−0.058	0.835
	汛期	−0.220	−0.491	−0.159	0.068	−0.802
	年	0.121	−0.073	−0.025	0.010	0.033
方案 1	非汛期	0.335	0.470	0.130	−0.060	0.875
	汛期	−0.242	−0.514	−0.154	0.072	−0.838
	年	0.093	−0.044	−0.024	0.012	0.037
方案 2	非汛期	0.392	0.413	0.117	−0.067	0.855
	汛期	−0.324	−0.465	−0.163	0.065	−0.887
	年	0.068	−0.052	−0.046	−0.002	−0.032
方案 3	非汛期	0.261	0.345	0.108	−0.071	0.643
	汛期	−0.192	−0.428	−0.165	0.058	−0.727
	年	0.069	−0.083	−0.057	−0.013	−0.084

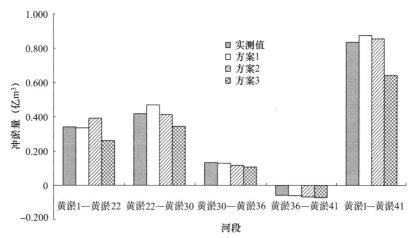

图 1-2　非汛期各个方案计算冲淤量

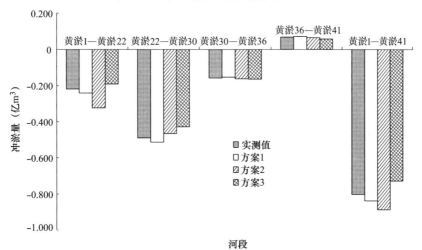

图 1-3　汛期各个方案计算冲淤量

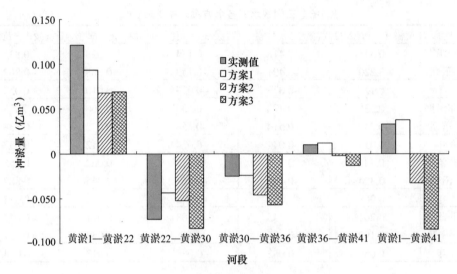

图 1-4　运用年各个方案计算冲淤量

第二章　黄河下游河道泥沙冲淤数学模型的应用

为了增强模型计算结果的可信度,该模型在方案计算之前,首先要对 2002 年实测资料模拟计算结果的合理性进行分析和论证。

一、2002 运用年有小浪底水库下游河道冲淤变化验证计算

(一)计算条件

起始计算地形采用 2001 年汛后黄河下游河道实测大断面资料,来水来沙采用 2001 年 11 月~2002 年 10 月期间的小浪底、黑石关、武陟实测日均流量、输沙率过程。经统计,该期间小黑武汛期水量为 89.12 亿 m^3,沙量为 0.694 亿 t;非汛期水量为 112.85 亿 m^3,沙量为 0.015 亿 t;年水量为 201.97 亿 m^3,沙量为 0.709 亿 t。小浪底悬沙级配采用实测逐日级配,床沙级配采用调水调沙前水文局提供的各水文站资料;出口(利津断面)水位与流量过程采用"2002 年黄河下游河道冲淤变化及排洪能力分析研究"报告中提供的成果。

各河段引水资料处理:据统计,2002 年下游总来水量为 201.97 亿 m^3,若不计区间加水和区间损耗,减去利津水量(44.12 亿 m^3),相差水量为 157.84 亿 m^3,而按区间实测引水资料统计,2002 年利津以上引水仅 87.31 亿 m^3,从水量平衡角度看,有 70.54 亿 m^3 水量不能平衡,如表 2-1 所示。

表 2-1　2002 年黄河下游利津以上水量平衡计算　　　　　(单位:亿 m^3)

项目	小黑武水量	利津水量	区间实测引水量	差值
非汛期	112.85	14.85	51.37	46.63
汛期	89.12	29.27	35.94	23.91
全年	201.97	44.12	87.31	70.54

从表 2-1 中可看出,年损失水量占总水量的 34.5%。因此,在模型计算中,我们把引水按两方面考虑:一是下游实测的引水资料,二是下游河段区间水文站同期水量之差(该情况更接近于实际)。由于各河段区间的水量存在蒸发、渗漏及其他耗损等,扣除上站水量的 12%后作为进入该河段的实际引水量。见表 2-2 和表 2-3。

表 2-2　2002 年黄河下游各河段上报引水统计　　　　　(单位:亿 m^3)

河段	非汛期引水量	汛期引水量	年引水量
铁谢—花园口	2.89	1.73	4.62
花园口—夹河滩	2.47	2.59	5.06
夹河滩—高村	4.86	3.40	8.26
高村—孙口	8.93	7.46	16.39
孙口—艾山	5.57	3.53	9.10
艾山—泺口	10.09	7.07	17.16
泺口—利津	16.58	10.17	26.75
铁谢—利津	51.39	35.95	87.34

表 2-3　2002 运用年黄河下游各水文站水量统计　　(单位：亿 m³)

站名	2001 年 11 月 ~ 2002 年 6 月	2002 年 7 ~ 10 月	2001 年 11 月 ~ 2002 年 10 月
小黑武	112.85	89.12	201.97
花园口	106.32	90.73	197.05
夹河滩	102.99	84.10	187.09
高村	82.26	75.82	158.08
孙口	69.09	67.49	136.58
艾山	58.64	57.13	115.77
泺口	41.86	44.25	86.11
利津	14.85	29.27	44.12

(二)计算结果

通过上面给出的基本资料，利用数学模型进行了计算。在不同引水规模下，下游河道各河段计算的冲淤量结果见表 2-4。

表 2-4　不同引水规模有小浪底水库下游河道数模冲淤计算结果　　(单位：亿 t)

项目	时段	铁谢—花园口	花园口—夹河滩	夹河滩—高村	高村—孙口	孙口—艾山	艾山—泺口	泺口—利津	铁谢—利津
实测引水量	非汛期	−0.165	−0.384	−0.042	−0.016	−0.009	0.002	−0.058	−0.672
	汛期	−0.298	−0.178	−0.047	0.010	−0.015	−0.045	−0.087	−0.660
	全年	−0.463	−0.562	−0.089	−0.006	−0.024	−0.043	−0.145	−1.332
水文站水量之差	非汛期	−0.154	−0.238	−0.021	−0.002	−0.011	0.023	−0.047	−0.450
	汛期	−0.173	−0.148	−0.032	0.012	−0.013	−0.032	−0.066	−0.452
	全年	−0.327	−0.386	−0.053	0.010	−0.024	−0.009	−0.113	−0.902

从表 2-4 中可看出：下游各河段若按实测引水计算，2002 年全下游冲刷量为 1.332 亿 t，各河段沿程均呈冲刷状态；按各水文站同期水量差计算，2002 年全下游冲刷量为 0.902 亿 t，除高村—孙口河段淤积 0.010 亿 t 泥沙外，其他河段均呈冲刷状态。

(三)计算结果与实测资料对比分析

2001 年 11 月 ~ 2002 年 10 月期间，经统计进入下游(小黑武)的总水量为 201.97 亿 m³，总沙量为 0.709 亿 t；非汛期水量为 112.85 亿 m³，沙量为 0.015 亿 t；汛期水量为 89.12 亿 m³，沙量为 0.694 亿 t。各河段实测冲淤量的结果统计见表 2-5。

表 2-5　2002 运用年下游河道冲淤量(实测)统计　　(单位：亿 t)

时间(年-月)	时段	铁谢—花园口	花园口—夹河滩	夹河滩—高村	高村—孙口	孙口—艾山	艾山—泺口	泺口—利津	铁谢—利津
2001-11~2002-06	非汛期	−0.171	−0.399	−0.036	−0.012	0.016	0.044	−0.065	−0.623
2002-07~2002-10	汛期	−0.254	−0.156	0.222	0.079	−0.021	−0.101	−0.195	−0.426
2002 运用年	全年	−0.425	−0.555	0.186	0.067	−0.005	−0.057	−0.260	−1.049

对表 2-4、表 2-5 实测结果进行比较和分析，可以看出：①模型中利用实测河段的引水引沙资料，由于没有考虑水量的蒸发、渗漏和耗损，模型中考虑的引水引沙数值偏小于实测值，模型计算过程中水量的增加应有利于河道的冲刷，所以模型计算值应大于实测冲淤量值，而整个下游冲刷量计算值为 1.332 亿 t，大于实测的 1.049 亿 t；②若模型中利用同期水量差来考虑河段的引水引沙，模型中考虑的数值偏大于实测值，计算水量的减小不利于河道的冲刷，所以模型计算值应小于实测冲淤量值，本次模型计算值为 0.902 亿 t，小于实测的 1.049 亿 t。从各河段冲淤量分别定性考虑，基本上符合于下游河道的实测值。因此，模型计算结果是基本合理的。

二、调水调沙期数学模型验证计算

(一)计算条件

计算河段为白鹤至利津河段，起始地形采用 2002 年 5 月 15 日汛前实测大断面及沿程床沙级配资料，计算时段为 7 月 3~25 日。进口水沙条件为小浪底、黑石关、武陟三站流量、含沙量过程及悬沙级配，其中，7 月 3 日 0 时~16 日 24 时为水文局整编资料，7 月 17 日 0 时~20 日 24 时采用日平均流量、8 时的含沙量(未整编)，7 月 21 日 0 时~25 日 24 时采用日平均流量 800 m^3/s 及含沙量 2 kg/m^3。计算过程中均未考虑沿程引水引沙。出口条件为 2002 年利津站设计水位与流量关系。下游河道淤积物干密度取 1.4 t/m^3。该计算时段下游来水量(小浪底、黑石关、武陟三站之和)为 36.1 亿 m^3，来沙量为 0.38 亿 t。

(二)计算结果及合理性分析

由以上给定的已知条件，采用下游数学模型进行计算，各河段累计冲淤量结果见表 2-6 和图 2-1。

表 2-6　调水调沙期黄河下游各模型冲淤量计算结果统计　　(单位：亿 t)

河段	铁谢—花园口	花园口—夹河滩	夹河滩—高村	高村—孙口	孙口—艾山	艾山—泺口	泺口—利津	铁谢—利津
模型计算	−0.117	−0.064	−0.006	0.009	−0.004	−0.027	−0.023	−0.232
断面法	−0.131	−0.071	0.011	0.071	−0.017	−0.090	−0.107	−0.334
输沙率法	−0.051	−0.025	0.069	−0.028	−0.084	−0.015	−0.064	−0.198

从表 2-6 和图 2-1 中看出：断面法实测总冲淤量为 0.334 亿 t，输沙率法总冲淤量为 0.198 亿 t，模型计算值介于两者之间。从断面法实测沿程冲淤分布来看：高村以上冲刷量为 0.191 亿 t，高村—孙口淤积量为 0.071 亿 t，孙口—利津冲刷较多，为 0.214 亿 t；模型计算的高村以上冲刷量为 0.187 亿 t，高村—孙口微淤，孙口以下冲刷量为 0.054 亿 t。因此，从定性来看，模型计算值基本上与实测值相符合。

同时，模型还可以给出沿程几个典型主要水文站(花园口、高村、艾山、利津)日均含沙量的变化过程和实测值比较图，见图 2-2~图 2-5。从各站的计算含沙量过程来看，除中间日均含沙量值小于实测值外，其他均大于实测值，此结果计算得到的冲淤量比较符合断面法。分析该模型的各种计算结果(长、短系列)，认为比较符合黄河的实测资料，可以进行方案计算。

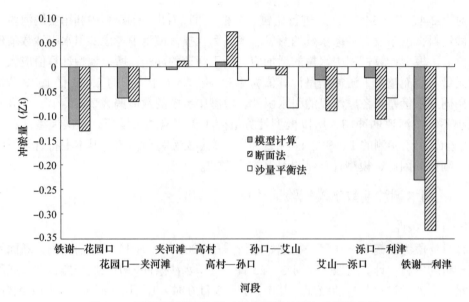

图 2-1　调水调沙期各河段冲淤量数模计算与实测值比较

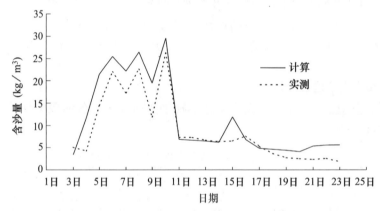

图 2-2　花园口站日均含沙量数模计算和实测比较

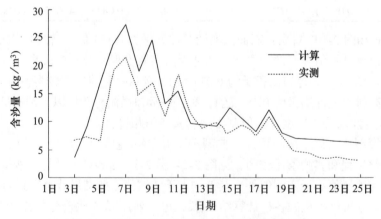

图 2-3　高村站日均含沙量数模计算和实测比较

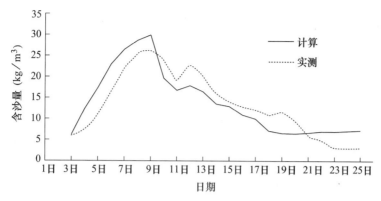

图 2-4　艾山站日均含沙量数模计算和实测比较

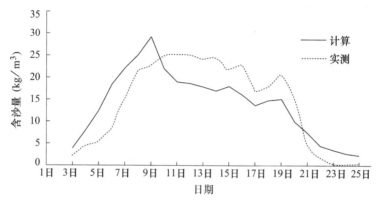

图 2-5　利津站日均含沙量数模计算和实测比较

三、无小浪底水库下游河道冲淤变化预估

计算条件和有小浪底水库基本相同，来水过程把小浪底站改为三门峡站。经统计，三黑武非汛期水量为 113.19 亿 m^3，沙量为 1.02 亿 t；汛期水量为 54.97 亿 m^3，沙量为 3.363 亿 t；年水量为 168.16 亿 m^3，沙量为 4.383 亿 t。出口水位与流量过程也采用 "2002年黄河下游河道冲淤变化及排洪能力分析研究" 设计过程，其中引水按有小浪底水库相同方法处理。各河段冲淤量数模计算值见表 2-7。从表 2-7 中看出：若按河段实测引水，

表 2-7　无小浪底水库下游河道数模冲淤计算　　　　　　　（单位：亿 t）

项目	时段	铁谢—花园口	花园口—夹河滩	夹河滩—高村	高村—孙口	孙口—艾山	艾山—泺口	泺口—利津	铁谢—利津
实测河段引水	非汛期	−0.128	−0.222	−0.033	−0.018	0.024	0.013	0.003	−0.361
	汛期	0.411	0.527	0.135	0.040	0.005	0.003	−0.002	1.119
	全年	0.283	0.305	0.102	0.022	0.029	0.016	0.001	0.758
水文站水量之差	非汛期	−0.113	−0.193	−0.024	−0.013	0.035	0.027	0.006	−0.275
	汛期	0.466	0.538	0.149	0.040	0.002	−0.009	0.008	1.194
	全年	0.353	0.345	0.125	0.027	0.037	0.018	0.014	0.919

铁谢—利津全下游淤积了 0.758 亿 t 泥沙，其中汛期冲刷 0.361 亿 t，非汛期淤积 1.119 亿 t；按水文站同期水量之差处理引水，铁谢—利津全下游淤积 0.919 亿 t，其中汛期冲刷 0.275 亿 t，非汛期淤积 1.194 亿 t；

四、有、无小浪底水库下游河道减淤效果分析

通过表 2-4 和表 2-7 的数模计算结果，得出有、无小浪底水库黄河下游河道汛期、非汛期及全年的减淤量，见表 2-8。从表 2-8 中看出：①当下游河道按实测引水引沙资料处理，全下游铁谢—利津河段汛期和全年减淤量分别为 1.779 亿 t 和 2.090 亿 t，艾山—利津汛期和全年减淤量分别为 0.133 亿 t 和 0.205 亿 t；②当下游河道引水引沙资料按各水文站同期水量差处理时，全下游铁谢—利津河段汛期和全年减淤量分别为 1.646 亿 t 和 1.820 亿 t，艾山—利津河段汛期和全年减淤量分别为 0.096 亿 t 和 0.153 亿 t。

表 2-8　有、无小浪底水库下游河道减淤量分析　　　（单位：亿 t）

项目	河段	铁谢—花园口	花园口—夹河滩	夹河滩—高村	高村—孙口	孙口—艾山	艾山—泺口	泺口—利津	铁谢—利津
实测河段引水	非汛期	0.037	0.162	0.009	−0.002	0.033	0.011	0.061	0.311
	汛期	0.709	0.705	0.182	0.030	0.020	0.048	0.085	1.779
	全年	0.746	0.867	0.191	0.028	0.053	0.059	0.146	2.090
同期水量之差	非汛期	0.041	0.045	−0.003	−0.012	0.046	0.004	0.053	0.174
	汛期	0.639	0.686	0.182	0.028	0.015	0.023	0.073	1.646
	全年	0.680	0.731	0.179	0.016	0.061	0.027	0.126	1.820

从以上的模型计算结果表 2-4、表 2-7、表 2-8 看出，随着下游各河段引水量值的增加，使得下游河道总冲刷量减少。表 2-9 列出了在有小浪底水库的条件下，由于引水量增加，下游各河段冲刷量减小的范围统计。

表 2-9　有小浪底水库引水量增加下游河道减小的冲刷量统计　　　（单位：亿 t）

河段	铁谢—花园口	花园口—夹河滩	夹河滩—高村	高村—孙口	孙口—艾山	艾山—泺口	泺口—利津	铁谢—利津
非汛期	0.011	0.146	0.021	0.014	−0.002	0.021	0.011	0.222
汛期	0.125	0.030	0.015	0.002	0.002	0.013	0.021	0.208
全年	0.136	0.176	0.036	0.016	0	0.034	0.032	0.430

从表 2-9 中看出，由于多引水 50 多亿 m³，使得整个下游河道铁谢—利津河段非汛期、汛期、全年分别少冲了 0.222 亿 t、0.208 亿 t、0.430 亿 t 泥沙。从 2002 年的小浪底水库调水调沙试验分析得出：水库泄放 26.1 亿 m³ 水，可以冲刷全下游 0.334 亿 t 泥沙(断面法)，艾山—利津冲刷 0.197 亿 t 泥沙。因此，呼吁黄委各主管部门，应加强水资源的统一调度和管理，若每年节约 40 亿 m³ 水，则可以进行一次调水调沙过程，通过数学模型计算，下游河道至少可以多冲刷 0.39 亿 t 泥沙。长期下去，既可增加下游河道的排洪能力，也可以减缓山东河道的淤积速度。

五、2003 年非汛期下游河道冲淤变化预测

为了预估 2003 年汛期下游的防洪形势,分析黄河下游河道排洪能力的变化,需要对 2003 年的汛初的地形条件即非汛期各河段的冲淤量进行预估。

计算条件:计算时段为 2002 年 11 月~2003 年 6 月,进口水沙条件为小浪底、黑石关、武陟三站流量、含沙量过程。其中,2002 年 11~12 月为实测月报资料,2003 年 1 月~4 月 14 日采用 8 时的流量、含沙量资料。4 月 14 日以后水沙采用水调预案:4 月 15~30 日小浪底流量为 400 m^3/s,5 月 1 日~6 月 30 日小浪底日均流量为 350 m^3/s。起始计算地形采用 2001 年汛后黄河下游河道实测大断面资料,利津站出口水位与流量过程采用"2002 年黄河下游河道冲淤变化及排洪能力分析研究"设计过程。引水量暂采用 2002 年非汛期引水量的 50%(因为非汛期水量少了近 50%)。经统计,小黑武水量非汛期为 54.87 亿 m^3,沙量按零处理。黄河下游各河段冲淤量计算结果见表 2-10。

表 2-10 2003 年非汛期各河段冲淤量及水位抬升值

河段	铁谢—下古街	下古街—裴峪	裴峪—官庄峪	官庄峪—秦厂	秦厂—花园口	铁谢—花园口
冲淤量(亿 t)	−0.012	−0.024	−0.025	−0.045	−0.037	−0.143
冲淤量(亿 m^3)	−0.009	−0.017	−0.018	−0.032	−0.026	−0.102
断面间距(km)	5.77	27.00	40.60	13.30	16.50	103.17
抬升高度(m)	−0.100	−0.110	−0.090	−0.110	−0.100	−0.110

河段	花园口—柳园口	柳园口—夹河滩	花园口—夹河滩	夹河滩—油坊寨	油坊寨—高村	夹河滩—高村
冲淤量(亿 t)	−0.133	−0.127	−0.260	−0.011	−0.016	−0.027
冲淤量(亿 m^3)	−0.095	−0.091	−0.186	−0.008	−0.011	−0.019
断面间距(km)	69.70	30.60	100.30	22.79	50.18	73.21
抬升高度(m)	−0.095	−0.100	−0.100	−0.105	−0.100	−0.100

河段	高村—史楼	史楼—孙口	孙口—艾山	艾山—泺口	泺口—利津	铁谢—利津
冲淤量(亿 t)	−0.009	0.022	0.035	0.007	0.028	−0.347
冲淤量(亿 m^3)	−0.006	0.016	0.025	0.005	0.020	−0.248
断面间距(km)	68.77	52.21	61.53	100.20	171.08	730.47
抬升高度(m)	−0.024	0.087	0.094	0.080	0.058	

从表 2-10 中看出,2003 年非汛期全下游冲刷总量为 0.347 亿 t,冲刷范围仍在高村附近,高村以下河道淤积。若把河段冲淤量在主槽内平铺,则花园口以上河段冲刷厚度在 0.11 m 左右,花园口—夹河滩冲刷厚度在 0.10 m,夹河滩—高村下降 0.10 m,高村—孙口抬升 0.063 m,孙口—艾山抬升 0.094 m,艾山—泺口抬升 0.08 m,泺口—利津抬升 0.058 m。

应说明的是,该计算值定量有可能偏大。这是因为若按上面这种流量进入下游河道,到利津后,沿程流量基本上全部引光,与数模假定值有点出入。但定性上,该结果基本合理。

六、调水调沙试验泄放 6 d(Q=2 600 m^3 / s)时下游河道的冲淤变化

计算条件与调水调沙计算条件基本相同,地形资料采用 2002 年汛前大断面资料,只是计算时段为 6 d,沿程不考虑引水引沙。通过数模计算,黄河下游各河段冲淤量见表 2-11。

表 2-11　小浪底水库泄放 6 d 下游河道冲淤效果　　　　　　(单位:亿 t)

河段	铁谢—花园口	花园口—夹河滩	夹河滩—高村	高村—孙口	孙口—艾山	艾山—泺口	泺口—利津	铁谢—利津
模型计算	−0.041	−0.035	−0.006 5	0.004 3	−0.005 2	−0.007 6	−0.008 8	−0.099 8

从表 2-11 中看出:当小浪底下泄流量为 2 600 m^3 / s 时,当第 6 天结束后,全下游仅冲刷 0.099 8 亿 t 泥沙,从沿程冲刷分布来看,高村以上冲刷,高村—孙口淤积,孙口以下冲刷。

七、调水调沙期小浪底水库下泄异重流,下游河道冲淤变化计算分析

2002 年 6 月 21 日~7 月 16 日期间,三门峡水库有两次高含沙洪水过程。其中 6 月 25 日平均含沙量为 371 kg / m^3,对应流量 1 570 m^3 / s;7 月 6 日平均含沙量 418 kg / m^3,对应流量为 2 320 m^3 / s。其流量、含沙量过程如图 2-6 所示。

假定三门峡站细沙(d<0.016 mm)通过小浪底水库调节运用,全部进入下游河道。经统计,该期间三门峡站细沙量为 1.09 亿 t,来水过程按小浪底、黑石关、武陟三站实测资料,引水按同期水量差处理,地形采用 2002 年汛前下游实测大断面资料,利用数学模型对下游河道的冲淤及沿程各站含沙量变化过程进行计算和分析。

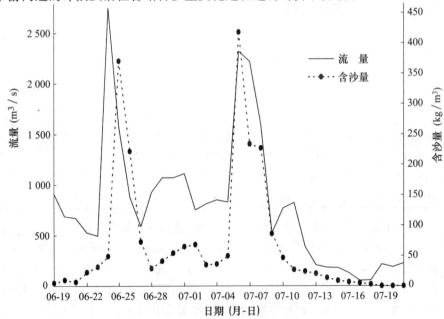

图 2-6　2002 年三门峡站 6~7 月流量、含沙量过程

拟定两个方案用模型进行计算。方案 1 首先对 2002 年 6 月 21 日~7 月 16 日期间,

小浪底实际来水来沙过程进行数学模型验证计算。经统计，小黑武水量为 36.61 亿 m³，沙量为 0.326 亿 t。方案 2 假定三门峡站细沙全部进入下游河道，小黑武水量为 36.61 亿 m³，沙量为 1.091 亿 t。黄河下游各河段冲淤量见表 2-12。

表 2-12　各方案黄河下游河道冲淤量数模计算值　　　　（单位：亿 t）

河段	铁谢—花园口	花园口—夹河滩	夹河滩—高村	高村—孙口	孙口—艾山	艾山—泺口	泺口—利津	铁谢—利津
方案 1	−0.120 0	−0.061 1	0.003 2	0.025 6	−0.005 8	−0.058 9	−0.041 5	−0.258 5
方案 2	−0.109 9	−0.043 2	0.011 7	0.050 7	0.004 6	−0.071 5	−0.048 1	−0.205 7

从表中看出：该期间方案 1 下游河道冲刷量为 0.258 5 亿 t，除夹河滩—孙口河段淤积外，其他河段均呈冲刷状态。方案 2 在水量不变的情况下，沙量虽然增加了 0.765 亿 t，日均最大含沙量增大到 139 kg／m³，下游河道仍冲刷 0.205 7 亿 t，从沿程冲淤量分布来看，河道并没有多淤。下面从模型计算的沿程各水文站日均含沙量(细沙、中沙、粗沙、全沙)分布来分析，见表 2-13 ～ 表 2-16。

从表 2-16 看出：小浪底站(6 月 26 日)138.87 kg／m³ 的含沙量在下游的演进过程中，到利津站含沙量为 130.71 kg／m³；7 月 7 日小浪底含沙量为 100.29 kg／m³，演进到利津站含沙量为 94.79 kg／m³，含沙量沿程衰减不是很明显。因此，若考虑利用小浪底水库泄放含沙量较细的高含沙洪水，下游河道有可能不会出现沿程淤积加重的状态，即使到山东河道，河段内也不会淤积较多，高含沙洪水基本能顺利通过下游河道。

表 2-13　方案 2 黄河下游沿程各站含沙量变化过程(细沙)　　　　（单位：kg／m³）

时间(年-月-日)	小浪底	花园口	夹河滩	高村	孙口	艾山	泺口	利津
2002-06-24	25.09	24.00	23.99	23.92	23.69	23.69	23.69	23.69
2002-06-25	96.60	91.70	91.63	91.23	89.85	89.83	89.80	89.76
2002-06-26	127.43	121.69	121.61	121.18	119.72	119.69	119.67	119.64
2002-06-27	41.74	37.45	37.45	37.39	37.20	37.20	37.20	37.21
2002-06-28	16.65	14.66	15.03	15.01	14.95	14.95	16.05	16.71
2002-06-29	23.67	19.32	19.31	19.25	18.94	18.94	19.04	19.04
2002-06-30	31.14	28.67	28.66	28.55	28.20	28.19	28.19	28.19
2002-07-01	37.13	35.08	35.07	34.96	34.24	34.23	34.23	34.22
2002-07-02	39.01	35.62	35.60	35.50	34.79	34.78	34.78	34.77
2002-07-03	19.80	18.65	18.65	18.62	18.45	18.45	18.89	19.32
2002-07-04	20.84	20.51	20.51	20.42	20.05	20.05	20.05	20.05
2002-07-05	28.81	28.26	28.26	28.12	27.62	27.62	27.62	27.62
2002-07-06	80.83	78.90	78.86	78.27	76.37	76.35	76.34	76.35
2002-07-07	87.10	83.85	83.82	83.33	81.75	81.74	81.79	81.78
2002-07-08	89.66	87.28	87.24	86.71	85.04	85.02	85.03	85.02
2002-07-09	32.11	31.96	32.42	32.38	32.08	30.71	32.29	33.00
2002-07-10	17.36	17.48	17.79	17.75	17.57	17.57	17.75	18.28

表 2-14　方案 2 黄河下游沿程各站含沙量变化过程(中沙)　　　　(单位：kg / m³)

时间(年-月-日)	小浪底	花园口	夹河滩	高村	孙口	艾山	泺口	利津
2002-06-24	1.60	1.73	1.73	1.71	1.66	1.66	1.66	1.67
2002-06-25	6.16	5.92	5.89	5.73	5.23	5.22	5.22	5.21
2002-06-26	8.12	7.81	7.79	7.61	7.08	7.07	7.16	7.14
2002-06-27	2.66	2.65	2.88	2.86	2.81	2.50	3.78	4.06
2002-06-28	1.06	1.40	1.73	1.72	1.66	1.66	2.30	2.62
2002-06-29	1.51	1.40	1.45	1.42	1.40	1.17	1.82	2.03
2002-06-30	1.98	2.09	2.09	2.04	1.93	1.92	1.93	1.93
2002-07-01	2.35	2.40	2.40	2.36	2.16	2.16	2.16	2.16
2002-07-02	2.47	2.43	2.43	2.39	2.20	2.20	2.20	2.20
2002-07-03	1.31	1.65	1.84	1.82	1.75	1.54	2.18	2.25
2002-07-04	1.26	1.65	1.87	1.84	1.71	1.45	2.09	2.29
2002-07-05	1.60	1.73	1.83	1.82	1.73	1.73	2.09	2.31
2002-07-06	4.48	4.50	4.49	4.31	3.76	3.75	3.75	3.75
2002-07-07	8.83	8.58	8.55	8.19	7.17	7.17	7.19	7.18
2002-07-08	6.20	6.15	6.13	5.95	5.37	5.36	5.37	5.37
2002-07-09	3.21	3.61	3.46	3.37	3.27	2.68	3.61	4.06
2002-07-10	1.73	2.13	2.17	2.11	2.05	1.70	2.45	2.92

表 2-15　方案 2 黄河下游沿程各站含沙量变化过程(粗沙)　　　　(单位：kg / m³)

时间(年-月-日)	小浪底	花园口	夹河滩	高村	孙口	艾山	泺口	利津
2002-06-24	0.65	1.55	1.58	1.65	1.76	1.99	2.01	2.03
2002-06-25	2.52	2.87	2.89	2.87	2.74	2.74	2.76	2.78
2002-06-26	3.32	4.17	4.18	4.13	3.90	3.90	3.91	3.93
2002-06-27	1.09	4.49	4.50	4.46	4.24	4.24	4.25	4.27
2002-06-28	0.43	3.33	4.02	3.92	3.37	3.37	4.86	4.89
2002-06-29	0.62	2.85	3.64	3.54	3.04	3.03	4.69	4.88
2002-06-30	0.81	2.99	3.47	3.38	3.06	3.05	4.70	5.14
2002-07-01	1.00	3.00	3.62	3.56	3.15	3.15	4.75	5.22
2002-07-02	1.05	3.07	3.69	3.62	3.20	3.20	4.80	5.25
2002-07-03	0.64	3.22	3.72	3.64	3.19	3.18	4.90	5.28
2002-07-04	0.41	3.30	3.92	3.82	3.00	2.99	4.63	5.49
2002-07-05	0.56	3.36	3.93	3.94	3.26	3.26	4.65	5.56
2002-07-06	1.65	3.50	4.07	4.08	3.41	3.41	4.70	5.67
2002-07-07	4.36	4.89	4.90	4.92	4.28	4.28	4.75	5.83
2002-07-08	1.54	4.24	5.05	4.99	4.30	4.30	4.94	5.95
2002-07-09	1.52	4.60	5.73	5.59	4.74	4.74	5.41	6.23
2002-07-10	0.82	3.44	4.24	4.04	3.54	2.89	4.81	6.00

表 2-16　方案 2 黄河下游沿程各站含沙量变化过程(全沙)　　(单位: kg / m³)

时间	小浪底	花园口	夹河滩	高村	孙口	艾山	泺口	利津
2002-06-24	27.34	27.28	27.30	27.28	27.11	27.34	27.36	27.39
2002-06-25	105.28	100.49	100.41	99.83	97.82	97.79	97.78	97.75
2002-06-26	138.87	133.67	133.58	132.92	130.70	130.66	130.74	130.71
2002-06-27	45.49	44.59	44.83	44.71	44.25	43.94	45.23	45.54
2002-06-28	18.14	19.39	20.78	20.65	19.98	·19.98	23.21	24.22
2002-06-29	25.80	23.57	24.40	24.21	23.38	23.14	25.55	25.95
2002-06-30	33.93	33.75	34.22	33.97	33.19	33.16	34.82	35.26
2002-07-01	40.48	40.48	41.09	40.88	39.55	39.54	41.14	41.60
2002-07-02	42.53	41.12	41.72	41.51	40.19	40.18	41.78	42.22
2002-07-03	21.75	23.52	24.21	24.08	23.39	23.17	25.97	26.85
2002-07-04	22.51	25.46	26.30	26.08	24.76	24.49	26.77	27.83
2002-07-05	30.97	33.35	34.02	33.88	32.61	32.61	34.36	35.49
2002-07-06	86.96	86.90	87.42	86.66	83.54	83.51	84.79	85.77
2002-07-07	100.29	97.32	97.27	96.44	93.20	93.19	93.73	94.79
2002-07-08	97.40	97.67	98.42	97.65	94.71	94.68	95.34	96.34
2002-07-09	36.84	40.17	41.61	41.34	40.09	38.13	41.31	43.29
2002-07-10	19.91	23.05	24.20	23.90	23.16	22.16	25.01	27.20

第三章　2003年下游河道防洪形势预测

利用黄科院黄河下游河道洪水演进数学模型进行预测计算,该模型在2002年的调水调沙试验过程中也得到了检验。

一、调水调沙试验期验证计算

计算所给条件和下游河道冲淤模型完全相同。表3-1和图3-1为下游各河段冲淤量模型计算值和实测结果比较表、比较图。从中看出:整个下游河道冲刷量模型计算值为0.276亿t,各河段沿程冲淤量除高村—孙口淤积外,其他河段均呈冲刷状态。定性和断面法基本一致,定量界于断面法和沙量平衡法之间。

表3-1　调水调沙期黄河下游各模型冲淤量计算结果统计 （单位：亿t）

河段	铁谢—花园口	花园口—夹河滩	夹河滩—高村	高村—孙口	孙口—艾山	艾山—泺口	泺口—利津	铁谢—利津
模型计算	−0.132	−0.074	−0.016	0.015	−0.018	−0.030	−0.021	−0.276
断面法	−0.131	−0.071	0.011	0.071	−0.017	−0.090	−0.107	−0.334
沙量平衡法	−0.051	−0.025	0.069	−0.028	−0.084	−0.015	−0.064	−0.198

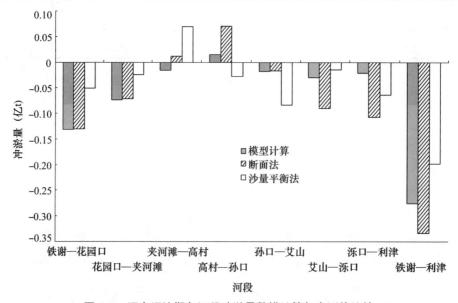

图3-1　调水调沙期各河段冲淤量数模计算与实测值比较

该模型对整个下游河段的沿程流量、含沙量及水位的变化过程进行了演算。图3-2～图3-7分别为人造洪峰传播到下游花园口站、艾山站的流量、水位、含沙量计算值和实测值对比图。从图中可以看出,涨峰、平峰期、落峰期的流量、水位、含沙量的计算值和实测值相近,其他沿程各站计算的洪峰传播过程、沙峰传播过程及水位过程与实测过程基本一致,这说明模型能够真实地反映天然河道中的洪水传播规律,可以进行方案计算。

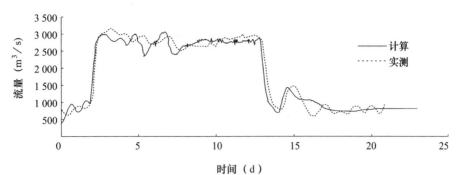

图 3-2　调水调沙期花园口站流量过程验证

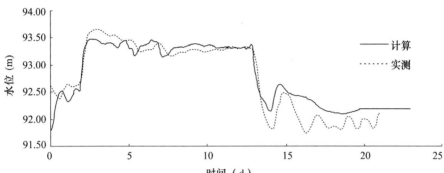

图 3-3　调水调沙期花园口站水位过程验证

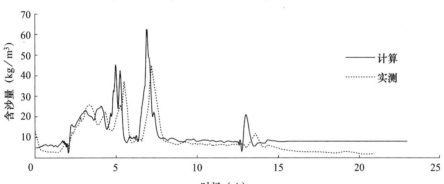

图 3-4　调水调沙期花园口站含沙量过程验证

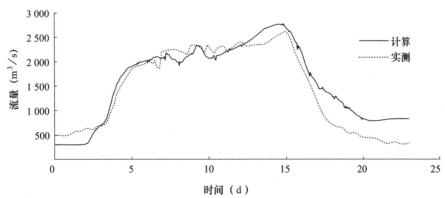

图 3-5　调水调沙期艾山站流量过程验证

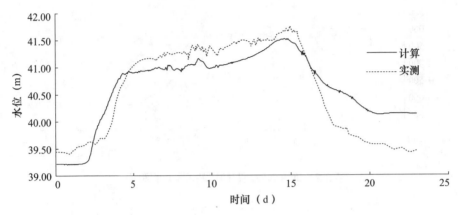

图 3-6　调水调沙期艾山站水位过程验证

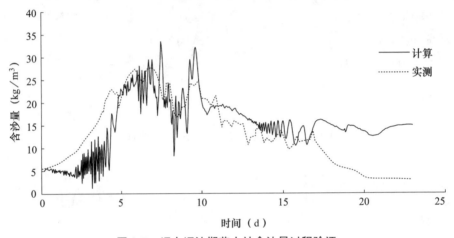

图 3-7　调水调沙期艾山站含沙量过程验证

二、2003 年黄河下游河道洪水演进模型预测计算

(一)计算概况

本次洪水演进预测计算水沙条件有两类,洪峰流量为 7 860 m³/s 的 "96·8" 型洪水、洪峰流量为 15 300 m³/s 的 "82·8" 型洪水,流量过程采用当年花园口站实测洪水过程,含沙量过程参照 1961~1964 年花园口站输沙率与流量关系线设计,悬沙中值粒径取为 0.015 mm。

为保证数学模型能够准确地计算孙口断面的水位变化过程,计算河段下延至距孙口下游 26.18 km 的邵庄断面。洪水预报计算初始地形条件按照 2002 年汛后花园口至邵庄实测大断面控制,并对每相邻两个大断面间概化为 12 ~ 15 个子断面。初始床沙组成按近几年花园口、夹河滩、高村、孙口断面的实测资料平均值内插或外延求得,并对个别断面根据实际情况略加调整。未端水位采用 2002 年洪水水位与流量关系结合 "2002 年黄河下游河道冲淤变化及排洪能力分析研究" 中所提供资料分析确定。

(二) "96·8" 型洪水预测计算结果

模型计算时段为 1996 年 8 月 1~11 日,并向后顺延 5 d,共 16 d,最大洪峰流量为

7 860 m³/s。表3-2列举了河段沿程各测站流量为5 000 m³/s涨峰期洪水位及洪峰期的最高洪水位。由于本次水沙系列含沙量较小，加之2000年小浪底水库拦沙运用后，河道受到了不同程度的冲刷。花园口、夹河滩(三)、高村最高洪水位分别为94.28 m、77.85 m、64.44 m，与实际"96·8"洪水位相比，花园口降低0.45 m，夹河滩(三)升高0.49 m，而高村升高0.57 m。

表3-2　"96·8"型洪水沿程主要测站洪峰流量及洪水位计算结果

测　　站	涨峰期洪水位(m) Q=5 000 m³/s	最高洪水位 (m)	最大洪峰流量 (m³/s)
花园口	93.74	94.28	7 860
双井	92.39	92.89	7 721
赵口	88.53	88.84	7 496
辛寨	87.09	87.54	7 498
大张庄	83.58	84.03	7 413
黑岗口	82.96	83.37	7 379
古城	79.23	79.53	7 267
夹河滩(三)	77.41	77.85	7 252
禅房	73.63	74.31	7 060
大溜寺	71.46	71.72	6 952
石头庄	69.67	69.86	7 039
于林	66.79	67.15	7 021
高村	64.18	64.44	7 041
南小堤	63.34	63.63	6 913
连山寺	60.36	60.73	6 277
彭楼	57.12	57.26	6 195
梁路口	49.44	49.68	5 972
孙口	49.15	49.41	5 937

图3-8为模型计算的沿程主要水文站洪峰流量传播过程，表3-3列举了计算河段主要水文站水文要素预报计算结果。由此可以看出，洪水漫滩后，滩地削峰滞洪作用明显，洪峰传播至夹河滩(三)、高村、孙口时峰值分别削减了7.7%、10.4%、24.4%。由于滩地植被茂盛，蓄水滞洪作用及糙率均非常大，洪水演进速度明显减慢，洪峰由花园口传播至孙口的时间为193 h，比正常洪峰传播时间明显加长很多。但与实际"96·8"洪水相比，由于目前河道平滩流量较当时大，且来流含沙量较小，河道冲刷，洪水的传播时间缩短了33 h。同时，峰型在沿程传播的过程中也逐渐变得更为肥胖，致使山东河道高水位长时间居高不下。因此，防洪形势仍很严峻。

图3-9为计算河段主要测站含沙量传播过程图。因该场洪水含沙量较小，且悬沙平均粒径组成较细，河道普遍发生冲刷，花园口至孙口共冲刷0.49亿 m³，其中花园口—

夹河滩(三)、夹河滩(三)—高村、高村—孙口三河段分别冲刷0.25亿m³、0.15亿m³、0.09亿m³泥沙。

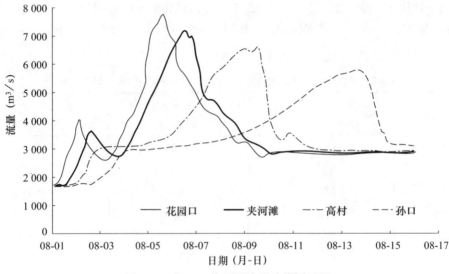

图3-8 "96·8"型洪水洪峰传播过程

表3-3 "96·8"型洪水预报计算主要水文要素

测站	花园口	夹河滩(三)	高村	孙口
洪峰流量(m³/s)	7 860	7 252	7 041	5 937
相对于花园口削峰率(%)	0	7.7	10.4	24.4
最大含沙量(kg/m³)	37.32	44.41	47.64	52.18
洪峰到达时间(h)	0	21	92	193
冲淤量(亿m³)	−0.25		−0.15	−0.09

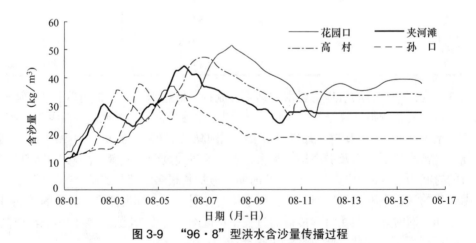

图3-9 "96·8"型洪水含沙量传播过程

(三)"82·8"型洪水预测计算结果

模型计算洪峰过程选为花园口站实测的1982年7月30日~8月10日，并向后顺延5 d，共 17 d，最大洪峰量为 15 300 m³/s。表 3-4 列举了沿程主要测站涨峰期 Q=9 000 m³/s 时洪水位及洪峰期最高洪水位，花园口、夹河滩(三)、高村、孙口站最高洪水位分别为 95.10 m、78.46 m、65.32 m、50.31 m。

表 3-4　"82·8"型洪水沿程主要测站洪峰流量及洪水位计算结果

测站	涨峰期洪水位(m) Q=9 000 m³/s	最高洪水位 (m)	最大洪峰流量 (m³/s)
花园口	94.50	95.10	15 300
双井	93.58	94.20	15 162
赵口	89.02	89.49	15 023
辛寨	87.72	88.15	14 996
大张庄	84.25	84.90	14 887
黑岗口	83.59	84.18	14 855
古城	79.73	80.23	14 597
夹河滩(三)	77.97	78.46	14 394
禅房	74.75	75.45	13 916
大溜寺	71.94	72.22	13 412
石头庄	69.96	70.12	13 120
于林	67.41	67.86	12 756
高村	64.92	65.32	12 674
南小堤	63.97	64.26	12 561
连山寺	61.08	61.53	11 854
彭楼	57.89	58.01	10 700
梁路口	50.43	50.52	9 526
孙口	50.20	50.31	9 356

图 3-10 为模型计算的沿程主要水文站洪峰流量传播过程，表 3-5 为计算河段主要水文站水文要素统计结果。因该场洪水峰高量大，洪峰由花园口至夹河滩(三)、高村、孙口站时，洪峰流量分别减少了 906 m³/s、2 626 m³/s、5 944 m³/s，削减率分别为 5.9%、17.2%、38.8%。洪峰由花园口传播至孙口时间为 110 h，比 1982 年洪水传播时间延长了

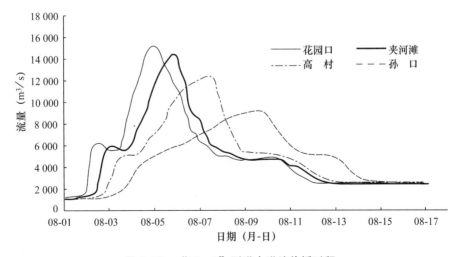

图 3-10　"82·8"型洪水洪峰传播过程

7 h。滩地的大量蓄洪削峰作用也引起了洪峰变形较大，花园口站大于 6 000 m³/s 流量的洪水持续历时为 89 h，传播至孙口增加到 119 h，为黄河下游防洪带来了巨大的压力。

表 3-5 "82·8"型洪水预报计算主要水文要素

测站	花园口	夹河滩(三)	高村	孙口
洪峰流量(m³/s)	15 300	14 394	12 674	9 356
相对于花园口削峰率(%)	0	5.9	17.2	38.8
最大含沙量(kg/m³)	59.48	70.58	78.91	86.90
洪峰到达时间(h)	0	25	54	110
冲淤量(亿 m³)	−0.42		−0.24	−0.12

图 3-11 为含沙量传播过程。因该场洪水含沙量较小，整个计算河段内表现为冲刷，总冲刷量为 0.78 亿 m³，其中花园口—夹河滩(三)河段冲刷了 0.42 亿 m³，夹河滩(三)—高村冲刷了 0.24 亿 m³，高村—孙口冲刷了 0.12 亿 m³。

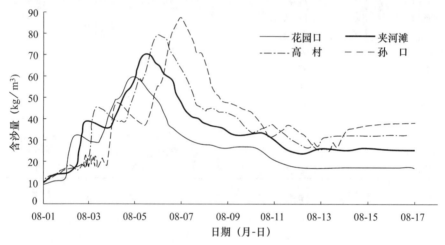

图 3-11 "82·8"型洪水含沙量传播过程

第四章 结论与认识

近年来,随着三门峡水库来水的急剧减少,潼关至三门峡之间进出库水量不平衡矛盾突出,特别是 2002 运用年,进出库水量相差近 22 亿 m^3。这势必会影响到黄河水资源的合理利用和全河水量的统一调度,同时也影响到水库泥沙数学模型计算的精度。建议黄委应尽快开展三门峡水库进出库水量不平衡的原因分析,以及采取相应对策。

通过方案 2 与方案 1 的对比分析,三门峡水库在桃汛期适当降低坝前水位,对三门峡水库非汛期淤积重心向坝前移动是有利的。据多年资料分析,坝前水位 315 m 的回水影响范围在大禹渡附近。建议水库在桃汛期间水位应比桃汛前水位低,一般可以控制在 310 ~ 313 m 之间,使淤积物向下移动,有利于水库汛期排沙。

通过方案 3 与方案 1 的对比分析,在非汛期末(6 月中旬以后)来洪水条件下,三门峡水库降低坝前水位至 305 m,对三门峡水库非汛期淤积重心向坝前移动和减少非汛期淤积都是非常有利的。建议当 6 月份入库流量大于 1 500 m^3/s 时,在保证库区工程安全的前提下,应尽量降低水位或敞泄排沙。

黄河泥沙冲淤数学模型通过 2002 运用年和调水调沙试验模型验证计算,冲淤计算结果在定性和定量上,均较符合黄河的实际情况;2002 年有、无小浪底水库模型计算,若模型中考虑下游的引水引沙规模,整个下游河道汛期、年减淤量分别为 1.779 亿 ~ 1.646 亿 t、2.090 亿 ~ 1.820 亿 t。建议黄委有关各主管部门,加强水资源的统一调度和管理,若每年节约 40 亿 m^3 水量,则下游河道至少可以多冲刷 0.39 亿 t 泥沙,既可以增加河南河段的排洪能力,还可以减缓山东河段河道的淤积速度。

假定水沙条件,通过数模计算 2003 年非汛期全下游冲刷总量约为 0.347 亿 t,冲刷范围仍在高村附近,高村以下河段微淤。若把河段冲淤量在河槽内平铺,高村以上河段冲刷厚度近 0.10 m,高村以下河段抬升 0.065 ~ 0.090 m。

2002 年调水调沙试验,若小浪底水库按 2 600 m^3/s 泄放 6 d,全下游仅冲刷 0.099 8 亿 t 泥沙;若利用小浪底水库进行调节含沙量较细的异重流,且水沙搭配合理,下游河道将有可能出现沿程含沙量衰减较弱的有利局面,河段内淤积较少,使粒径较小的高含沙洪水顺利通过下游河道而排沙入海。

在 2002 年汛后地形条件下,复演"96·8"型洪水。花园口、夹河滩(三)、高村、孙口最高洪水位模型计算值分别为 94.28 m、77.85 m、64.44 m、49.41 m,与实际"96·8"洪水位相比,花园口降低 0.45 m,夹河滩(三)升高 0.49 m,而高村水位却升高 0.57 m。

在 2002 年汛后地形条件下,复演"82·8"型洪水,花园口、夹河滩(三)、高村、孙口站模型计算的最高洪水位分别为 95.10 m、78.46 m、65.32 m、50.31 m。洪峰由花园口传播至孙口时间为 110 h,比 1982 年洪水实际传播时间延长了 7 h。滩地的大量蓄洪削峰作用也引起了洪峰的较大变形,花园口站大于 6 000 m^3/s 流量的洪水持续历时为 89 h。传播到孙口增加到 119 h,给黄河下游防洪带来了巨大的压力,防洪形势十分严峻。

通过本次的年度咨询数学模型计算检验工作,发现库区和下游模型本身均存在许多问题。库区干流淤积物纵面的模拟、下游典型断面调整变化以及冲淤量的沿程分配等模拟和实际还有一定的差别。由于黄河问题的复杂性,黄河泥沙运动的基本规律还需要做进一步的研究。今后黄河数学模型的发展,在库区异重流排沙、干支流异重流倒灌机理、异重流交界面阻力等应做更进一步的探讨,黄河下游河道洪水期河床调整过程、河槽横向变化的模拟方法、漫滩洪水行洪规律等关键问题的模拟手段有待于进一步提高和完善。

第三部分　跟踪研究报告

第三部分・现代科技发展

第一章 艾山以下河段主槽严重萎缩及 2002~2003年防凌形势严峻性

一、概述

近年来黄河下游河道持续淤积萎缩，即使是在小浪底水库投入运用后下泄清水的条件下，夹河滩以下河段淤积萎缩的状况也没有得到有效遏制，过洪能力仍然较低。同时，由于下游河床演变十分迅速，河道排洪、排凌的边界条件变化也较快，以至于在黄河首次调水调沙试验期间，高村附近河段出乎预料地出现了流量不足 2 000 m³／s 竟然漫滩的严峻状况，艾山以下窄河道淤积萎缩的局面也进一步恶化。目前，艾山以下的部分河段，甚至出现了主槽宽度不足 250 m、有效排凌宽度(具有一定水深的深槽所对应宽度)不足 200 m、主槽过水面积不足 1 000 m² 的不利状况。从河道排凌能力的角度来看，目前是有史以来最为不利的时期，不利程度超过了近年来凌情较为严重的 1996~1997 年凌汛前期。

众所周知，艾山水文站断面两岸是山，是典型的卡口断面，其主槽宽度长期以来基本维持在 420 m 左右。目前，清 2、霍家溜和梯子坝等断面主槽宽度分别为 311 m、243 m 和 500 m，有效排凌宽度分别只有 169 m、193 m 和 195 m，不到艾山卡口宽度的一半，必将给河道行洪和排凌带来严重的影响。首先，平滩下过水面积和平滩流量明显减小，河槽容蓄冰凌、洪水的能力有限，易于造成凌汛洪水漫滩成灾；其次，主槽宽度缩窄，具有高效行洪、排凌能力的主流带宽度减小，必然导致洪水水位涨率增大及同流量水位抬升，进一步增大洪水威胁；另外，主槽缩窄易于形成冰塞、冰坝，对黄河堤防的安全构成严重威胁。

二、艾山以下窄河段横断面形态变化

冲积性河流河道横断面形态是水沙条件长期作用的结果，同时，河道横断面形态的变化对河道排洪、排凌和输沙特性又会产生显著的影响。自 20 世纪 80 年代后期特别是 90 年代以来，进入艾山以下窄河段的水沙量减少，洪峰流量降低，河道横断面明显淤积萎缩。由于水沙条件特别是洪峰条件的不同，艾山以下窄河道横断面形态的变化可分为 1985 汛后~1996 年汛后和 1996 汛后~2002 年 7 月下旬两个不同的阶段。

(一)1985 年汛后~1996 年汛后河道横断面形态变化

1981~1985 年丰水少沙，同时河口边界条件也较为有利，下游河道淤滩刷槽，主槽宽大，过洪和排凌能力较大。1985 年汛后，艾山以下窄河段主槽平均宽度为 600 m，相应过水面积为 2 646 m²，平滩流量约为 6 000 m³／s。其中，刘家园以上 146 km 长的河段主槽过水面积为 2 500~3 500 m²。

到 1996 年汛后，艾山以下河道淤积萎缩，主槽横断面形态发生了显著的改变(见

图 1-1)。一方面表现为主槽的缩窄，全河段主槽平均宽度由 1985 年汛后的 600 m 减小为 1996 年汛后的 484 m，缩窄了约 1 / 5(见图 1-2)；另一方面表现为滩唇抬升(见图 1-3)，主槽平均水深和过水面积显著减小(见图 1-4)。与 1985 年汛后相比，大部分断面滩唇抬升了约 0.5 m，主槽平均水深由 4.13 m 减小为 3.50 m、过水面积由 2 646 m² 减小为 1 721 m²，相应平滩下主槽平均河底高程除河口地区外升高约 1.5 m(见图 1-5)。河口地区的萎缩也主要表现为河宽的大幅度缩窄(见图 1-6)。

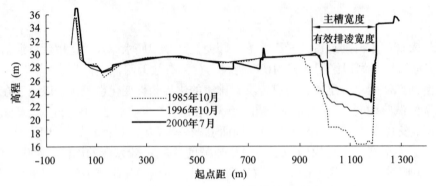

图 1-1　不同时期艾山以下河道主槽横断面(霍家溜)形态

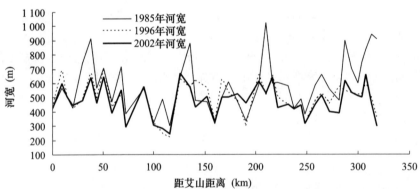

图 1-2　不同时期艾山以下河道主槽宽度沿程变化

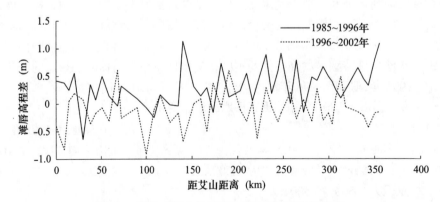

图 1-3　不同时期艾山以下河道滩唇高程沿程变化

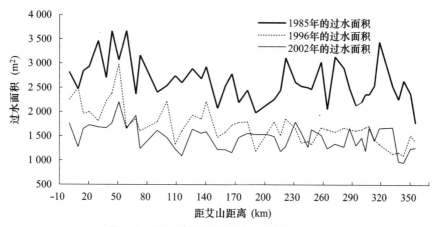

图 1-4 不同时期平滩下过水面积沿程变化

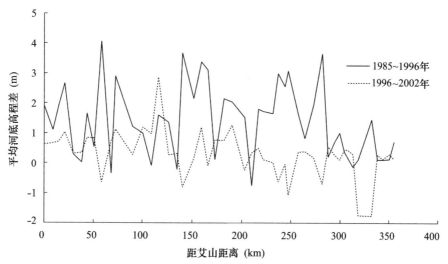

图 1-5 不同时期河底平均高程沿程变化

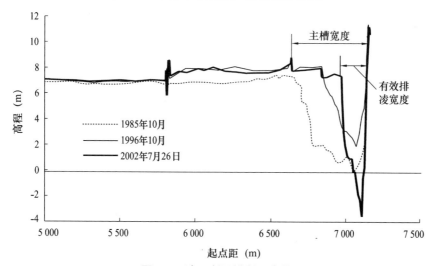

图 1-6 清 2 断面横断面变化

(二)1996 年汛后～2002 年 7 月下旬河道横断面形态变化

1996 年洪水期,艾山以下河段大范围漫滩、淤滩刷槽,形成了 1996 年汛后滩唇较高、主槽较窄、水深较小的主槽。其后长期没有大水,泥沙在较小的主槽范围内输移、淤积。至 2002 年 7 月下旬调水调沙试验结束,艾山以下主槽平均过水面积减少为 1 416 m²(见图 1-4),较 1996 年汛后减小了 312 m²,占原过水面积的 18%。由于水流不漫滩,滩唇高程和相应主槽宽度变化不大,但因长期小水淤积,在 1996 年汛后的主槽范围内,又形成了一个滩唇较低的更小的枯萎河槽。在新形成的滩唇和 1996 年形成的滩唇之间有 30～100 m 的宽度(见图 1-1),这个宽度对于排泄伏秋大汛的洪水尚具有较大的作用。随着洪峰上涨,主槽不断地冲刷展宽,有利于提高河道的排洪能力;但对于河道排凌,由于主槽流速相对较小、冲刷能力较弱,且这部分河宽范围内水深很小,所以排凌的能力不大。为此,在前述对主槽宽度和相应过水面积研究的基础上,引入"有效排凌宽度"的概念,以便于更客观地反映现状横断面条件下下游河道的防凌形势。"有效排凌宽度"是指在原主槽(两岸滩唇之间)范围内,新淤出的具有较大水深和较强排凌能力的深槽(两岸长期小水新淤出的低滩滩唇之间)河宽。

三、窄河段萎缩状况及其与 1996 年汛后的对比

黄河下游凌情是热力(气温)、动力(流量)和河道形态(河势)等多因素综合作用的结果。其中主槽过水面积以及由此所决定的行洪、排凌能力对于下游凌情具有较大的影响:主槽宽度缩窄及过水面积减小,增加了冰凌阻塞甚至卡冰结坝的可能性。为便于说明问题,以 20 世纪 90 年代凌情较为严重的 1996~1997 年凌汛前期的河床边界条件为参照,与目前的河床边界进行对比分析。

比较 2002 年调水调沙后和 1996 年汛后艾山以下河道的河槽萎缩特征值和断面冲淤情况,可以看出,1996 年汛后至今,在短短的 6 年时间内,艾山以下河道河槽发生了明显萎缩。主要表现在:①河槽宽度和有效排凌宽度减小;②主槽过水面积和平滩流量显著减小;③河床高程抬升,滩唇高程有所降低;④同流量水位抬高。

为定量地说明河道的萎缩状况,现对调水调沙试验结束后艾山以下窄河段 48 个淤积大断面的主槽宽度、有效排凌宽度和主槽过水面积等特征值及不同量级、不同河段的分布情况分析如下。

(一)主槽河宽和有效排凌宽度减小

1. 主槽宽度不同量级的断面比例

在统计的 48 个实测大断面中,平滩下主槽平均宽度为 473.2 m(按距离加权平均,下同)。按 400 m 以下、400～600 m 之间和 600 m 以上 3 级河宽统计,主槽宽度小于 400 m 的断面有 11 个,分别占断面总数和河道长度的 22.9%和 25.2%,其中:有 4 个断面主槽宽度不足 300 m,最窄断面(霍家溜)主槽宽度只有 243 m,大约为艾山水文站断面主槽宽度的一半;后张庄断面、水牛赵断面和河口 6 断面的主槽宽度分别为 283 m、293 m 和 298 m。在所统计的大断面中,仅有 8 个断面的主槽宽度超过 600 m,分别只占断面总数和河道长度的 16.7%和 16.6%。主槽宽度在 400～600 m 之间的断面有 29 个,分别占断面总数和河道长度的 60.4%和 58.2%。不同范围内主槽宽度及所占断面总数和河段总长度的比

例详见表 1-1 和图 1-7。

表 1-1　1996 年汛后和 2002 年 7 月下旬河槽萎缩特征值

河宽级 (m)	断面个数			所占河长(km)			加权平均河宽(m)			加权平均面积(m²)		
	1996 年	2002 年	差值	1996 年	2002 年	差值	1996 年	2002 年	差值	1996 年	2002 年	差值
0~200	0	0	0	0	0	0						
200~250	2	1	−1	16.47	8.68	−7.79	232.50	243.04	10.5	1 473	1 093	−380
250~300	3	3	0	30.49	22.02	−8.47	293.26	289.80	−3.5	1 324	1 302	−22
300~350	4	4	0	26.50	32.43	5.93	321.53	314.10	−7.4	1 707	1 511	−196
350~400	0	3	3	0	24.83	24.83	0	393.30	393.3	0	1 433	1 433
400~450	8	8	0	52.30	53.26	0.96	429.89	432.68	2.8	1 584	1 515	−69
450~500	7	7	0	53.67	52.15	−1.52	478.51	466.19	−12.3	1 788	1 456	−332
500~550	9	9	0	55.78	60.88	5.10	525.22	515.63	−9.6	1 738	1 403	−335
550~600	6	5	−1	37.62	36.48	−1.14	577.58	572.86	−4.7	1 617	1 576	−41
600~650	5	6	1	45.91	43.42	−2.49	614.98	626.18	11.2	2 000	1 601	−399
650~700	4	2	−2	29.96	14.53	−15.43	670.99	668.82	−2.2	2 069	1 652	−417

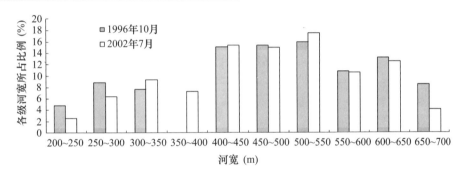

图 1-7　1996 年和 2002 年各级主槽河宽相应河长占总河长的比例

从图 1-7 可以看出，2002 年 7 月下旬主槽宽度略有减小的趋势。河宽大于 550 m 的断面占总断面数的百分数减少了 4.2%，占总河长的百分数减少了 5.5%。其中：650 ~ 700 m 河宽、600 ~ 650 m 河宽和 550 ~ 600 m 河宽的河段长度分别减少了 4.4%、0.71% 和 0.33%，650 ~ 700 m 河宽的河段长减少最多，为 4.4%；而河宽小于 400 m 的断面占总断面数和总河长的百分数均增加了 4.2%。

2. 有效排凌宽度不同量级的断面比例

48 个实测大断面(除去新增断面和 3 个斜交断面)有效排凌宽度统计表明(见图 1-8)，艾山以下河段有效排凌宽度平均为 366 m(按控制河长加权平均，下同)。其中，河宽在 450 m 以上的河段河长所占比例明显降低，有效排凌超过 450 m 的断面仅有 5 个，较 1996 年汛后的 31 个减少了 54.2%。有效排凌宽度在 450 m 以下的断面比例增加，特别是 250 m 以下的断面个数有 8 个，而 1996 年仅有 2 个。其中有 3 个断面有效排凌宽度不足 200 m，最窄断面(清 2)有效排凌宽度只有 168 m，霍家溜、梯子坝和王旺庄断面的有效排凌宽度分别为 193 m、195 m 和 211 m。

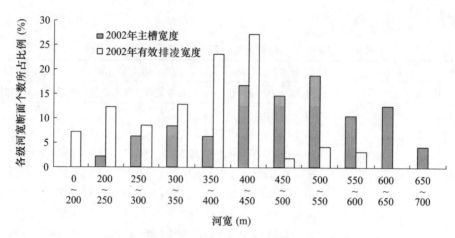

图 1-8 2002 年有效排凌宽度各级所占比例示意

3. 主槽宽度不同量级的断面的河段分布

为反映不同河段主槽宽度变化情况，将每 3 个断面(长约 15 km)分为一组，进行了主槽河宽滑动平均计算，各河段计算成果如图 1-9 所示。由图 1-9 可见，艾山以下主槽宽度以涿口至霍家溜为最窄，平均主槽宽度仅为 278 m。其他较窄的河段还有道旭至王家庄，平均宽度为 420 m；王家圈至梯子坝，平均宽度为 450 m。

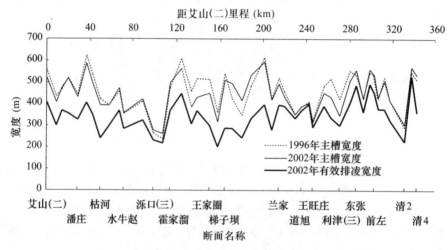

图 1-9 各河段滑动平均河宽

(二)主槽过水面积及平滩流量显著减小

1. 平滩面积不同量级的断面比例

在 2002 年 7 月所统计的艾山以下 48 个实测大断面中，平滩以下主槽平均过水面积为 1 479 m²(按距离加权平均，下同)。按 1 200 m² 以下、1 200~1 700 m² 之间和 1 700 m² 以上三级流量级统计，主槽过水面积小于 1 200 m² 的断面有 6 个，分别占断面总数和河道长度的 12.5%和 10.6%，其中清 3 和清 4 断面的过水面积不足 1 000 m²；过水面积大于 1 700 m² 的有 6 个，分别占断面总数和河道长度的 12.5%和 11.8%；主槽过水面积在

1 200～1 700 m^2 之间的断面有 36 个，分别占断面总数和河道长度的 75% 和 77.6%。不同范围内主槽宽度及所占断面总数和河段总长度的比例详见表 1-2 和图 1-10。

表 1-2　1996 年汛后和 2002 年 7 月下旬不同过水面积量级分布

主槽面积量级(m^2)	断面个数			所占河长(km)			加权平均面积(m^2)			加权平均河宽(m)		
	1996 年	2002 年	差值	1996 年	2002 年	差值	1996 年	2002 年	差值	1996 年	2002 年	差值
<1 000	0	2	2	0	11.7	11.7	0	970	970	0	441	441
1 000～1 100	0	1	1	0	8.7	8.7	0	1 093	1 093	0	243	243
1 100～1 200	4	3	-1	31.2	16.5	-14.7	1 153	1 180	27	340	570	230
1 200～1 300	0	11	11	0	78.9	78.9	0	1 252	1 252	0	452	452
1 300～1 400	6	2	-4	32.0	14.8	-17.2	1 353	1 328	-25	364	472	108
1 400～1 500	2	5	3	15.0	34.2	19.2	1 457	1 467	10	542	484	-58
1 500～1 600	5	7	2	37.3	58.8	21.5	1 561	1 552	-9	536	502	-34
1 600～1 700	11	11	0	80.7	83.9	3.2	1 645	1 654	9	444	479	35
1 700～1 800	6	4	-2	48.4	26.6	-21.8	1 775	1 760	-15	559	444	-115
1 800～1 900	4	0	-4	30.3	0	-30.3	1 841	0	-1 841	515	0	-515
1 900～2 000	3	1	-2	23.1	6.9	-16.2	1 961	1 925	-36	530	554	24
2 000～2 100	0	0	0									
2 100～2 200	0	0	0									
2 200～2 300	4	1	-3	29.2	7.5	-21.7	2 221	2 201	-20	508	647	139
2 300～2 400	1	0	-1	6.5	0	-6.5	2 379	0	-2 379	489	0	-489
2 400～2 500	1	0	-1	7.3	0	-7.3	2 496	0	-2 496	606	0	-606
>2 500	1	0	-1	7.5	0	-7.5	2 980	0	-2 980	694	0	-694

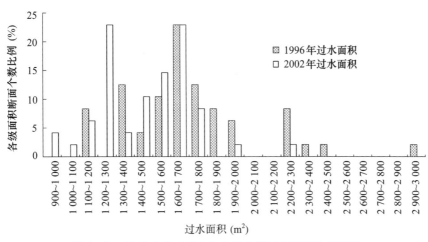

图 1-10　1996 年和 2002 年主槽各级过水面积比例示意

与 1996 年汛后对比分析(见图 1-10)可以看出，2002 年 7 月下旬过水面积有较为明显的减小趋势。面积大于 1 700 m^2 的断面占总断面数的百分数减少了 29.2%，占总河长的百分数减少了 31.9%，其中面积为 1 700～1 800 m^2、1 900～2 000 m^2、2 200～2 300 m^{2}的河段长度分别减少了 6.2%、4.6% 和 6.2%，1 800～1 900 m^2 面积的河段长减少最多，为 8.7%；而面积小于 1 200 m^2 的断面占总断面数和总河长的百分数增加了 4.2% 和 1.6%。在 1996 年以前没有出现过主槽过水面积小于 1 100 m^2 的情况。

2. 有效排凌面积不同量级的断面比例

在所统计的 48 个实测大断面中，平均有效排凌面积为 1 368 m²(按距离加权平均，下同)。按 1 200 m² 以下、1 200~1 700 m² 之间和 1 700 m² 以上三级流量级统计，有效排凌面积小于 1 200 m² 的断面有 11 个，分别占断面总数和河道长度的 22.9% 和 20.0%，其中清 4 和清 3 断面的过水面积不足 1 000 m²,分别为 873 m² 和 985 m²；有效排凌面积介于 1 200~1 700 m² 之间的断面有 33 个，分别占断面总数和河道长度的 68.8% 和 71.7%；有效排凌面积大于 1 700 m² 有 4 个，占断面总数和河道长度的比例均为 8.3%。较细分级的断面个数所占比例见图 1-11。

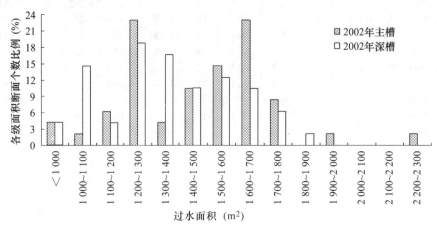

图 1-11　2002 年主槽和深槽各级过水面积断面个数比例

比较 2002 年主槽宽度与有效排凌宽度以及主槽过水面积与有效排凌面积比例情况可以看出：2002 年主槽宽度与有效排凌宽度同级断面个数或对应的河长所占比例变化较大，小于 400 m、介于 400~600 m 之间和大于 600 m 的断面个数比例变化分别为 39.6%、–22.9% 和 –16.7%；而 2002 年主槽过水面积与有效排凌过水面积同级断面个数或对应的河长所占比例变化相对不大，小于 1 200 m²、1 200~1 700 m² 和大于 1 700 m² 的断面个数比例变化分别为 10.4%、–6.2% 和 –4.2%，河段长度所占比例变化为 9.4%，–5.9% 和 –3.5%。由此可见，有效排凌宽度虽然比主槽河宽减小很多，而有效排凌面积比主槽过水面积并没有显著变化，有效排凌宽度以外的那部分河宽比较大，但对应的面积很小，所以说河槽萎缩已经相当严重。具体见表 1-3。

表 1-3　2002 年主槽和深槽的宽度和面积比例变化统计

河宽			过水面积		
河宽分级 (m)	断面个数比例 变化(%)	控制河长比例 变化(%)	过水面积分级 (m²)	断面个数比例 变化(%)	控制河长比例 变化(%)
<400	39.6	38.4	<12 00	10.4	9.4
400~600	–22.9	–21.8	1 200~1 700	–6.2	–5.9
>600	–16.7	–16.6	>1 700	–4.2	–3.5

3. 平滩过水面积不同量级的河段分布

为反映不同河段主槽宽度的变化情况，按照每 3 个断面(长约 15 km)一组，进行了主槽过水面积滑动平均计算，各河段计算成果如图 1-12 所示。由图可见，艾山以下主槽过水面积以王家圈至梯子坝为最小，平均过水面积为 1 206 m²。其他较窄的河段还有泺口至霍家溜。

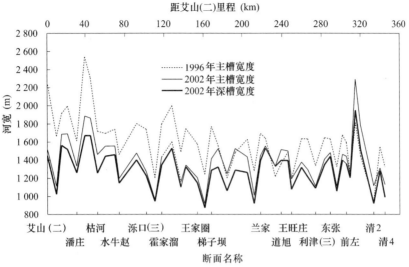

图 1-12 各河段的滑动平均面积

对比图 1-9 与图 1-12 可以看出，主槽最窄的河段和主槽过水面积最小的河段基本上是对应的，即以水牛赵断面(距艾山 72.8 km)—梯子坝断面(距艾山 166.4 km)长 93.6 km 的河段和兰家(距艾山 216.3 km)—前左(距艾山 303.8 km)长 87.5 km 的两个河段的河宽最窄。

根据上述的面积分级，与 1996 年相比，2002 年过水面积小于 1 200 m² 的断面比例和河长比例分别为 12.5% 和 10.6%，比 1996 年分别增加 4.2% 和 1.6%；1 200～1 700 m² 的断面比例和河长比例分别为 75.0% 和 77.9%，分别增加 25% 和 30.3%；而大于 1700 m² 的断面比例和河长比例分别为 12.5% 和 11.8%，则分别减小了 29.2% 和 31.9%。

与 1996 年相比，2002 年主槽过水面积的减小比河宽的减小还要明显，图 1-13 是两个

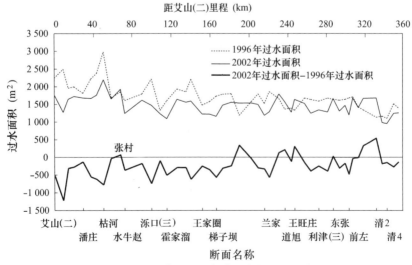

图 1-13 过水面积及其变化量的纵向分布

时期过水面积及其变化量的纵向分布图。由图 1-13 可见，面积减小是很明显的。面积的减小具有上大下小的特点，其中以艾山—枯河(52 km)河段和水牛赵—马扎子(108 km)河段两个河段的面积减小最明显，面积分别减小了 600 m² 和 420 m²。对艾山以下河道两个时期的主槽的过水面积进行加权平均统计，主槽过水面积由 1996 年汛后的 1 728 m² 减小到 2002 年的 1 416 m²，减小了 312 m²。

(三)主槽平均河底高程抬升，滩唇高程有所降低

与 1996 年汛后相比，2002 年 7 月下旬主槽和深槽的平均河底高程是抬升的，其中以占艾山以下河段 50% 的上部的抬升最为明显。主槽的平均河底高程和深泓点的高程也都是淤积抬升的，在 48 个断面中有 39 个断面的平均河底高程都有不同程度的抬升，其中有 17 个断面抬升超过 0.5 m。2002 年的滩唇高程普遍有所降低，有 33 个断面的滩唇有不同程度的降低。图 1-14 为滩唇高程差和平均河底高程差。

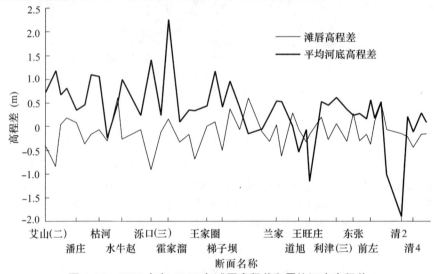

图 1-14　2002 年与 1996 年滩唇高程差和平均河底高程差

(四)同流量水位抬升

1996 年和 2002 年的水位与流量关系的套绘图见图 1-15、图 1-16 和图 1-17。同流量水位的变化与河槽的淤积表现大体一致，有从上到下有减小的趋势。艾山水文站同流量水位抬升幅度最大，并且流量级越大，同流量水位抬升幅度也越大，水位涨率明显增大。和 1996 年汛后相比，2002 年艾山断面 500 m³/s、1 500 m³/s 和 2 000 m³/s 同流量水位分别抬升了 0.39 m、0.47 m 和 0.63 m，1 000 ~ 2 000 m³/s 流量相应的水位涨幅为 1.09 m，约为 1996 年涨幅 0.85 m 的 1.28 倍。说明艾山附近河段在主槽抬升的过程中，同时伴有河槽的严重萎缩。从艾山(二)实测大断面(见图 1-18)变化情况可以看出，1996 年汛后至2002 年 7 月，主槽河底高程淤积抬升了 0.71 m，深槽河宽也明显缩窄。

艾山水文站同流量水位抬升，同水位下过流量明显减少，其中平滩高程下过流量减少约 970 m³/s。

泺口水文站(距离艾山水文站 102 km)的同流量水位抬升较艾山站为小，2 000 m³/s 同流量水位抬升了大约 0.3 m，水位涨率的变化不明显。利津(距离泺口水文站 170 km)

同流量水位变化不明显。

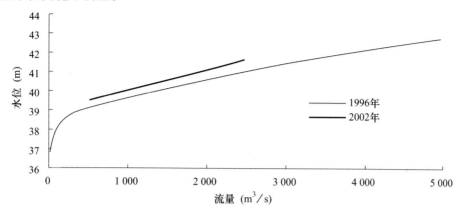

图 1-15　艾山水文站水位与流量的关系

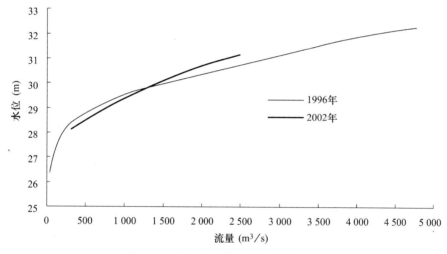

图 1-16　泺口水文站水位与流量的关系

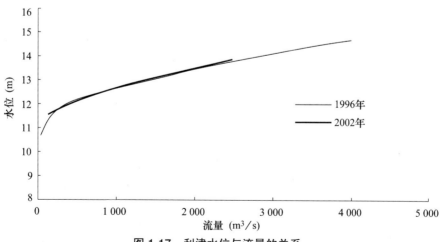

图 1-17　利津水位与流量的关系

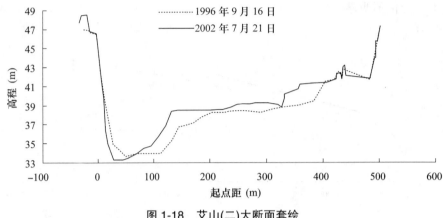

图 1-18　艾山(二)大断面套绘

四、2002~2003 年防凌形势

(一)1996～1997 年黄河下游凌汛情况及启示

1996~1997 年凌汛期间，黄河下游发生了 20 世纪 90 年代最为严重的凌情。随着较强冷空气的侵入，同时由于凌汛期河道流量较小，河口地区三次封河三次开河。其中，1997 年 1 月 16～27 日的第三次封河期间，封河最上首至郓城杨集上延 2 号坝，封河总长度为 233 km。除滨洲部分河段为平封外，绝大多数河段为插冰上排立封，各河段均有不同程度的壅水。其中，孙口—艾山河段平均壅水幅度达 1.03 m，孙口水文站断面壅高幅度最大，达 2.01 m。封河期最高洪水位虽然较高，但相应的流量却很小，如孙口水文站断面 1996 年凌汛期过流量 203 m³／s，相应的最高水位为 48.27 m，而同水位下的汛期相应过流量却达到 2 433 m³／s，同水位下 2002 年汛期的过流量也可以达到 1 800 m³／s。这也从另一个方面反映了凌汛形势的严峻性。

1996～1997 年度的凌汛情况说明，在小流量和河床形态相对萎缩的情况下，凌汛的发生有以下几个特点：①河槽水量较少，水流流速较小，封冻时水体热能交换迅速，受气温升降的影响显著，一次弱的冷空气过程就可能造成小流量封河，封开河次数多，历时短，封冻发展迅速，给预报、调度增加很大难度；②小流量封河，封河冰盖低，冰下过流能力较小，一旦河道流量增加，将很容易形成冰塞、冰坝，壅高水位，特别在河槽萎缩条件下，凌汛水位上涨快、涨幅大，易于造成局部漫滩，给滩区造成较大损失；③小流量封河很容易出现整个河道被冻死现象，即"连底冻"，水位壅高的程度会更大，并可能引起其下游河段的断流；④小流量封河，冰下过流能力小，一旦流量骤增，存在局部河段"武开河"的可能，易于造成严重的工程险情。

分析认为，1996~1997 年度下游凌情严重，除与当时的气温、流量等因素密切相关外，与 1986 年以来长期枯水少沙、下游河道明显淤积萎缩以及河道排洪、排凌能力显著降低的前期河床边界条件具有密切的关系。而前述分析表明，目前艾山以下河段的河床边界条件与 1996～1997 年凌汛前期相比更加不利，多数断面宽者变窄，窄者更窄，河湾更弯(因小水坐弯)，致使出险断面和河段增多，河道行洪、排凌能力又进一步降低。如果以前排凌要经过几道险关(弯道和窄胡同)的话，现在河槽行凌已是道道险关，受阻相当严重,这是以前不曾遇到过的。加之凌汛期气温等因素变化复杂,现状河道边界条件下会发生什么样的凌情、险情难以准确预料,这些变化应引起有关单位和部门的高度重视。

(二)2002～2003年度艾山以下窄河道是防凌潜在的危险河段

根据已有的研究工作经验,从河床边界条件的角度,以主槽过水面积、主槽和有效排凌河宽指标为主,结合河道弯曲程度,初步分析认为2002～2003年度凌汛期泺口—霍家溜、清2—清4、王家圈—梯子坝、利津—王家庄、水牛赵河段、兰家—贾家、道旭—王旺庄等河段的潜在危险较为严重(详见表1-4)。

表1-4 2002~2003年度凌汛期潜在的危险河段

不利级别	最不利河段		面积(m²)		河宽(m)		弯道情况
	河道名称	断面名称	断面面积	平均面积	断面河宽	平均河宽	
最严重	泺口—霍家溜	泺口		1 160		262	
		后张庄	1 235		283		
		霍家溜	1 093		243		急弯
	清2—清4	清2	1 682	1 283	311	381	急弯
		清3	985		413		
		清4	957		458		
严重	王家圈—梯子坝	王家圈	1 225	1 206	506	450	
		张桥	1 223		327		缓弯
		梯子坝	1 160		500		缓弯
	利津—王家庄	利津	1 343	1 315	398	395	
		王家庄	1 282		391		急弯
	水牛赵上下	水牛赵	1 240	1 240	292	292	急弯
较为严重	兰家—贾家	兰家	1 190	1 244	640	520	
		贾家	1 286		428		
	道旭—王旺庄	道旭	1 573	1 514	420	388	缓弯
		龙王崖	1 276		447		
		王旺庄	1 639		314		急弯

上述河段严重淤积萎缩,给今后一段时期内的防凌工作带来了较大的困难:①主槽宽度缩窄、平滩下过水面积明显减小,流(淌)凌密度增加,从而使卡冰结坝乃至封河的可能性增加;②河槽容蓄冰凌洪水的能力较小,一旦发生封河,易于造成凌汛洪水的漫滩成灾;③主槽宽度缩窄,具有高效排洪、排凌能力的主流带宽度减小,必然导致洪水水位涨率的增大及同流量水位抬升,进一步增大洪水威胁。

另外,老徐庄、麻湾、西河口以及官庄至贾庄等急弯河段,因流向的顶冲及流势的紊乱,易于引起主流流凌密集、冰凌颗粒之间的黏合及冰体的形成,以至于卡冰结坝,发生重大的凌汛。特别是黄河河口河段纬度偏高,加之受海潮顶托,下排入海的冰凌多聚集于口门沿岸形成卡冰,凌汛产生的概率和严重程度更大,对其中的清2(十四公里)、西河口、王庄等急弯段应更加密切关注。

(三)典型河段河道横断面变化

河槽萎缩的情况在河道横断面的套绘图中也能够反映出来。表 1-5 给出的是 9 个典型断面的淤积情况，其中淤积最严重的是距离艾山 10.2 km 的大义屯断面(见图 1-19)，淤积面积达 647 m² ，603 m 宽的主槽平均河底高程抬高了 1.07 m；淤积抬升最严重的是距离艾山 116 km 的霍家溜断面(见图 1-1)，244 m 槽宽淤积厚度为 2.24 m；河宽最窄的是梯子坝断面(见图 1-20)，表 1-5 中为了计算一致起见采用 218 m 河宽，实际上梯子坝断面由于河槽萎缩，2002 年的主槽已经缩窄到不足 200 m。

表 1-5 1996 年汛后～2002 年 7 月下旬典型断面的冲淤情况统计

断面名称	大义屯	朱圈	官庄	枯河	水牛赵	泺口	霍家溜	梯子坝	张家滩
距艾山(km)	10.2	21.2	45.6	52.0	74.8	101.8	116	166.3	261.8
槽宽(m)	603	432	474	611	298	321	244	218	524
淤积面积(m²)	647.0	371.4	537.3	700.3	288.8	459.4	547.0	257.6	226.2
淤积厚度(m)	1.07	0.86	1.13	1.15	0.97	1.43	2.24	1.18	0.43

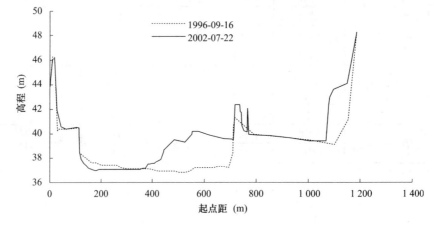

图 1-19 大义屯大断面河槽横断面形态

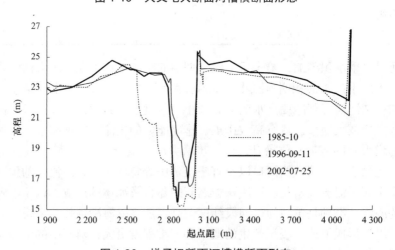

图 1-20 梯子坝断面河槽横断面形态

第二章 充分利用桃汛洪水冲刷
降低潼关高程的建议

潼关高程是三门峡水库运用中的一个重要问题，一直为人们所关注。1995 年汛后潼关高程(潼关断面(六)1 000 m³／s 流量时的水位)达到 328.28 m，至 2001 年汛后潼关高程在 328.05～328.33 m 范围内变化。2002 年 6 月下旬，一场来自渭河的高含沙小洪水使潼关高程一度升高到 329.14 m，汛后潼关高程为 328.78 m。另外，20 世纪 90 年代以来渭河下游也出现严重的泥沙淤积和防洪问题，控制和降低潼关高程再次引起各级领导和水利界的极大关注。

根据三门峡水库长期的实践经验，潼关河床具有非汛期淤积、汛期冲刷的特点。桃汛洪水对潼关高程的冲刷降低具有一定作用，是非汛期潼关河床冲刷的惟一机会，可将非汛期淤积的泥沙搬移到下段，有利于汛期排沙。1974 年以来，由于入库水沙条件和水库控制水位的不同，非汛期潼关高程抬升值也不同。

由表 2-1 和图 2-1 可知，1974～1998 年潼关站桃汛洪峰一般在 2 000～2 800 m³／s 之间，平均为 2 360 m³／s，平均 11 d 洪量约 13 亿 m³，水库起调水位一般在 315～322 m 之间，潼关高程平均下降 0.12 m。其中，1974～1979 年桃汛期潼关高程平均下降 0.01 m，加上非汛期水库运用水位较高，潼关高程平均每年升高 0.70 m；1980 年以后三门峡水库非汛期最高运用水位和桃汛起调水位降低，桃汛洪水对潼关高程的冲刷作用增大，桃汛期潼关高程平均下降约 0.1 m，非汛期平均升高 0.40 m；1993 年后吸取了水库的运用经验，非汛期最高运用水位和桃汛起调水位进一步降低，1993～1998 年桃汛期潼关高程年均下降 0.26 m，较前一阶段明显增大。

表 2-1　非汛期潼关高程年均变化值　　　　　　　　　　（单位：m）

时间	非汛期	桃汛期	起调水位
1974～1979 年	0.70	−0.01	321.43
1980～1985 年	0.40	−0.10	318.57
1986～1992 年	0.37	−0.11	319.58
1993～1998 年	0.32	−0.26	315.31
1999～2002 年	0.31	0.02	316.53

1998 年 10 月万家寨水库投入运用后，改变了桃汛洪水过程，洪峰流量削减，洪水量减少。典型进出库流量过程如图 2-2 所示，在桃汛到来之前泄水，桃峰入库后拦蓄洪峰期水量，使其出库流量形成两个小洪峰，桃汛洪峰值降低。桃汛期万家寨年均蓄水量 3 亿～4 亿 m³，削峰比为 30%～40%。万家寨水库运用以来，在供水、发电和防凌方面发挥了显著作用，但是对降低潼关高程产生了不利影响，1999～2002 年桃汛期平均洪峰流量 1 827 m³／s，潼关高程年均抬升 0.02 m。

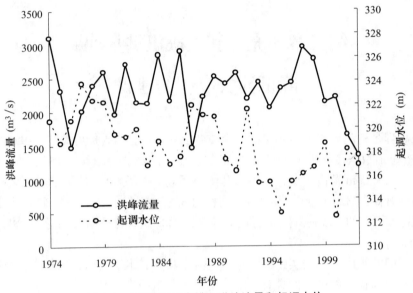

图 2-1　1974 年以来桃汛洪峰流量和起调水位

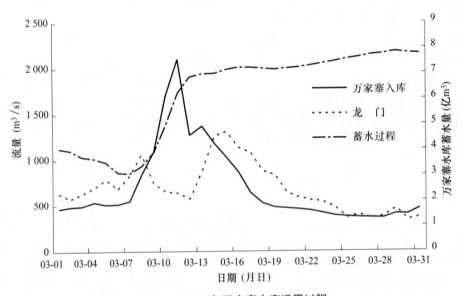

图 2-2　2002 年万家寨水库运用过程

　　根据黄河水利科学研究院多年来对三门峡水库及潼关高程的研究结果，桃汛期潼关高程的冲刷下降值与洪峰流量、洪量和水库起调水位关系密切。桃峰流量大、洪量多，潼关高程的下降幅度也大，起调水位高则潼关高程下降少。特别是当起调水位过高、回水影响到潼关时，桃汛期潼关高程不但不下降，反而还升高。如 1977 年桃汛期洪峰流量为 2 010 m³/s，起调水位为 323.82 m，平均蓄水位为 324.18 m，相应潼关高程抬升了0.19 m，如图 2-3 所示。从图 2-3 中可以看出：当洪峰流量相同时，起调水位越低，潼关高程的冲刷降低值越大；如果起调水位相同，随着洪峰流量的增加，潼关高程下降值增大。当洪峰流量小到某一值，即使起调水位降低，潼关高程还是升高。桃汛期的洪峰水量一般与洪峰流量呈正相关，洪峰水量的大小对潼关高程也有一定影响。

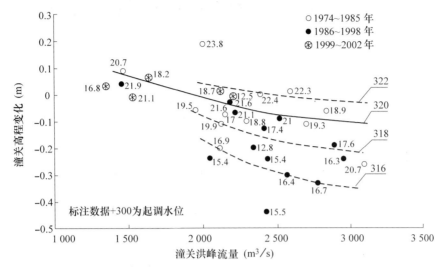

图 2-3　桃汛期潼关高程变化与洪峰流量和起调水位的关系

另有研究表明，三门峡水库非汛期库水位为 315 m 时回水末端一般在大禹渡附近，库水位低于 315 m 时大禹渡以上属于自然河道，其演变主要受来水来沙的影响，水库运用不产生直接影响。

鉴于目前潼关高程居高不下的情况，同时考虑到 2002 年黄河水量偏枯、水库蓄水量少等因素，并要求合理调整水库运用水位，充分发挥桃汛洪水对潼关高程的作用，提出如下建议：

(1)根据上游桃汛来水情况，希望万家寨水库合理调度运用，使潼关形成具有较大峰值的单峰流量过程，洪峰流量不小于 1 900 m³／s，最好能达到多年平均值，保持桃汛对潼关高程的一定冲刷作用。洪量尽量恢复到 10 亿 m³ 左右。

(2)三门峡水库桃汛起调水位降到 313 m，加强洪水冲刷降低潼关高程的同时，改善库区淤积分布。洪峰过后再逐渐抬高水位到 318 m，以供春灌期库周工农业用水。三门峡水库这样运用，估计非汛期水库淤积泥沙主要分布在大禹渡以下。根据三门峡水库运用经验，可以在汛期降低库水位，形成溯源冲刷，把非汛期淤积的泥沙冲出库外。这样，有利于水库年内达到冲淤平衡。

第三章 渭河下游2003年防洪形势初步分析

一、近期渭河下游河道防洪能力大幅度减小

渭河是黄河的最大支流，在潼关上游附近汇入黄河。近期渭河来水量明显减少，如1991～2002年华县水文站年均水量为37亿 m³，仅为1973～1990年平均值的50%。渭河下游输沙水量的严重不足，加之黄河、伊洛河、渭河不利洪水遭遇的影响，使得河道淤积十分严重。1991～2002年渭河累计淤积约2.77亿 m³，其中有3次大淤的年份(1992年、1994年、1995年3年共淤积3.75亿 m³)，而且其间没有出现过大冲的年份。由于洪峰流量减小，泥沙淤积主要发生在主槽内，如1994年泥沙淤积全部在主槽内，1995年有60%淤积在主槽内，使得河床逐渐淤高，主河槽严重萎缩(见图3-1)。

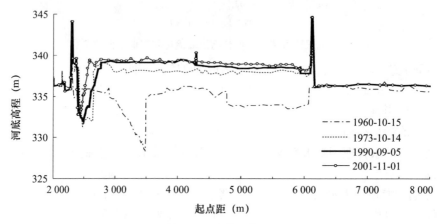

图 3-1 渭淤 8 断面

渭河下游不同时期各河段主河槽平均宽度见表3-1。由表3-1可见，1990年以后，渭河下游河槽宽度大幅度缩窄。特别是1994年和1995年严重淤积后，渭河下游渭淤13断面以下大部分河段河槽宽度在100 m左右，断面更为窄深。1996年以后河槽宽度有所

表 3-1 渭河下游各河段主槽断面形态

河段	1973~1976	1977~1980	1981~1985	1986~1990	1991~1995	1996~2000
主槽平均水面宽 (m)						
渭淤 1~7	434	465	537	629	306	188
渭淤 8~13	591	755	962	1 014	559	307
渭淤 14~19	549	651	814	674	487	291
渭淤 20~28	741	823	863	849	625	533
主槽过水面积 (m²)						
渭淤 1~7	2 153	1 714	2 275	2 106	1 107	827
渭淤 8~13	2 500	3 430	3 639	3 175	2 034	1 315
渭淤 14~19	2 085	2 590	3 408	2 237	1 732	1 024
渭淤 20~28	2 112	2 333	2 458	2 405	1 802	1 697

增加,至 2000 年渭淤 1—渭淤 7 断面平均槽宽为 188 m 左右。主河槽宽度的大幅度缩窄,使得主槽过流面积显著减小。

由于渭河下游主河槽严重淤积萎缩,河床不断抬升,过流面积减小,使得主河槽行洪能力急剧下降。华县段平滩流量 1974～1986 年在 4 500 m³/s 左右,1986～1992 年接近 3 000 m³/s,至 1995 年锐减为 800 m³/s,1996 年之后有所增加,2002 年汛前为 1 200 m³/s 左右。主槽排洪能力降低,同流量水位上升。华县站 1996 年 7 月 29 日洪峰流量 3 500 m³/s 相应水位为 342.25 m,较 1992 年 8 月 14 日同流量水位上升 1.41 m。而 2000 年 10 月洪峰流量 1 890 m³/s 时水位 341.30 m,比 1981 年洪峰流量 5 380 m³/s 水位还高 0.27 m(见图 3-2),出现了"小流量、高水位、大险情"的特征。

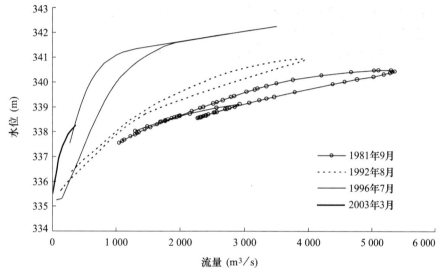

图 3-2　渭河华县站水位与流量的关系

二、潼关高程抬升

潼关断面是渭河下游的出口边界,对渭河下游河段起局部侵蚀基准面的作用,潼关水位的高低直接影响到渭河下游的沿程洪水水位。从三门峡水库蓄清排浑控制运用至 1990 年,潼关高程变化在 326.00～327.80 m 之间,汛后平均为 326.90 m;1992 年汛前潼关高程为 328.40 m,因"92·8"洪水冲刷,汛后下降到 327.30 m;1996 年汛前又上升到 328.42 m,汛后下降到 328.07 m,至 2001 年,汛后的潼关高程变化在 328.05～328.33 m 之间;2002 年受频繁的高含沙小洪水的影响,6 月份曾一度上升到 329.17 m,汛后潼关高程在 328.78 m 左右,超过历史上汛后的最高水位 328.65 m(1969 年),目前基本保持在这一高程。潼关高程的抬升对渭河下游防洪十分不利。

三、渭河下游防洪形势严峻

2002 年渭河华县站年水、沙量分别为 28.4 亿 m³、2.33 亿 t,最大洪峰流量为 1 200 m³/s,渭河下游淤积集中在华县河段,华县的平滩流量减小,估计目前在 1 000 m³/s 左右;200 m³/s 水位为 337.6m,较 1996 年 7 月洪水之前高出 2 m。而 1996 年,华县平滩流量 970 m^3/s，洪峰流量 3 500 m^3/s 相应水位为 342.25 m，为历史最高值，致使渭河下游大堤全线偎水，水深约 2.0 m，局部水深达 3.0 m；受渭河高水位影响，南山支流严重倒灌，水深 2～2.5 m，倒灌长度为 2～11 km；防护堤部分堤段发生裂缝、漏洞、渗水，河道工程多处出险。共造成 9 条支流频繁出险，方山河堤防发生两次决口，罗纹河受渭河倒灌的影响左堤两次决口，还有其他支流漫溢决口，给渭河下游库区人民造成极大的损失。

在目前条件下，下游河床进一步淤积抬高，平滩流量与 1996 年的接近，潼关高程较 1996 年高出约 0.36 m，若发生像 1996 年洪峰流量 3 500 m^3/s 的洪水，华县洪水位将高于 1996 年的 342.25 m，渭河下游将会发生大范围的漫滩，倒灌南山支流，甚至发生决口，出现比 1996 年更为严重的灾情；特别是黄河、洛伊河、渭河发生不利洪水遭遇，对渭河下游淤积会产生严重的影响，渭河下游的防洪形势更为严峻。

针对渭河下游严峻的防洪形势，建议有关部门及早预案，采取必要的防范措施。

第四章　2003年夹河滩—艾山河段防洪形势依然严峻

一、小浪底水库运用前后下游河道平滩流量变化概况

1998年7月16日花园口站出现4700 m³/s的洪峰，从实测资料分析，艾山以上平滩流量为2600~3800 m³/s，其中高村、孙口两站的平滩流量较小，分别为2900 m³/s和2600 m³/s左右，艾山—利津河段在最大流量为3000 m³/s时未漫滩。

1999年汛期花园口站最大洪峰流量为3340 m³/s，夹河滩、高村、孙口三站相应洪峰流量分别为3320 m³/s、2700 m³/s和2450 m³/s，本次洪水在下游演进过程中未出现漫滩现象。

1999年汛后以来，小浪底水库以下泄清水为主，2000年、2001年最大流量均未大于2000 m³/s，汛期最大流量未超过1000 m³/s，加之沿程大量引水，致使冲刷主要集中在夹河滩以上河段，高村以下河段仍以淤积为主，其中高村—孙口河段淤积最为严重。

2002年调水调沙试验期，夹河滩—孙口河段发生漫滩，高村上下河段平滩流量不足2000 m³/s，为全下游最小。试验过后(7月下旬)，高村以上水文站断面平滩流量大多是增大的，花园口、高村分别增大了300 m³/s和700 m³/s，夹河滩变化不大，艾山以下河段的泺口、丁字路口分别增大了160 m³/s和550 m³/s，孙口和艾山站则分别减小了180 m³/s和100 m³/s。

二、2003年下游河道前期冲淤状况

1996年8月黄河下游出现自20世纪90年代以来的最大洪水，花园口洪峰流量为7860 m³/s。据统计，1996年5月~1999年10月下游河道主槽累计淤积3.906亿m³，1999年10月~2002年10月全下游累计冲刷2.868亿m³，二者相加尚有1.038亿m³淤积物没有冲完。从河段分布来看，夹河滩以上累计冲刷1.034亿m³，夹河滩—艾山累计淤积2.138亿m³，艾山以下微冲0.067亿m³，呈现出两头冲、中间淤的格局，其中夹河滩—高村以及高村—孙口两河段淤积状况最为严重。各河段累计冲淤过程详见图4-1。

从下游沿程各站同流量水位变化过程可以看出，1999年10月~2002年10月，在基本为低含沙小流量的持续作用下，位于上段的花园口站水位降幅较大，夹河滩、高村两站略有下降，其余各站水位未见下降。

对夹河滩—艾山河段1996年汛前、2002年汛前和2002年汛后三次实测大断面进行套绘，并计算各断面平滩以下过水面积，如图4-2所示。1996年这一河段共布设有37个测淤断面。经比较，2002年汛前有30个断面的平滩以下过水面积比1996年汛前的断面减小，减幅最大的为南桥断面(面积减少了1231 m²)；其余7个断面平滩以下过水面

积增大, 增幅最大的为油房寨断面(面积增加了 502 m²); 平均平滩过水面积由 1996 年汛前的 1 526 m² 减小到 2002 年汛前的 1 186 m², 2002 年汛后恢复到 1 290 m²。

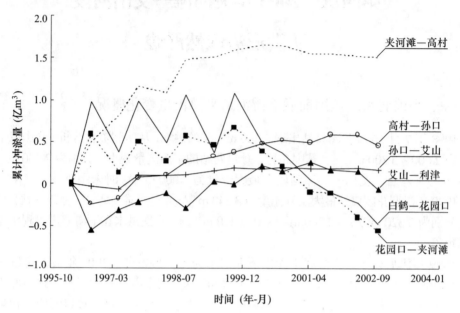

图 4-1　1996 年 5 月～2002 年 10 月下游各河段累计冲淤过程

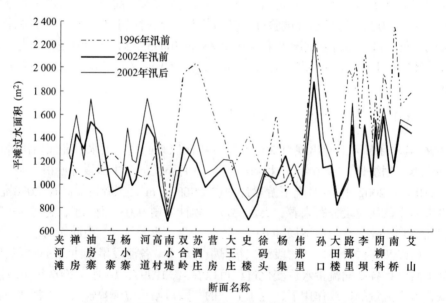

图 4-2　夹河滩—艾山河段平滩以下过水面积沿程变化

　　夹河滩—艾山河段三个测次各级平滩以下过水面积所占百分数分布见图 4-3。从图 4-3 可明显看出, 1996 年以来该河段河槽萎缩严重, 目前仍有近 40% 的断面其平滩以下过水面积不足 1 200 m², 防洪形势十分严峻。需要指出的是, 1996 年汛前～2002 年汛前, 高村—孙口河段 14 个断面中就有 12 个断面的平滩以下过水面积是减小的, 即使经过调水调沙试验的冲刷，该河段平均平滩以下过水面积仍只有 1 196 m²，表明这一河段将可能成为 2003 年下游河道防洪的薄弱河段。

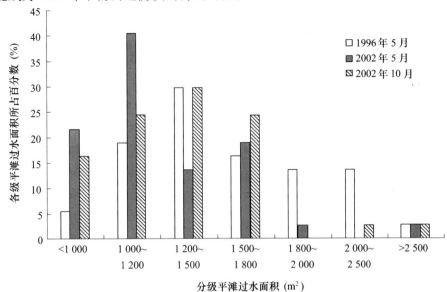

图 4-3　夹河滩—艾山河段各级平滩以下过水面积所占比例分布

三、2003 年汛初下游河道平滩流量预估

由于 1996 年 5 月～2002 年 10 月夹河滩—艾山河段仍发生了累积性淤积，与 1996 年汛前相比，平滩以下过水面积减小较多。考虑到 2002 年调水调沙试验之后这一河段均有不同程度的回淤，预计 2003 年汛初夹河滩以上和艾山以下河段平滩流量将超过或接近 3 000 m³/s，夹河滩—艾山河段平滩流量为 2 300～3 000 m³/s，其中高村—孙口河段为 2 300～2 500 m³/s，将成为全下游排洪能力最小的河段。

计算分析还表明，高村—孙口河段的南小堤、史楼和大田楼等断面的平滩以下过水面积不足 1 000 m²，若按一般的流量与流速关系计算，这些断面的平滩流量会更小。因此，从防洪保安全的角度出发，在汛期到来之前，应采取必要的应急措施，提高这些薄弱河段的排洪能力。